D1046154

# LES CHEMINS DE SAINT-JACQUES

YVES BOTTINEAU

# LES CHEMINS DE SAINT-JACQUES

ARTHAUD

La première édition de cet ouvrage a été publiée dans la collection « Bibliothèque Historique » par Arthaud en 1964. Pour cette réédition, le texte a été revu par l'auteur et l'iconographie a fait l'objet d'une nouvelle sélection.


ISBN 2-7003-0429-2. Printed in France.

*A JACQUES THIRION*

*A ANTONIO BONET CORREA*

# PRÉFACE
# A LA PRÉSENTE ÉDITION

Au milieu du XIIIe siècle, Louis IX envoya en mission en Asie, dans « l'empire des steppes » dont René Grousset a, si remarquablement, raconté l'histoire, un cordelier, flamand d'origine, Guillaume de Rubroek. Celui-ci, en 1254, se trouvait à l' « ordou » (campement) du grand Khan Mongka (Mangou) et il suivit la cour du souverain à Karakorum. Dans son entourage, il rencontra le moine Serge, au passé compliqué, puisque, né en Arménie, il avait été tisseur de toile, avant de se faire ermite aux environs de Jérusalem et de se rendre auprès du chef mongol. Le franciscain a rapporté les propos que lui adressa son interlocuteur : « Il commença à me questionner au sujet du pape, si je croyais qu'il voudrait le voir, et s'il voudrait lui donner des chevaux pour aller à Saint-Jacques. » Ainsi le pèlerinage de Santiago était-il connu, dans les années 1250, même d'un moine arménien parvenu à la cour du grand Khan...

Sa renommée, aujourd'hui, revêt d'autres formes, que favorisent la facilité des transports et la multiplication de la presse écrite ou parlée. De ce prestige historique, poétique, artistique ou religieux, témoignent, de manière diverse, le succès qui accompagne l'activité de la méritante Société des Amis de Saint-Jacques de Compostelle et de son centre d'études, installés dans le Marais, à Paris, la publication du roman de Henri Vincenot, *Les Étoiles de Compostelle* et la visite du pape Jean-Paul II à Santiago le mardi 9 novembre 1982. Il était dès lors normal que les Éditions Arthaud souhaitent réimprimer *Les Chemins de Saint-Jacques*, dont les éditions de 1964 et 1966 se trouvaient épuisées depuis plusieurs années. Notre dessein, pour ces deux éditions, avait été d'écrire non pas une suite de chapitres plus ou moins anecdotiques sur les itinéraires, mais un essai de synthèse sur un phénomène de civilisation. C'est dans le même esprit que le présent volume a été préparé. Le texte de 1966, considéré comme un moment de l'histoire du sujet et de l'état des routes, a été reproduit tel quel. Mais le lecteur trouvera, à la fin du livre, la mise à jour, pour les années 1966-1982, des problèmes majeurs dans le domaine artistique et les principales additions — livres ou articles — à la bibliographie antérieure.

# I

# *HISTOIRE DU PÈLERINAGE*

# 1 LA DOUBLE INVENTION DE SAINT JACQUES LE MAJEUR [1]

¿ Qué cuerpo es, pues, el que allí se venera y cómo y por qué se inició ese culto ?
Quel est donc le corps que l'on vénère à Santiago, et comment et pourquoi a commencé ce culte ?

MIGUEL DE UNAMUNO
*Andanzas y visiones españolas.*

IL y eut, en réalité, deux inventions, c'est-à-dire deux découvertes (du latin « invenire », trouver), du corps ou des restes de saint Jacques le Majeur. La première, dans le haut Moyen Age, fut à l'origine du pèlerinage, mais les reliques ayant sans doute été murées par crainte des incursions anglaises, dans les années 1700-1720, une seconde eut lieu au siècle dernier et fut consacrée par une décision du Saint-Siège en 1884.

Quand régnaient en Occident Charlemagne, et sur les Asturies Alphonse II le Chaste (789-842), une nouvelle extraordinaire se propagea dans la chrétienté. Tout au bout de cet humble royaume des Asturies qui, au nord-ouest de la péninsule ibérique, luttait pour échapper à la domination musulmane, en Galice, au bord de l'Océan, là où l'ultime frange de la terre du Christ s'insère et se perd parmi les vagues, mais oui, très loin là-bas, dans le mystère et la brume, avait eu lieu l'invention de saint Jacques le Majeur. D'après les récits merveilleux qui peu à peu se répandirent en s'amplifiant, l'apôtre avait quitté l'Orient, débarqué à Iria Flavia (aujourd'hui El Padrón, en Galice), évangélisé l'Espagne pendant plusieurs années, puis regagné la Judée, où il avait subi le martyre. Son corps, accompagné par des disciples fidèles, fut alors embarqué à Jaffa et, au terme d'une traversée miraculeuse, regagna Iria Flavia.

1. « Santiago », en espagnol, s'applique aussi bien à l'apôtre saint Jacques le Majeur qu'à la ville de Saint-Jacques; l'appellation complète de cette dernière, en effet, est « Santiago de Compostela », mais elle s'abrège couramment soit en Compostelle (Compostela), soit en Saint-Jacques (Santiago).

*LA DOUBLE INVENTION*

Le tombeau de l'Apôtre, édifié à quelque distance de la ville à l'intérieur des terres, eut pour gardiens ses disciples Théodore et Athanase, dont les restes devaient être ensevelis auprès des siens. Il fut abandonné pendant les persécutions, puis perdu par cet oubli même. Redécouvert à la clarté d'une étoile miraculeuse, il devint d'abord l'objet d'un culte local, puis le but d'un pèlerinage qui fit concurrence à Rome et à Jérusalem. La tradition rapportait aussi que, lors de la bataille de Clavijo en 844, le saint était apparu sous la forme d'un cavalier éblouissant, chargeant les Maures aux côtés des chrétiens. Et cette apparition fit désormais de lui le patron de la lutte contre les Musulmans, bientôt le chef spirituel de la Reconquête, de la Croisade contre les Infidèles.

Quittons maintenant le domaine du merveilleux et examinons scientifiquement, nous voulons dire honnêtement et simplement, en nous appuyant surtout sur les textes, les problèmes que pose cette invention, la première et la plus importante. Quand, où, pourquoi eut-elle lieu ? En quoi consista-t-elle ?

La date exacte à laquelle elle se produisit ne peut se déterminer qu'à quelques années près. On suggère parfois les alentours de 818. En fait, on sait seulement que l'invention eut lieu approximativement dans le premier tiers du IXe siècle. En effet, au temps de Mauregatus, roi des Asturies (783-788), un poète latin anonyme, qui est peut-être le fameux Beatus, abbé fort bien en cour de Liebana, ne chantait dans un hymne que l'évangélisation de l'Espagne par l'apôtre :

Regem Iohannes dextra solus Asiam
Eiusque frater potitus Spaniae.

Mais entre 806 et 838, les additions au martyrologe de Florus de Lyon[1], le jour de la fête de saint Jacques, parlent non seulement de la translation de ses restes, mais du culte dont ils jouissent en Espagne : « Les os sacrés du bienheureux apôtre saint Jacques, transportés en Espagne, sont vénérés à l'extrémité du pays, face à la mer de Bretagne, et sont l'objet d'une dévotion extraordinaire

1. Additions reprises dans celui d'Adon vers 850-860.

des habitants. » L'invention doit donc se placer entre les dates extrêmes fournies par ces deux textes essentiels, soit entre 788 et 838, en un temps peut-être proche de l'an 800, qui vit le pape, à Rome, poser la couronne impériale sur le front de Charlemagne, déjà lourd de gloire et se chargeant d'années.

Les autres circonstances de la découverte sont moins aisées à déterminer, et relativement maigres les données sûres que fournissent les textes.

Non sans étrangeté, les documents proprement asturiens sont relativement peu explicites, et leurs indications fragmentaires ne s'éclaircissent que par un autre texte, généralement considéré comme authentique, capital quoique bien postérieur, et sur lequel nous reviendrons, la *Concordia de Antealtares.* Les chroniques asturiennes contemporaines de l'événement, celle qu'on attribue à Alphonse III (866-910) et celle qui est appelée traditionnellement *Albeldense* du nom du monastère d'Albelda, conservent le silence sur l'invention; mais ce silence peut s'expliquer par le cadre très précis qui était le leur, excluant la découverte. Dans la seconde, cependant, en 881, on la considère comme acquise, puisqu'il est question de l'évêque « Sisnandus Iriæ Sancto Jacobo pollens ».

La première mention explicite se rencontre dans la chronique de Sampiro. D'après celle-ci, Alphonse III, en 872, avait démoli la petite église élevée par Alphonse le Chaste à l'endroit de la découverte, et l'avait remplacée par un édifice d'une grande beauté. Ce même Alphonse III et la reine Chimène avaient offert au nouveau sanctuaire une croix, malheureusement volée en 1906; une inscription y rappelait les noms des donateurs princiers et la date de leur offrande : 874; aujourd'hui encore, du reste, à la Cámara santa d'Oviedo, la croix des anges (808) donnée par Alphonse II peut pour nous évoquer celle qui a disparu. Des textes de diverses donations, en 885, en 895, en 898, il ressort que dès cette époque existait un couvent de religieux, celui de « Antealtares » (littéralement « devant les autels », expression dont nous aurons sous peu l'explication), et que l'évêque d'Iria Flavia, Sisnandus, résidait sans doute dans l'agglomération naissante de Compostelle. Le nom ancien de celle-ci est spécifié sans équivoque en latin; ainsi lit-on, par exemple, qu'une donation est faite à l'Apôtre Jacques « dont la sainte et vénérable église se trouve au lieudit « Arcis marmoricis » (tombeaux de marbre), où l'on sait qu'est enseveli son corps en Galice »[1].

Cependant il faut attendre 1077 pour rencontrer le récit, valable quoique empreint de merveilleux, de la découverte. A cette date, en effet, la construction de la cathédrale romane, celle que l'on admire aujourd'hui à Santiago, obligea à déplacer le monastère d'Antealtares. L'accord, ou « Concordia de Antealtares », passé entre l'évêque Diego Peláez et l'abbé du monastère, reconnaît les droits anciens du couvent et détermine les compensations octroyées aux religieux à l'occasion du transfert. Il rappelle aussi les traditions conservées sur l'invention par les hommes les mieux informés : l'évêque, d'une part; d'autre part, les religieux du couvent fondé par Alphonse II après la découverte. Ces traditions insistaient sur l'antiquité de l'église San Félix (ou San Fiz) de Solobio, au pied du site préhistorique de la Amæa, près duquel vivait, au temps de Charlemagne et d'Alphonse II, un ermite nommé Pélage. A celui-ci les anges révélèrent la présence du corps de saint Jacques, tandis que des fidèles de San Félix étaient avertis par des lumières surnaturelles. Mis au courant, l'évêque d'Iria Flavia, Théodomire, vérifia par lui-même l'existence de cette clarté. Il ordonna un jeûne de trois jours. Ce délai écoulé, il prit la tête des fidèles, se dirigea vers le lieu miraculeusement désigné et y découvrit le tombeau de l'apôtre revêtu de marbre *(sepulcrum marmoreis lapidibus contectum)*. Il avertit Alphonse II. Le roi fit immédiatement édifier trois églises, l'une en l'honneur de l'apôtre, une seconde en l'honneur de saint Jean-Baptiste, et la troisième avec trois autels dédiés au Sauveur, à saint Pierre et à saint Jean. Une communauté, dirigée par un abbé et suivant la règle de saint Augustin, desservait cette dernière et fut à l'origine du monastère justement nommé de « Antealtares », que la construction de la cathédrale romane obligeait de déplacer, mais dont la « Concordia » maintenait les droits.

Telles sont les quelques données que fournissent les textes. Mais peut-on parler à coup sûr d'invention, c'est-à-dire de découverte, du corps ou des restes de saint Jacques le Majeur ?

Le problème comporte en réalité deux aspects étroitement liés,

1. « Cuius sancta et venerabilis ecclesia sita est in locum arcis marmoricis ubi corpus eius tumulatum esse dignoscitur territorio Gallecie ». L'expression « arcis marmoricis » est très importante pour la compréhension du phénomène de l'invention.

mais clairement distincts : l'atmosphère générale d'une époque et d'une contrée qui a rendu psychologiquement possible, et matériellement presque naturelle, cette découverte et les circonstances particulières qui ont fait croire, à un moment donné, que l'on avait trouvé le corps de l'apôtre.

On assiste, en effet, pendant les premiers siècles du haut Moyen Age et jusqu'au tiers du XIIe siècle, à la formation, à l'amplification, à la diffusion et au triomphe de la légende du saint. On a d'abord affirmé que saint Jacques a évangélisé l'Espagne, puis qu'il y a été enseveli, et les affirmations se sont faites plus catégoriques dans le besoin pressant du royaume des Asturies, menacé par les Musulmans. Les restes ont été retrouvés et, peu après, grâce à l'apparition de Clavijo (844), l'apôtre est devenu le patron de la lutte contre les Infidèles.

La progression des étapes a été magistralement analysée et résumée par le grand érudit et l'esprit parfaitement honnête que fut Monseigneur Duchesne. A son travail consacré en 1900 à « saint Jacques en Galice », on ne trouve aujourd'hui encore pas une ligne à ôter. Il distingue six étapes jusqu'à la stabilisation de la légende. Dans ce chapitre, qui ne traite que de l'invention, nous ne nous reporterons qu'aux deux premières. Mgr Duchesne constate que « la croyance à l'apostolat espagnol de saint Jacques remonte, en dernière analyse, à un remaniement latin de catalogues apostoliques rédigés en grec vers le commencement du VIIe siècle. Ces catalogues ne sont, à aucun degré, des documents traditionnels sur lesquels on puisse faire fond. » Et, donnant une date qui se situe presque à la fin de la période que nous avons proposée, il ajoute : « Vers l'année 830, on découvrit sur le territoire d'Amæa, dans le diocèse d'Iria Flavia, une tombe antique qui fut considérée comme celle de saint Jacques. Le culte dont elle fut bientôt entourée est attesté par le martyrologe d'Adon, compilé en France vers l'an 860. »

Les détails de ces étapes résument admirablement le processus psychologique selon lequel le Moyen Age pouvait, en toute bonne foi, créer ses saints, ses reliques, sa civilisation — nous ne disons pas ses dieux, car il est bien évident que la Révélation et l'essence du message chrétien sont hors de cause.

Nul avant le VIIe siècle n'a mentionné une prédication de saint Jacques dans la péninsule ibérique. Dans la littérature chrétienne, si importante du IVe au VIIIe siècle, littérature dans laquelle l'Espagne et la Galice tiennent une place éminente, tous les auteurs se taisent sur cette question. Ainsi en est-il d'Idace, évêque d'Aquæ Flaviæ près de Compostelle, et de Prudence, espagnol pourtant. Grégoire de Tours, très informé des sanctuaires de la péninsule, n'en cite aucun en rapport avec saint Jacques. L'apôtre n'est pas davantage mentionné par Fortunat lorsque celui-ci, écrivant à un évêque galicien, saint Martin de Braga, traite des églises évangélisées par les apôtres, mais n'y comprend pas celle d'Espagne. En 416, le pape Innocent défend dans une lettre la liturgie romaine contre les importations étrangères, et déclare que l'Occident ne devrait connaître que celle du Siège apostolique : les nations qui le composent n'ont-elles pas été évangélisées par ceux qu'ont envoyés Pierre et ses successeurs ? Et dans cette protestation l'Espagne est nommément incluse. Quant à l'autorité de saint Jérôme, on ne peut pas davantage l'invoquer, explique Mgr Duchesne : dans le *Commentaire sur Isaïe*, il ne nomme pas saint Jacques et, s'il cite l'Espagne, c'est que ce pays très éloigné lui fournit un pendant à l'Illyrie : celle-ci très barbare, celle-là très lointaine.

En réalité, il y a non seulement silence, mais négation pure et simple de la prédication, car l'idée de celle-ci est née hors d'Espagne d'un texte dénué de toute valeur, elle a été adoptée par les étrangers alors qu'elle était encore combattue par les Espagnols, et n'a été admise par eux qu'après coup dans des circonstances précises.

Dans la première moitié du VIIe siècle, en effet, se répand dans le monde occidental une traduction latine des *Catalogues apostoliques* (rédigés en grec), le *Breviarium Apostolorum* : aux biographies très brèves des apôtres, tirées du texte original, elle ajoutait diverses interpolations, et c'est d'après l'une d'elles que saint Jacques prêcha en Espagne et retourna mourir à Jérusalem. Est-il besoin de préciser, en citant encore Mgr Duchesne, « que ni ce catalogue dans son texte grec original, ni les additions qui caractérisent ses remaniements latins n'ont aucun titre à représenter une tradition quelconque, à plus forte raison une tradition espagnole » ? Le rapprochement est piquant de textes contemporains, dans la péninsule et à l'étranger, car il montre les Espagnols repousser une prédication dont on prétend, du dehors, leur imposer la fausse tradition. En Angleterre, Aldhelmus, abbé de Malmesbury, adoptait la croyance à la prédication dans l'inscription d'autel qu'il composa en 709 et qui parlait de saint Jacques :

*Primitus Hispanas convertit dogmate gentes.*

Cependant, en Espagne même, saint Julien de Tolède, qui ne brille pas par l'esprit critique, tire parti, en 686, de quelques innovations du *Breviarium*, mais refuse expressément d'admettre la prédication de saint Jacques en Espagne, et spécifie au contraire qu'il prêcha parmi les Juifs.

Quoique combattue sans équivoque, cette contre-vérité résiste à tout, car au moment de l'invasion musulmane elle va dans le sens de l'Histoire. Elle reparaît dans la première rédaction des *Commentaires de l'Apocalypse* de Beatus en 776. Celui-ci, personnage influent et bien vu à la Cour des Asturies, non seulement reprend l'idée, mais la met en vedette, l'insère dans le raisonnement implacable de tout un peuple : comment Santiago abandonnerait-il aux Infidèles cette terre d'Espagne qu'il a donnée à la foi chrétienne ? Avec l'appui du roi Mauregatus, Beatus contribue ainsi à faire du saint, dès avant Clavijo, le patron contre les Musulmans de cette péninsule qu'il a fait naître au Christ. A la mort du roi, les Asturies subissent de violentes attaques des Arabes, mais échappent à leur domination. Le prestige de Santiago en sort renforcé.

Telle a été l'atmosphère de l'invention. Il faut ajouter la passion du Moyen Age pour les reliques, passion sur laquelle on reviendra. En effet, le problème qui se pose est maintenant le suivant : quel mécanisme particulier explique l'invention elle-même ? Quelle étincelle a allumé la clarté miraculeuse qui se répandit au début du IXe siècle vers la Amæa ?

Et d'abord y eut-il invention à proprement parler, c'est-à-dire découverte du corps, ou des restes, de saint Jacques ? Tel ne semble pas l'avis d'un éminent historien, le bénédictin Fray Justo Pérez de Urbel. Celui-ci remarque, dans une étude savante, que la première mention du culte des reliques de saint Jacques ne parle que des restes, des os de l'apôtre (huesos sagrados), et il insiste sur une coïncidence troublante. Près d'Iria Flavia, à l'église de Santa María, un groupe de religieux, et sans doute aussi les fidèles du pays, vénéraient des reliques de la Croix, de saint Jean-Baptiste, de saint Pierre, de saint Paul, de saint Étienne, de saint Jean l'Évangéliste et de saint Jacques — celles du dernier étant naturellement les plus importantes. Or on a découvert à Merida une pierre dont l'inscription apprend que dans cette ville a été dédiée, durant la première moitié du VII<sup>e</sup> siècle, une église à Sainte Marie, et qu'on y gardait des reliques de la Vraie Croix et de différents saints, dont l'énumération correspond à celle du sanctuaire d'Iria Flavia. Fray Justo ne pense pas qu'il puisse s'agir d'une coïncidence fortuite, et rappelle que, dans le texte même de la capitulation de Merida, les Musulmans expliquent que certains habitants ont fui en Galice. Des clercs de Santa María de Merida auraient ainsi gagné avec leurs reliques la région d'Iria Flavia. La résistance heureuse des Asturies expliquerait par la suite l'importance croissante donnée aux reliques du saint. Mais leur célébrité même obligeait les religieux qui les détenaient à fournir des explications sur leur origine, et le voyage miraculeux du récit du X<sup>e</sup> siècle garderait peut-être le souvenir de la réelle fuite des clercs de Merida, qui auraient descendu le Guadiana et remonté la côte occidentale de la péninsule jusqu'à Iria Flavia. On peut reprocher à cette explication de reposer au départ sur une supposition qui elle-même découle d'une coïncidence, et de dérouler ensuite une succession d'hypothèses. Surtout elle n'embrasse que fragmentairement le réel, et s'efface devant la rigueur d'une autre tentative, infiniment plus séduisante, et surtout parfaitement logique et cohérente.

Le mécanisme de celle-ci a été déclenché, une fois de plus, par Mgr Duchesne ; les conséquences en ont été suggérées jusqu'à leur aboutissement final par le chanoine P. David, et c'est M. René Louis qui, dans une conférence inédite, enrichie du résultat des fouilles récentes de Don Manuel Chamoso Lamas, a ordonné les différents éléments de l'explication et les a présentés sous le jour le plus clair.

Les Catalogues apostoliques indiquent, comme lieu de sépulture de saint Jacques, tantôt la Judée, tantôt Césarée en Palestine, tantôt la Marmarique, c'est-à-dire la région déserte qui s'étend entre le delta du Nil et la Cyrénaïque. Justement un texte grec, au lieu de εν πολει της Μαρμαρικης, portait εν ακη της Μαρμαρικης, ce qui n'a aucun sens. Mais cette expression incompréhensible, ou celles qui lui ressemblaient, ont abouti en latin à une autre, voisine de la première à l'origine par l'écriture et le son, mais désormais complètement différente par le sens : « in arca marmorica », c'est-à-dire dans un tombeau de marbre. Cette traduction inattendue rapprochait la sépulture de saint Jacques le Majeur du lieudit de la colline de San Félix de Solobio, qui domine Compostelle et s'appela jadis, nous l'avons vu dans le texte d'une donation, *Arcis marmoricis.* Dans ce qui fut un « oppidum » protohistorique, des fouilles récentes ont révélé l'existence d'une agglomération notable à l'époque romaine : bains, mausolée, cimetière[1]. Au Moyen Age, sur le même emplacement, se trouva également un cimetière, dont on ne conçoit pas l'existence sans sépulture de saint, à cette époque sans reliques. On imagine sans invraisemblance — et n'est-ce pas dans ce sens qu'on peut interpréter la présence à Iria Flavia des reliques citées par Fray Justo Pérez de Urbel ? — l'existence en ces lieux d'un milieu prédestiné, fervent, possédé, comme tous les gens du Moyen Age, de l'amour des reliques, persuadé, comme on le croyait désormais dans la péninsule, de l'évangélisation de l'Espagne par l'apôtre, de son ensevelissement dans le lieudit, de sa protection contre les Musulmans — et cherchant en conséquence le corps du saint, comme l'indiquait le texte sacré, dans un tombeau de marbre. L'invention fut sans doute le fait d'un ermite, clerc ou moine; la dépouille qu'on découvrit dans le tombeau de marbre — de ce dernier, les fouilles récentes semblent bien avoir retrouvé les vestiges — et qu'on identifia avec le corps de l'apôtre n'était en réalité que les restes contenus dans une sépulture du cimetière antique. Quant au terme « Compostelle », il ne vient pas de *Campus stellœ*, le champ de l'étoile qui aurait signalé la présence du corps, mais plus banalement de *compostum* et *compostela*, qui signifient cimetière.

Cette explication rend compte à la fois des textes et des fouilles entreprises dans la cathédrale. Elle place Compostelle dans l'écoulement vertigineux d'une histoire totale, c'est-à-dire d'une histoire qu'avant même l'invention on reconstitue déjà; elle fait remonter les siècles comme autant d'abîmes brusquement troués de sa lumière affolante, et découvre, par delà le Saint-Jacques actuel, non seulement celui du Moyen Age et du haut Moyen Age, mais l'agglomération romaine et le site protohistorique. Ainsi l'ignorance ou l'incompréhension d'un scribe serait la cause lointaine de l'invention du saint, et l'origine insoupçonnée d'un des plus étonnants phénomènes

1. La nécropole s'étend, à quatre mètres au-dessous du pavé de la cathédrale, jusqu'aux travées voisines du Porche de la Gloire. Une découverte émouvante a été celle du tombeau de Théodomire, l'évêque d'Iria lors de l'invention. Cette tombe, dont la plaque est identifiée par une inscription, dut être remise en état, après le raid d'Al-Mansour, lors de la reconstruction de la cathédrale par les soins de l'évêque Don Pedro de Mezonzo (pages 38 et 122).

de la civilisation occidentale, celui des routes de Compostelle. On peut donc dire de cette erreur, en paraphrasant l'Écriture : « *Felix culpa* », heureuse faute, heureuse erreur, heureuse légende qui ont entraîné dans l'art et la culture des conséquences incalculables. Et si les reliques trouvées au début du IXe siècle ne peuvent pas être celles de saint Jacques le Majeur, la foi, la piété, les souffrances de milliers et de milliers de pèlerins ont rendu sacré et perpétuellement vivant le site de Santiago, hanté par l'homme de toute antiquité.

Un tel enchaînement de causes et d'effets nécessitait, en réalité, pour parvenir à son terme, une autre condition. La lutte contre les Musulmans appelait le culte de l'apôtre, propre à l'Espagne victime de leurs entreprises; mais la dévotion pour ses restes participe d'une passion commune à la Chrétienté entière, celle des reliques. Replacée dans son contexte historique ou religieux, la découverte du corps de saint Jacques, telle qu'on vient de l'exposer, ne paraît plus qu'un cas illustre parmi beaucoup d'autres, que la critique moderne avait précédemment ruinés.

Extraordinaire était au Moyen Age l'acharnement des couvents à posséder des reliques, source intarissable de profits. Leur culte, d'origine orientale, atteignit un degré d'intensité dont nous nous rendons aujourd'hui mal compte. Les voler, les substituer ne constituait pas un péché, et permettait à une abbaye pauvre de voir affluer les dons et les pèlerins. Tel fut le cas de Conques quand les restes de sainte Foy, dérobés à Agen, y eurent été transportés. Ainsi la vie et les miracles de bien des saints médiévaux sont-ils souvent presque totalement légendaires. Mais s'ils ne nous instruisent pas sur les saints, ils le font sur le Moyen Age, et leur importance culturelle a été énorme. Émile Mâle a justement écrit : « Ces légendes, aussi poétiques parfois que les inventions de l'épopée (...), créèrent des pèlerinages; elles firent surgir des églises, elles les peuplèrent d'œuvres d'art, elles mirent en mouvement des millions d'hommes; elles furent pour une foule d'âmes une consolation et une espérance, elles leur laissèrent entrevoir dès ce monde le règne de Dieu. »

Le cas particulier des reliques de saint Jacques à Compostelle est différent. La découverte fut l'aboutissement normal d'un processus que la lutte contre les Infidèles et la passion des reliques ont facilité. L'hypothèse que l'on adopte, quelle qu'elle soit, doit rendre compte de ces deux conditions. Il n'y eut pas duperie, mais une suite d'erreurs de bonne foi. Miguel de Unamuno écrivait qu' « un homme moderne, d'esprit critique, ne peut pas admettre, si catholique qu'il soit, que le corps de saint Jacques le Majeur soit à Compostelle ». Et il posait ces questions : « Quel est donc ce corps que l'on y vénère ? Comment et pourquoi a commencé ce culte ? » A la première pourra-t-on jamais répondre avec certitude ? Les restes découverts furent ceux qui au début du IXe siècle étaient enfermés dans le tombeau romain... Le « comment » le plus satisfaisant est celui qui découle de l'erreur du scribe il y a bien des siècles, mais que peuvent transformer les découvertes de la science. Le « pourquoi », c'est la passion des reliques, c'est la croyance mystique de l'Espagne, du royaume des Asturies précisément, dans la protection de l'Apôtre. A ce royaume, il fallait une assurance supplémentaire de foi, d'espérance, de succès — et l'étoile de Compostelle, qui sans doute n'a jamais lui, la lui apporta pourtant un jour entre les jours de ce début du IXe siècle.

* * *

Ce que l'on peut appeler la seconde invention de l'apôtre, celle du XIXe siècle, ne nous retiendra que quelques instants. La crypte située au-dessous de la « capilla mayor » de la cathédrale contenait les reliques de saint Jacques; à cette crypte, on ne descendait pas et le futur Philippe II lui-même, en avril 1554, s'abstint de s'y rendre. L'accès en a été bouleversé par la suite. Vers 1660 fut entreprise la nouvelle décoration baroque de la « capilla mayor ». Pendant les vingt premières années du XVIIIe siècle, on procéda sans doute à une obturation complète devant les menaces des incursions anglaises, soit pendant la guerre de Succession, soit plus vraisemblablement en 1719. Le souvenir de l'emplacement précis des restes de l'Apôtre se perdit avec le temps. Le cérémonial d'intronisation des archevêques, en 1738, ne mentionne ni descente, ni visite au sépulcre. Seule la tradition resta que le tombeau se trouvait dans la crypte. Mais au XIXe siècle, le cardinal Payá y Rico (1874-1886) décida de retrouver à tout prix les reliques fameuses. En arrière de l'« altar mayor » et du mur qui ferme l'abside, à l'intérieur, la découverte eut lieu, dans la nuit du 28 janvier 1879. Des réserves, semble-t-il, assez sévères peuvent être faites tant sur cette campagne de fouilles que sur l'enquête qui, à Rome, amena Léon XIII, dans une bulle du

1er novembre 1884, à déclarer les reliques authentiques. Un prêtre érudit de Compostelle, vénérable par son sacerdoce autant que par sa science, a pu écrire : « Esos restos, sea como sea, han resucitado el actual movimiento de peregrinaciones. » - « Ces restes, quoi qu'il en soit, ont ressuscité l'actuel mouvement de pèlerinages. »

# 2 LA LÉGENDE MÉDIÉVALE DE SAINT JACQUES

Je tiens trop de place dans le ciel pour qu'aucun œil puisse se méprendre.

Saint Jacques dans *Le Soulier de satin*,
par PAUL CLAUDEL.

LA notoriété locale, puis le succès croissant du pèlerinage en Occident ont entraîné la formation de la légende de l'apôtre : aux questions des voyageurs avides de savoir davantage sur la vie et les miracles du saint, il fallait bien répondre. De même qu'elle a démonté patiemment le mystère de l'évangélisation et de l'invention, la critique moderne a déterminé avec une précision plus grande encore les apports successifs dont a été formée, entre le milieu du IXe et les XIIe-XIIIe siècles, la légende de saint Jacques le Majeur. Mais savoir que celle-ci a pris naissance et s'est développée d'une manière toute humaine ne doit pas empêcher d'en apprécier le charme et la fraîcheur. Aussi faut-il commencer par l'exposer telle qu'elle était contée aux pèlerins à partir du moment où elle fut fixée, et même un peu plus tard, telle qu'on la trouve à peu près dans la *Légende dorée* de Jacques de Voragine.

Après que le Christ fut remonté près du Père, les apôtres s'étaient réparti les diverses nations auxquelles chacun d'eux devait prêcher la nouvelle promise à toute créature. A Jacques, Jacques le Majeur, frère de Jean l'Évangéliste, l'Espagne lointaine était échue. En dépit de ses efforts, sa mission s'y révéla stérile, la semence chrétienne par lui jetée ne produisit pas de fruits, il ne forma qu'un nombre insignifiant de disciples : neuf, ou sept, ou un, selon les textes. Et l'apôtre revint à Jérusalem. Là, dans la ville qu'avait pourtant sanctifiée la prédication du Christ, la multitude n'écoutait plus la parole divine, elle se laissait séduire par les enchantements de deux magiciens, célèbres parmi les pharisiens, Hermogène et son disciple Philétus. Celui-ci fut envoyé par son maître afin de convaincre Jacques, devant les Juifs, que sa doctrine était fausse. Jacques, dans cette lutte publique, l'emporta non seulement par l'ardeur et la force de sa parole, mais par l'éclat de ses miracles. Et Philétus, gagné à l'apôtre, retourna vers Hermogène, lui raconta les prodiges qu'il avait vus, lui annonça qu'il se faisait disciple de Jacques. Hermogène, irrité, le lia par des sortilèges, si bien que Philétus, ensorcelé, ne pouvait se remuer. Mais, par un valet, il fit prévenir l'apôtre qui lui envoya son manteau et ajouta : « Qu'il prenne ce manteau et qu'il dise : Dieu relève ceux qui sont tombés, il délivre ceux qui sont captifs. » Et dès qu'il eut touché le manteau, Philétus fut délivré; en hâte, il rejoignit Jacques. Plein de courroux alors, Hermogène convoque les démons, leur ordonne d'aller vers Jacques et Philétus, de les garrotter et de les lui amener pour qu'il tire d'eux une juste vengeance. Mais, volant à travers les airs, les démons imploraient l'apôtre :

« Aie pitié de nous, Jacques, apôtre de Dieu, aie pitié de nous, car nous brûlons avant que notre temps soit venu ! »

Et il leur demanda :

« Pourquoi venez-vous vers moi ? »

Ils répondirent :

« C'est Hermogène qui nous envoie. Il veut que Philétus et toi nous vous menions à lui. Mais sur notre chemin l'Ange du Seigneur nous a attachés de chaînes de fer, et il nous a très rudement tourmentés. »

Et l'apôtre reprit :

« Retournez vers Hermogène qui vous a envoyés. Garrottez-le, amenez-le, mais ne lui faites aucun mal ! »

Hermogène, pieds et mains liés derrière le dos, se trouva bientôt en présence de Jacques. Les démons qui le transportaient avaient été, ce faisant, tourmentés durement, et demandaient vengeance à Jacques. Mais celui-ci, refusant, s'adressa à Philétus :

« Jésus-Christ nous a enseigné le précepte de rendre le bien pour le mal; Hermogène t'a attaché; délivre-le. »

Celui-ci, délivré, redoutait les fureurs des démons qu'il avait tourmentés, et Jacques, pour qu'il s'en puisse préserver, lui abandonna son bâton. Hermogène voulut brûler ses livres de magie, mais Jacques, craignant que la fumée et le feu n'attirent exagérément l'attention, préféra les faire jeter dans la mer. Hermogène, dès lors, prêcha la parole de Dieu, et beaucoup crurent.

Cependant les Juifs s'irritaient de la prédication de Jacques. Abiathar, le grand prêtre, excita une sédition parmi le peuple et l'apôtre, corde au cou, fut conduit à Hérode Agrippa et condamné à mort. Comme il marchait au supplice, un paralytique le supplia de le guérir, ce qu'il fit en disant : « Au nom de Jésus-Christ, pour la foi de qui on me mène au supplice, lève-toi et bénis le Seigneur ! »

Le paralytique se leva. Alors Josias, le scribe qui tenait la corde dont le saint se trouvait attaché, se jeta à ses pieds, déclarant qu'il voulait se faire chrétien. Fou de rage, Abiathar le menaça d'être décapité avec l'apôtre, mais en vain. Josias répondit : « Tu es maudit, et tous tes jours sont maudits, mais que le nom de Jésus soit béni entre tous les siècles ! »

Jacques baptisa Josias, et tous deux furent décapités sans retard.

Les Juifs, par haine, jetèrent aux champs la tête et le corps du saint afin que, privés de sépulture, ils soient dévorés par les chiens et les bêtes sauvages. Mais les disciples profitèrent de la nuit pour recueillir les restes sacrés et les porter au bord de la mer. Là, venant du large, arriva une embarcation tout apprêtée, quoique sans équipage. Les restes précieux y furent transportés. Selon certains récits, les disciples abandonnèrent le navire à la Providence qui l'avait envoyé, et un ange guida sa navigation sur les flots accueillants; selon d'autres, ils montèrent dans le bateau, mais celui-ci avançait sans qu'ils aient besoin de le diriger. Et au bout de sept jours, ou peut-être même au bout d'une seule, d'une extraordinaire nuit, la barque miraculeuse abordait en Galice à Iria Flavia.

Puis, les récits diffèrent. Selon certains, les disciples avaient débarqué et assisté à un prodige inouï : le corps de l'apôtre s'éleva dans les airs, il rayonnait en plein cœur du soleil — puis la même force surnaturelle qui l'avait élevé se mit à le conduire vers l'est dans un lieu voisin, là où devait être sa sépulture; consternés cependant, les disciples se croyaient dépossédés de leur trésor; dévorés d'inquiétude, ils se hâtaient, ils couraient à sa recherche en direction de l'orient. Et ils apprirent qu'ils se trouvaient sur les terres d'une puissante matrone, la reine Louve. Celle-ci, justement, selon d'autres versions, avait fait ôter du navire et déposer sur une grosse pierre le corps du saint, mais la pierre s'était d'elle-même pétrie comme de la cire autour de lui et façonnée en forme de sarcophage.

Comme les disciples demandaient à Louve un peu de terrain pour ensevelir l'apôtre dignement, elle les renvoya au roi de Duyo; puissant, mais cruel, connaissant les chrétiens, mais haïssant jusqu'à leur nom, il jeta les demandeurs en prison. Pendant son repas, il méditait quel genre de mort il leur infligerait, mais tandis qu'il pensait ainsi méchamment, un ange les délivra. Le roi entra en fureur et courut à la poursuite des fugitifs. Mais il périt avec ses soldats sous les ruines d'un pont, qui s'effondra au fracas de leur païenne cavalcade; on disait aussi que les disciples s'étaient réfugiés près de la route, sous la voûte d'une ancienne source, et que cette voûte s'était abattue sur le roi et les siens comme ils passaient.

Les disciples retournèrent près de Louve. Instruite du sort du roi et devenue plus prudente, elle crut cette fois se débarrasser d'eux par la ruse. Elle les envoya chercher sur le mont Ilianus des taureaux indomptés qu'elle leur peignit comme de paisibles bœufs. Comme ils approchaient, un dragon dont l'haleine de peste desséchait la région sortit à leur rencontre dans un sifflement affolant. Mais, sur un signe de croix, il creva par le milieu du ventre et se dissipa en fumée. Un second signe de croix transforma les taureaux sauvages en bœufs paisibles. Les disciples les attelèrent à une charrette, placèrent sur celle-ci le corps de Jacques, et les taureaux, sans même être guidés, apportèrent le fardeau sacré dans la cour du palais de Louve. La reine, frappée d'étonnement, ne rusa plus avec le Ciel et accorda aux disciples tout ce qu'ils demandaient. Elle fit construire une église magnifique pour recevoir les restes de l'apôtre, elle la dota richement, et elle finit sa vie en toute sorte de bonnes œuvres. Trois disciples, ou deux seulement, restèrent près du sépulcre et furent ensevelis aux côtés de l'apôtre. Les autres se dispersèrent dans différentes directions ou regagnèrent la Palestine.

* * *

La *Légende dorée* est muette sur l'invention et passe directement de la translation aux miracles de saint Jacques. Ceux-ci, dont l'énumération touchante, mais monotone finit vite par lasser, ont été généralement opérés en faveur des pèlerins de Compostelle, et il est facile, même au lecteur non averti, de distinguer entre eux certaines parentés de thème.

L'un des sujets les plus frappants est celui de l'apôtre, de la tour et du prisonnier. Un homme de bien, Bernard, du diocèse de Modène, enchaîné dans une tour, invoque saint Jacques. Celui-ci apparaît et lui dit : « Viens et suis-moi en Galice. » Les chaînes tombent aux pieds de Bernard. Il grimpe au sommet de la tour puis sans se faire aucun mal, il saute les soixante coudées de sa hauteur. C'est dans une tour encore qu'un tyran enferme un honnête marchand après l'avoir dépossédé. Le malheureux implore l'apôtre. Alors la tour se penche, se penche si bien que le sommet touche terre, que le captif s'enfuit; les gardes se lancent à sa poursuite, mais le saint rend le fugitif invisible à leurs yeux.

Un autre thème est celui de l'apôtre qui vient au secours des pèlerins faussement accusés de vol. Vers l'an 1020, un Allemand se rendait à Santiago avec son fils. A Toulouse, son hôte l'enivra et cacha dans sa malle une coupe d'argent. Le lendemain, comme ils étaient déjà en chemin, il courut après eux, les traita de voleurs, les accusa de lui avoir dérobé une coupe d'argent. Eux, sûrs de leur innocence, protestaient avec force :

« On peut bien nous punir si on la trouve dans nos effets. »

Et dans la malle ouverte et fouillée, la coupe est justement trouvée. Le juge condamne les malheureux à perdre leurs biens au profit de leur hôte, et décide, en outre, que l'un d'eux sera pendu, en leur laissant le choix : ou le père ou le fils. Entre eux s'élève un débat pathétique, au terme duquel le fils se laisse pendre, et le père, accablé, reprend le chemin de Galice. Au retour de Compostelle, trente-six jours après, il se dirige en pleurant vers le lieu du supplice de son enfant. Mais, accroché au gibet, celui-ci parlait : « Cher père, cher père, ne t'afflige pas, car je n'ai jamais été mieux. Saint Jacques me soutient, il me remplit d'une douceur céleste. » Le fils fut détaché, et l'hôte malhonnête et menteur pendu à sa place.

C'est encore l'histoire d'un vol, celle de ces Français — père, mère, enfants — qui vers l'an 1100 faisaient route vers la Galice et s'arrêtèrent à Pampelune. Dans cette ville, la femme meurt, et l'hôte dépouille l'homme non seulement de tout son argent, mais du cheval qui portait les enfants. Sur le long chemin qui restait à parcourir, le père devait tantôt porter ceux-ci sur les épaules, tantôt les mener par la main. Heureusement, en cours de route, un voyageur lui prête son âne pour les enfants. Arrivé à Compostelle, tandis qu'il priait sur le tombeau de l'apôtre, un homme lui apparut, qu'il ne reconnut pas, mais qui lui dit :

« Je suis l'apôtre Jacques. C'est moi qui t'ai prêté un âne pour venir. Je te le prête encore pour t'en retourner. Apprends aussi que l'hôte qui t'a fait tort est mort, et que tu recouvreras tout ce qui t'appartient. »

Le pèlerin recouvra, en effet, ses biens à Pampelune et, revenu devant sa maison, fit descendre ses enfants de l'âne; l'animal, à peine déchargé de son fardeau, disparut aussitôt.

Et saint Jacques était puissant non seulement contre les méchants, mais contre le diable lui-même. Satan n'avait-il pas réussi à persuader un pèlerin de se tuer ? L'hôte, accusé de sa mort, allait être exécuté quand l'apôtre ressuscita le disparu. On racontait une résurrection plus étonnante encore. Un pèlerin avait commis le péché de fornication. Le diable lui apparut sous les traits de Santiago et lui dit :

« Ta faute ne te sera pas remise, si tu ne te coupes d'abord les membres qui servent à la génération. Mais tu ferais beaucoup mieux de te tuer, car alors tu serais martyr. »

Le jeune homme, nullement étonné de parvenir à l'éternité par ce moyen héroïque, mais un peu radical, et en tout cas scabreux, mit le conseil à profit et, par une belle nuit, si l'on peut dire, se coupa les membres de la génération et, cela fait, s'enfonça l'épée dans le ventre. Mais saint Jacques le rendit à la vie, « et trois jours après, il ne lui restait plus que les cicatrices de ses blessures, et il se remit en route pour poursuivre son pèlerinage. » La légende ne dit pas s'il fut guéri aussi de son péché mignon. Sans doute il se maria et il eut beaucoup d'enfants.

Il faudrait raconter avec grâce la tendre histoire du pèlerin de Vérone, qui se nourrissait d'un pain miraculeux, intact chaque jour au sortir de la besace. Et celle du jeune « demeuré » de Pistoie. Il croyait que son tuteur lui avait nui, et, pour se venger, avait mis le feu aux moissons de celui-ci. On le condamna à être attaché, vêtu d'une simple chemise, à la queue d'un cheval fougueux, mais la chemise ne fut même pas déchirée dans la course affolée de la bête. Sur le bûcher auquel on le conduit alors, il n'est nullement blessé par les flammes. La foule comprend enfin la miraculeuse intervention de saint Jacques et lui rend grâce.

Quel apôtre vraiment fut plus grand ? pensent les gens du Moyen Age. Il fit vivant le voyage d'Espagne, et Dieu consentit un miracle après sa mort pour y renvoyer son corps. Il a convaincu Hermogène et Philétus, captivé leurs démons, tué le dragon, domestiqué les taureaux, converti Louve, la farouche matrone. Devant lui, les tours s'abaissent, les gibets ne savent plus pendre, ni les bûchers brûler. Il prolonge la durée de la nourriture un peu comme le Christ multipliait les pains et les poissons, ou changeait l'eau en vin; le miracle du pain toujours intact ne rappelle-t-il pas celui de la bouteille d'huile vide de l'Écriture Sainte ? Et pareil au Christ et à son Père, il commande à la mort et ressuscite les trépassés. Chevalier, il a battu les Maures. Sur les « chemins de Compostelle », il ne cesse d'être présent, protégeant les pèlerins ou « jacquets », les sauvant de la ruine. Sur les routes du firmament, on le rencontre aussi, rayonnant de l'éclat d'un astre extraordinaire : n'a-t-il pas, s'étant élevé dans le ciel, brillé comme un soleil ? Et plusieurs siècles avant que Paul Claudel le fasse s'exprimer magnifiquement dans *Le Soulier de satin,* il aurait pu s'écrier fièrement, traduisant la pensée unanime du Moyen Age : « Je tiens trop de place dans le ciel pour qu'aucun œil puisse se méprendre. »

* * *

Se méprendre ? La méprise était impossible, en effet, pour les gens du Moyen Age, et même plus tard pour les yeux des découvreurs des Indes, les contemporains de Prouhèze et de Rodrigue. La grandeur de Santiago se lisait magistralement dans leur univers, comme telle ou telle étoile qui nous est familière depuis l'enfance, parce qu'un père, une mère, un être cher ont pour nous déchiffré la géométrie des constellations ou nous ont appris le secret de la Croix-du-Sud. Mais les regards modernes, ceux du XIX^e^ et du XX^e^ siècle... Il ne s'agit pas de tuer un saint au nom d'un vain scepticisme, ou d'une critique prétentieuse et froide, mais d'atteindre la vérité spirituelle dont sa légende n'a été qu'un moment. Inexacte dans les faits, elle reste pour nous précieuse par tout ce qu'elle révèle de l'esprit médiéval. Mais notre vérité à nous commence par l'exactitude, et nous discernons dans cette légende les allusions successives d'époques diverses, comme le géologue distingue les couches et les plis d'un terrain privilégié.

L'œil discerne d'abord une campagne charmante. Ce ne sont que vallonnements couverts d'herbe tendre et émaillés de fleurs; çà et là s'insinuent les rias d'une mer idéale et, dans ce paysage de roman arthurien, assez semblable aux plus douces vallées de l'actuelle Galice, se jouent les épisodes de la *Légende dorée* tels que nous venons de les raconter. L'auteur, Jacques de Voragine, naquit vers 1230 à Varazze, près de Savone, sur le golfe de Gênes; il prit l'habit dominicain en 1244; archevêque de Gênes en 1292, il meurt en 1298. Lui-même mentionne dans son récit les auteurs qui les ont transmis : Hugues, abbé de Cluny (1024-1109), Hugues de Saint-Victor, le fameux moine de l'abbaye de ce nom à Paris (vers 1096-1097-1141), ou le pape Calixte II (1119-1124). En fait, il doit beaucoup à Jean Béleth, religieux et théologien du XII^e siècle.

Moins accessible au regard profane, correspondant, si l'on veut, juste au-dessous de l'herbe fleurie, à la couche d'humus, nous trouverions l'*Historia compostelana*, du début du XII^e siècle et le *Liber Sancti Jacobi* (Livre de Saint-Jacques) dont la compilation, dans le manuscrit de Compostelle, ou *Codex Calixtinus*, fut terminée vers 1139.

En profondeur, se découvriraient quatre plissements dont les directions respectives supportent la terre au-dessus, nous voulons parler de quatre textes différents dont chacun possède son origine propre : la *Petite Passion*, la *Grande Passion*, le *Livre des Miracles*, le *Livre de la Translation*. Le premier était pour saint Jacques lui-même d'un intérêt assez mince, car il concernait surtout les empereurs romains et les rois de Judée. La *Grande Passion*, au contraire, s'étendait longuement sur l'histoire d'Hermogène et de Philétus, d'Abiathar et de Josias; c'est là le texte capital pour la prédication et le supplice de l'apôtre en Judée à son retour d'Espagne. Un certain Abdias, qui de ses yeux a vu le Christ, qui, sacré par saint Simon et saint Jude, fut le premier évêque de Babylone, écrit en hébreu. Un de ses disciples, Eutrope, le traduit en grec et est à son tour traduit en latin, aux VI^e-VII^e siècles, par Julien l'Africain, dont le texte s'appelle *Historia certaminis apostolici*, c'est-à-dire *Histoire des luttes des Apôtres*. Cette *Historia* se retrouve dans la *Grande Passion*; elle est essentielle pour la compréhension des œuvres d'art médiévales relatives aux apôtres, mais son discrédit, au point de vue historique, est total depuis la Contre-Réforme.

Dans la *Translation*, qui remontait originellement au milieu du

IXe siècle, on racontait que le corps de saint Jacques avait été apporté par sept saints des environs de Grenade, dont le rôle était d'habitude tout autre dans l'histoire sacrée de la péninsule, mais que l'on présentait, par un phénomène assez courant d'assimilation, comme des disciples de Santiago. Puis le récit avait été influencé par une fausse lettre du pape Léon, à la fin du IXe siècle — non pas Léon III, mais un souverain pontife imaginaire qui aurait été contemporain de saint Jacques. Cette lettre fut elle-même remaniée vers le début du XIIe siècle : les sept saints furent écartés et remplacés par les deux disciples assesseurs, Théodore et Athanase, et on racontera qu'ils furent ensevelis près de l'apôtre.

Quant au *Livre des Miracles*, l'analyse minutieuse du chanoine Pierre David y a déterminé un noyau initial qui se rapporte aux années 1100-1110, la dernière rédaction étant de peu postérieure à 1135.

Ces détails paraîtront peut-être fastidieux. Du moins montrent-ils avec une relative clarté[1] comment s'est formée la légende de saint Jacques et, par cet exemple typique, comment ont été composées bien d'autres. La part de vérité historique s'y trouve réduite à l'extrême, si elle n'est pas inexistante... Et pourtant, ce n'est pas sur une phrase négative qu'il faut terminer cet examen du problème de la légende médiévale de Santiago. La légende ? Le succès, la diffusion du christianisme en ses premiers siècles expliquent le récit d'Abdias. Dans un monde tellement différent du nôtre par les conceptions et le mode de vie, quel ne devait pas être le prestige d'un homme qui avait vu le Christ ! Oui, sur la légende on peut s'interroger et prétendre résoudre les interrogations. Mais il faut bien constater qu'elle a été plus puissante que l'Histoire. Car les hommes et les nations ne se nourrissent pas uniquement de pain, mais d'esprit, se satisfont, et c'est leur honneur, moins d'exactitude que de beauté.

Comment s'étonner dès lors de la ferveur et de l'étendue du culte de Santiago non seulement en Europe, mais dans le Nouveau Monde ? Si l'on veut bien nous pardonner ce rapprochement, il est pour les Espagnols à la fois saint Martin, c'est-à-dire l'évangélisateur, et Jeanne d'Arc, c'est-à-dire le libérateur. Il est aussi

1. Le schéma placé à la fin de ce chapitre illustre mieux que toutes les analyses la formation de la légende.

celui auquel la Vierge, en l'an 40, durant son apostolat dans la péninsule, aurait apparu à Saragosse (Notre-Dame del Pilar). Ils ont donné son nom aux villes et aux caps et, au XVII^e siècle, contre sainte Thérèse elle-même, ont voulu le garder pour patron, pour incomparable protecteur.

## *SCHÉMA DE LA FORMATION DE LA LÉGENDE DE S. JACQUES*

Jacques de VORAGINE
vers 1230-1293
Auteur de *la Légende dorée*

↑

Jean BÉLETH

| *Historia compostelana* | et | *Liber Sancti Jacobi* ou *Codex Calixtinus* |
|---|---|---|
| début du XII^e siècle | | terminé vers 1139 |

| *Petite Passion* | *Grande Passion* | *Translation* | *Livre des Miracles* |
|---|---|---|---|
| | ↑<br>*Historia certaminis apostolici*, traduite du grec en latin par Julien l'Africain. VI^e-VII^e siècles.<br>↑<br>Abdias est traduit de l'hébreu en grec par Eutrope.<br>↑<br>Abdias a, de ses yeux, vu le Christ; premier évêque de Babylone, il a été sacré par saint Simon et saint Jude; a écrit en hébreu. | vers le milieu du IX^e siècle (se retrouve au livre III du *Codex Calixtinus*).<br>et<br>Fausse lettre du pape Léon vers la fin du IX^e siècle; remaniée à la fin du XI^e ou au début du XII^e siècle. | Noyau initial se rapportant aux années 1100-1110; la dernière rédaction serait de peu postérieure à 1135. (Se retrouve au livre II du *Codex Calixtinus*.) |

## *DE SAINT JACQUES*

### *Historia compostelana*

Selon Luis Sala Balust, les auteurs de l'*Historia compostelana* sont quatre clercs de l'église de Compostelle : deux espagnols, Nuño Afonso, qui devint évêque de Mondoñedo, et Pedro Gundesindiz et deux français, Hugo et Girard. Tous vénèrent profondément Diego Gelmírez, évêque, puis archevêque de Compostelle.

### *Liber Sancti Jacobi* ou *Codex Calixtinus*

Le manuscrit appelé *Liber Sancti Jacobi* ou *Codex Calixtinus* tire son nom de la lettre apocryphe de Calixte II († 1124), qui lui sert de préface. Sa meilleure version est conservée dans les archives de la cathédrale de Compostelle; ce sont Aymeri Picaud, de Parthenay-le-Vieux, Olivier d'Iscam, de Vézelay, et sa compagne Geberge la Flamande, pèlerins de Galice, qui ont fait exécuter cette copie et l'ont envoyée à Santiago. Le *Codex Calixtinus* est composé de la compilation, vers 1139, d'un certain nombre de textes essentiels pour le pèlerinage et répartis en plusieurs livres : I. *Anthologie de pièces liturgiques en l'honneur de saint Jacques.* — II. *Livre des Miracles.* — III. *Livre de la Translation.* — IV. *Histoire de Charlemagne et de Roland* ou Chanson de geste du *Pseudo-Turpin.* — V. *Guide du Pèlerin de Saint-Jacques.* Aymeri Picaud, Olivier d'Iscam et Geberge sont les auteurs de chansons de pèlerinages et de textes liturgiques musicaux de ce Codex, dont il existe naturellement d'autres exemplaires que celui de Compostelle. Picaud est, en outre, considéré comme l'auteur du Guide du Pèlerin (p. 48).

Joseph Bédier voyait dans le *Liber Sancti Jacobi* l'inspiration de Cluny; on en doute aujourd'hui.

Pour les éditions, voir bibliographie, pp. 219-220; sur le *Pseudo-Turpin*, voir pp. 99-103 .

# 3 GRANDEUR ET DÉCADENCE DU PÈLERINAGE

> Les hommes du XIIe siècle ont aimé passionnément ces grands voyages (les pèlerinages). Il leur semblait que la vie du pèlerin était la vie même du chrétien. Car qu'est-ce que le chrétien ? sinon un éternel voyageur qui ne se sent nulle part chez lui, un passant en marche vers une Jérusalem éternelle.
>
> ÉMILE MÂLE.
> *L'Art religieux du XIIe siècle en France.*

L'HISTOIRE du pèlerinage ne se présente pas aussi simplement qu'on le croit généralement; un schéma trop facile la résume d'habitude en quelques mots : succès foudroyant dès l'invention, vogue constante au Moyen Age, décadence continue aux XVIIe et XVIIIe siècles, puis une sorte d'oubli et, de nos jours, une reprise dans laquelle le tourisme vient à l'aide de la foi. La réalité précise et nuance fortement cette courbe sommaire.

Compostelle n'a d'abord été qu'un lieu de culte régional, un pèlerinage asturien, mais d'une importance suffisante pour qu'en l'an 900 y soit transféré le siège épiscopal d'Iria Flavia. Les pèlerins ne commencent à venir de France qu'au Xe siècle. Le premier connu est l'évêque du Puy, Godescalc, qui fait le voyage en 951, soit cent-vingt ans environ après l'invention. Il vient aussi Hugues de Vermandois qui, archevêque de Reims, ne put prendre possession de son siège, et d'autres encore d'Espagne ou de l'étranger, assurément, dont nous ne savons rien. Un témoignage probant du succès de Compostelle est la rivalité que son évêque ose même soutenir avec Rome.

Mais la vogue du pèlerinage est atténuée par les dangers des routes. En 961, donc dix ans après le voyage de Godescalc, Raimond II, marquis de Gothie et comte de Rouergue, meurt assassiné. Les chemins sont, en réalité, souvent périlleux. Les expéditions normandes sévissent depuis 840 environ jusqu'à une époque avancée du siècle suivant. Les incursions et les razzias musulmanes ne sont que trop fréquentes dans le nord de l'Espagne. Dans la péninsule que partage un instable équilibre entre Chrétiens et Infidèles, ceux-ci viennent sans cesse piller les terres de ceux-là. On sait comment l'Islam avait acquis un regain de vigueur; la famille des Omeyades, qui régnait en Orient, avait été détrônée en 750 par les Abbassides, mais un de ses membres, Abd er-Rahman, réussit à s'échapper en Afrique du Nord et à passer en Espagne; là, il se proclama émir indépendant (756) et fit de Cordoue, sa capitale, le foyer d'une civilisation musulmane dont la grande mosquée demeure l'émouvant témoignage. En 924, Abd er-Rahman III envahit la Navarre, mit à sac Pampelune, détruisit la cathédrale. Peu après cette expédition, il se proclama calife (929) et agrandit la mosquée de Cordoue. Ainsi Compostelle, dans la péninsule d'alors, sans cesse en proie aux menaces d'une « révision déchirante » des domaines de l'Islam et de la Croix, est la lumière chrétienne, encore vacillante, face à l'éclat extraordinaire de Cordoue.

Par la suite, cependant, jusque vers l'année 980, la sécurité du pèlerinage augmente, et aussi sa renommée. L'hébergement des voyageurs s'organise dans les monastères des diverses régions qu'ils doivent traverser. Dans les domaines des rois de Navarre, dont le pouvoir s'étend dans la Rioja et vers le Sud, San Martín d'Albelda est peut-être fondé en 924, et San Millán de la Cogolla doté d'une belle église mozarabe. Dans les Asturies et le León se succèdent pareillement des fondations religieuses, où les moines venus des pays de Cordoue et de Tolède introduisent une décoration andalouse ou s'en rapprochant.

Mais ces quelques années pacifiques se terminent dans l'épouvante et le désastre. Al-Mansour, remontant du Midi, se livre chaque année à une campagne de ruine et de pillage dans les états chrétiens du nord de la péninsule. Ses armées sévissent « depuis les bouches de l'Ebre jusqu'à l'estuaire du Douro », comme écrit Elie Lambert, qui a expliqué de façon saisissante les temps troublés ou prospères du pèlerinage; elles paralysent les voyages, puisqu'elles paraissent à Coimbra, à Zamora, à León, à Sahagún, à Astorga, à Carrión de los Condes, à Pampelune, à San Millán de la Cogolla. Et en 997, le premier jour d'août, Compostelle même est prise, la basilique élevée au temps d'Alphonse le Chaste est détruite, et des esclaves chrétiens transportent à Cordoue les cloches de la cité de l'apôtre.

Le XI^e siècle s'ouvre heureusement, pour les états chrétiens, sous de meilleurs auspices. Le grand chef de guerre qu'était

Al-Mansour meurt en 1002, son fils disparaît à son tour quelques années plus tard, en 1008, et la puissance omeyade s'effondre à Cordoue. Le danger incessant que faisaient peser les raids musulmans sur les routes de pèlerinage est écarté par là-même. Mieux encore, la Reconquête marque des progrès, car Sanche le Grand, roi de Navarre, reprend Nájera, Logroño et leur région, et les repeuple de chrétiens. Désormais ni le pèlerinage, ni ses chemins ne seront plus menacés directement; même lors des regains de vitalité que donnent aux Infidèles la venue au pouvoir des Almoravides, puis celle des Almohades, le Nord et le Nord-Ouest de la péninsule demeurent hors de leur atteinte. Mais si les Musulmans ont été repoussés suffisamment dans le Sud pour ne plus menacer Compostelle et les routes qui y mènent, le problème de la Reconquête restait à résoudre : il fallait reprendre les terres chrétiennes, et Santiago, patron de l'entreprise, devait en recevoir un surcroît d'honneurs et de prières. Aussi la fin du XI^e^ et le XII^e^ siècle marquent-ils peut-être la période la plus rayonnante de Saint-Jacques de Galice.

Le succès s'explique d'abord, on ne le dira jamais assez, par la foi absolue, totale du Moyen Age. Mais cet élément spirituel, d'une force incalculable, a été à la fois servi par un dessein très vaste, et incorporé à lui. La Papauté et les abbés de Cluny ont décidé délibérément d'aider les royaumes chrétiens du Nord de l'Espagne contre les Infidèles — le péril représenté par ceux-ci n'était pas imaginaire pour l'Occident, puisqu'il n'avait été brisé, en Gaule même, que par Charles Martel à Poitiers, en 732. Et aux appels qui leur étaient lancés, les Français ont répondu en grand nombre.

Entre 1017 et 1120, on peut dénombrer vingt expéditions envoyées au secours des chrétiens espagnols. En 1064, Guy Geoffroy, comte de Poitiers et de Bordeaux, et duc d'Aquitaine, s'empare de Barbastro. En 1073, Eble de Roucy amène selon les termes de Suger, « une grande armée ». Depuis 1078, les chevaliers de Gascogne et de Béarn, mais aussi de Bourgogne, d'Ile-de-France, de Champagne, de Normandie, du Limousin descendent vers la Navarre, la Castille, le Léon. A leur tête se placent les plus grands féodaux de l'époque, comme Hugues I^er^ de Bourgogne, Aymeri I^er^, vicomte de Narbonne, ou Raymond de Saint-Gilles, comte de Toulouse. Des alliances de familles étroites liaient souvent entre eux les princes de l'un et l'autre côté des Pyrénées. Le roi de Castille, Alphonse VI, épousa successivement Agnès, fille de Guy Geoffroy d'Aquitaine, puis Constance, fille de Robert Ier, duc de Bourgogne, et nièce de saint Hugues, abbé de Cluny. Du second mariage est née une fille, Urraca; elle épouse Raymond, fils du comte de Bourgogne, Guillaume le Grand; leur enfant, Alphonse-Raymond, devient en 1126, roi de Castille, de Galice et de Léon. Et non seulement les grands seigneurs, mais les simples chrétiens franchissent les monts : si les premiers participent aux Croisades, les seconds repeuplent les villes et les régions reprises aux Infidèles.

Les clercs et moines de France venaient occuper les sièges épiscopaux et fonder ou réformer les abbayes. Le rôle de Cluny est primordial, et San Juan de la Peña, en 1025, le premier monastère réformé. En 1090, saint Hugues se rend en Espagne. Envoyé par lui, Bernard de Sédirac dirige le couvent de Sahagún, puis devient archevêque de Tolède (1086-1112). Il recruta en France les futurs prélats de la péninsule dans les abbayes de Cluny : Géraud, de Moissac, sera archevêque de Braga, Pierre de Bourges, évêque d'Osma, Bernard d'Agen, évêque de Sigüenza et archevêque de Compostelle. Moissac, Saint-Victor de Marseille, bien d'autres maisons religieuses deviennent propriétaires en Espagne, et Sainte-Foy de Conques a passé pour avoir reçu en donation Roncevaux. La liturgie romaine est adoptée, l'écriture française remplace la wisigothique.

On peut donc parler, d'un certain point de vue, d'une symbiose entre les royaumes chrétiens d'Espagne et les grands fiefs ou les monastères les plus puissants de France. Et ces détails, qui nous ont apparemment éloigné de Compostelle, contribuent à expliquer la forte proportion de pèlerins français et les échanges culturels qui, dans les deux directions, furent incessants sur les routes du pèlerinage.

Le succès du culte de saint Jacques autour de sa sépulture de Galice ne s'explique pas seulement à l'intérieur d'un grand dessein religieux et même politique; il fut servi par une organisation matérielle de premier ordre. Des ponts sont établis, des routes entretenues, et Santo Domingo de la Calzada devra sa renommée et son nom à son rôle de faiseur de chemins. Des monastères de Cluny ou des hospices, des couvents de religieux de Saint-Augustin accueillent le voyageur. Le trajet de celui-ci est facilité par les guides, dont les textes se révèlent extrêmement précieux pour les historiens. A Compostelle même, l'affluence fait penser à celle de Rome ou de

Jérusalem et ne peut plus être évoquée pour nous que par les foules de Lisieux, de Lourdes ou de Fatima. Après la mort de l'évêque Diego Peláez, son successeur, Dalmace, un moine de Cluny, cesse de dépendre de l'archevêché de Braga. Diego Gelmírez, devenu en 1100 évêque de Saint-Jacques, se voit honorer du pallium en 1104, promouvoir archevêque en 1120. La cathédrale romane, que nous admirons encore aujourd'hui, est poursuivie; son chapitre comprend soixante-douze chanoines. L'*Historia compostelana* est rédigée.

Les pèlerins illustres défilent. Parmi eux, il faut en citer au moins trois : en 1125, la comtesse Mathilde, veuve d'Henri V, empereur d'Allemagne; en 1137, Guillaume X, duc d'Aquitaine, qui meurt le 9 avril, jour du Vendredi Saint, devant l'autel de Santiago, après avoir reçu la communion et disposé le mariage de sa fille Aliénor avec Louis VII le Jeune; et, en 1154, ce même Louis VII, dont le mariage avait été rompu.

Mais le gros des voyageurs ne se composait pas de grands personnages, et une lettre d'Innocent III, du 12 juin 1207, adressée à l'archevêque de Compostelle, permet de s'imaginer le véritable caractère du pèlerinage. Le Pape autorise la purification de la cathédrale, à la suite d'incidents sanglants, simplement avec de l'eau bénite, du vin et de la cendre... C'est que les fidèles, arrivés au but après tant de fatigues et de périls, dans l'édifice jour et nuit ouvert à leur foi ardente, se disputaient la garde de l'autel. De violentes querelles, des rixes même éclataient parfois. Nous sommes loin, on le voit, en évoquant ces épisodes hauts en couleurs, de l'imagerie conventionnelle des pèlerins. Comme l'a écrit Don Luis Vázquez de Parga, ils « formaient une masse anonyme, confuse et turbulente de gens sans nom, arrivés de toutes les régions du monde chrétien. »

Au XIIIe, au XIVe siècle, la vogue de Saint-Jacques continue, et au long du « camino francés », les voyageurs voient s'élever désormais non plus seulement les églises romanes, dont les années de pluie tenace ou d'accablant soleil commencent de patiner les sculptures, mais d'autres, toutes neuves et blanches, et comme frémissantes de jeunesse dans l'élan tendu de leurs pierres. Les églises gothiques, à leur tour, projettent en plein ciel leurs flèches et leurs arcatures, et la lumière allume dans leurs verrières immenses l'incendie extasié de ses flammes. Devant les unes et les autres, les rois, les saints, les fidèles anonymes défilent. Alphonse IX assiste le 21 avril 1211 à la consécration de la cathédrale de Compostelle et revient, en pèlerin, dès le mois de novembre suivant. Saint François d'Assise se rend, lui aussi, à Santiago, entre 1213 et la fin de 1215, semble-t-il. Son séjour s'accompagne d'épisodes poétiques d'un charme prenant. Il logeait chez un pauvre charbonnier du nom de Cotolay. Une vision avertit le saint, une nuit, du développement prodigieux de son ordre, et Dieu lui demande d'édifier dans la ville un couvent. Le saint dit à son hôte que la volonté divine était que lui, Cotolay, édifie un monastère... Le malheureux objecte sa misère. Mais saint François lui indique la fontaine où il trouvera un trésor. Le trésor fut, en effet, découvert, le monastère construit — et telle serait l'origine du couvent de franciscains de Santiago.

La foule des pèlerins ne comprend pas seulement des Français, mais des représentants de toutes les nations. En juin 1217, des croisés hollandais et allemands se réunissent à Darmouth, s'arrêtent à La Corogne, vont à pied à Compostelle, puis se rembarquent pour participer à Lisbonne à la lutte des Portugais contre les Musulmans. La route par mer était fréquemment suivie. Était-elle moins dangereuse ? On peut en douter, car les bandits se rencontraient aussi bien sur l'un et l'autre élément, et l'on recueille l'écho de drames qui font saisir la réalité du pèlerinage, non pas dans sa beauté poétique et lointaine, celle d'un conte merveilleux, mais dans ses risques de tragédie, de chair et de sang. Les pirates anglais rendaient dangereux les voyages en bateau des Allemands du Nord, comme le montre l'histoire d'un voilier de Dantzig. Il mit à la voile en 1378 pour Compostelle et accomplit l'aller sans encombre mais, au retour, il est abordé au cap Finisterre. Trois marins périssent dans l'action, le patron est blessé, les Anglais lui coupent les doigts pour s'emparer des bagues, puis le jettent à l'eau; ils dépouillent les autres marins et les passagers, mais leur laissent la vie sauve.

Le XV^e^ siècle voit apparaître un nouveau type de pèlerin, conformément à l'évolution générale du Moyen Age : le chevalier qui voyage pour voir du pays, fréquente les cours, fait admirer sa valeur dans les tournois; pour lui, le pèlerinage ne devient guère plus qu'un prétexte pieux. Ainsi le sénéchal de Hainaut, de Werchin, annonce son intention de se rendre à Compostelle et d'accepter « le défi de tout chevalier qui ne l'obligerait pas à se détourner de son chemin de plus de vingt lieues ». Un autre caractère de ce siècle est l'abondance des pèlerins allemands; le 10 avril 1473, par exemple, quatre navires partent de Hambourg pour Santiago. Mais en réalité toutes les nations se coudoient dans la ville. On y trouve des Anglais comme ce curé, qu'on croit être John Goodyear, de Chale dans l'île de Wight, donateur d'un albâtre sculpté de la légende de Santiago, encore conservé à la cathédrale. On y rencontre des Flamands, comme le peintre Jean van Eyck, dont l'*Annonciation*, conservée à la National Gallery de Washington, a passé pour représenter l'intérieur de la cathédrale. Isabelle d'Este, par désir de voir du pays, au début du XVIe siècle, a désiré se rendre à Compostelle. A défaut de cette princesse célèbre, on n'est pas en peine de citer des hôtes illustres : en 1438, le duc Jean de Clèves avec sa sœur Anne, qui venait d'épouser le prince de Viana; en 1488, les Rois Catholiques; en 1509, Gonzalve de Cordoue, le Grand Capitaine.

Mais dans la seconde moitié du XVIe siècle, le protestantisme et les guerres de religion allaient porter un coup très dur, quoique assez provisoire, au voyage de Galice. A l'intérieur même de l'Église romaine, il s'était toujours manifesté une certaine opposition non pas au principe même du pèlerinage, mais à ses excès. Au XIIIe siècle, Berthold de Ratisbonne condamnait la venue des femmes, qui, selon lui, portaient avec elles plus de péchés que d'indulgences, et il allait jusqu'à dire : « Que trouves-tu à Compostelle ? (...) Le corps de Santiago ? (...) Ce n'est qu'un corps mort et un crâne; le meilleur de lui-même est là-haut dans le ciel. Mais, dis-moi, que trouves-tu dans ton pays quand un prêtre dit la messe à l'église ? C'est là que tu trouves le vrai Dieu et le vrai Homme, avec la force et le pouvoir qui sont les siens dans le ciel, au-dessus de tous les saints et de tous les anges. » Ces accents, d'une éloquence brutale, contenaient une part de vérité profonde : quelles reliques peuvent mériter le culte réservé à Dieu présent dans l'Eucharistie ? Et en 1305, le bienheureux Giordano da Rivalta attaque ceux qui prennent pour une grande prouesse de faire le voyage de Galice, et qui se complimentent eux-mêmes en répétant : « Je suis allé trois fois à Rome, deux fois à Santiago, et j'ai accompli tant et tant de pèlerinages. » Le prédicateur ajoutait que tout cela ne comptait pour rien, et qu'il ne conseillerait le pèlerinage qu'à un nombre restreint de fidèles. Enfin l'*Imitation de Jésus-Christ* résume en quelques mots les multiples dangers, non pas du corps, mais de l'âme, auxquels s'expose le chrétien pendant ces sortes de voyages : « Qui beaucoup pérégrine bien peu se sanctifie. »

Le temps de la Renaissance, non seulement dans les milieux gagnés à la Réforme, mais parmi les humanistes ennemis des excès et habitués au libre jeu de la pensée critique, ne pouvait qu'être hostile au pèlerinage, à tout ce que, d'une manière quelquefois trop visible, il contenait de crédulité, de légendes, de facilités... Sous bien des aspects, il ne satisfaisait que la piété typiquement populaire; il attirait les fidèles par la sensibilité et le merveilleux, alors que Protestants et humanistes voulaient les uns ramener le christianisme à sa pureté primitive, les autres le débarrasser de ses scories les plus choquantes. Aussi les pamphlets des Réformés raillent les pèlerins, et Érasme parle, sur un ton satirique, de la décadence de Compostelle et de la diminution du nombre des offrandes. Les Allemands, qui fournissaient précédemment une forte proportion de pèlerins, sont automatiquement suspects à l'Inquisition espagnole qui, visiblement, ne possède pas le sens des nuances : en tout Allemand, elle voit un hérétique sans réfléchir que les hérétiques n'auraient que faire à Santiago. Du reste, les guerres religieuses, en France comme dans l'Empire, rendent les communications difficiles et les voyages aléatoires.

Ce qui nuit surtout au pèlerinage, c'est qu'à l'abri du costume des jacquets, pittoresque et longtemps vénérable, qui constituait jadis une sauvegarde à lui seul, s'abritent désormais toutes sortes de vagabonds, de délinquants, de vulgaires fripons, d'où le surnom, dédaigneux, de « coquillards ». La coquille cesse d'être un insigne de ralliement pour inciter à la défiance. Un peu partout des ordonnances sont prises pour défendre les habitants contre les imposteurs. A Berne, en 1523, on interdit aux pèlerins mendiants de loger à l'intérieur des villes. A Fribourg-en-Brisgau, ils ne pouvaient demander l'aumône que s'ils avaient assuré, sous serment, ne pas l'avoir fait l'année précédente. Et à Compostelle, but de longues et pénibles étapes, ces mêmes pèlerins mendiants n'étaient autorisés à demeurer que trois jours, y compris ceux de l'arrivée et du départ; passé ce délai, on les attachait au pilori pour quatre heures.

Philippe II en Espagne, puis Louis XIV en France soumirent à des conditions spéciales les pèlerinages hors de leur royaume. Cependant, contrairement à l'opinion courante, le renouveau de Saint-Jacques s'affirme au XVII^e^ et au XVIII^e^ siècle. Sans doute, dans la péninsule, une pieuse compétition s'engage entre les dévots de Santiago, de sainte Thérèse et de saint Michel pour obtenir à l'un des trois le titre de patron unique des Espagnols. Mais les pèlerins reviennent et les visites illustres reprennent : Don Juan d'Autriche, fils naturel de Philippe IV, en 1668, et Doña Mariana de Neubourg en 1690, lors de son débarquement en Galice; celle-ci, au terme d'un périple de plusieurs mois qui l'avait conduite de son Allemagne et des Pays-Bas aux côtes de la péninsule, venait épouser Charles II et n'avait pu, à cause de la guerre avec la France, le rejoindre par la voie de terre.

Puis les années passent et, au XIX^e^ siècle, la décadence semble profonde, irrémédiable. Quelques isolés, de temps à autre, accomplissent encore le pèlerinage. En 1867, il ne semble pas qu'on ait vu plus de trente ou quarante pèlerins pour la fête de l'apôtre. Leur nombre augmentait pour l'Année Sainte, sans jamais dépasser huit cents. En 1891, on pouvait encore voir des exemples du « jacquet » que l'estampe a popularisé; ainsi, à Saint-Jean-de-Luz, l'un d'eux demandait l'aumône à la sortie de la messe; les coquilles semées sur son vêtement, sa croix de cuivre, son bourdon provoquaient l'étonnement admiratif des enfants.

Mais dès avant cette date la reprise du pèlerinage était assurée puisque la décision du Saint-Siège, reconnaissant comme authentiques les restes de Santiago découverts dans les fouilles récentes, remonte à 1884. Cette décision peut paraître regrettable d'un point de vue scientifique; on sait cependant combien l'Église romaine a toujours ménagé les formes populaires de la piété, et même ses aspects artistiquement les plus rebutants, comme l'a montré Huysmans; elle déteste choquer les humbles... Les apparitions de Fatima — sur le chemin de la Cova da Iria, Compostelle est une étape commode et magnifique — les progrès des communications, le succès du tourisme, le prestige culturel de la ville et la politique — le « camino francés » est un lien facile à exploiter entre la France et l'Espagne — ont aidé au renouveau du sanctuaire jacobite. Nombreux sont les jeunes gens qui refont à pied le « camino francés » non seulement par foi, mais par fidélité, un peu romantique, au passé, par amour de la terre espagnole aussi, cette terre si prenante et si belle quand on sait la découvrir lentement et l'aimer d'une passion presque charnelle.

Quoi qu'il puisse penser des reliques mêmes de l'Apôtre que conserve la cathédrale, le voyageur contemporain, en pénétrant dans la cité merveilleuse, doit sentir que son premier devoir n'est pas le tourisme, mais la gravité et le respect.

# 4 LES ITINÉRAIRES

Quatuor vie sunt que ad Sanctum Jacobum tendentes in unum ad Pontem Reginae, in horis Ispaniae, coadunantur...

*Le Guide du pèlerin de Saint-Jacques.*

L'AUTOMOBILISTE dans sa voiture dévore les kilomètres sur ce qu'il croit être les « chemins de Saint-Jacques ». L'historien, dans son bureau, s'attache à reconstituer leur tracé et croit ne rencontrer aucun problème; au contraire, ils fusent devant lui comme les lièvres entre les pieds du chasseur...

Nous ne pouvons ici les traiter tous : formation des routes, fixation des itinéraires, leurs rapports avec les voies romaines, les trajets classiques et ceux qui ne le sont pas, l'évolution et l'usage commercial de ce réseau de communications, son rôle enfin dans le développement de l'architecture et de la sculpture romanes... Ce dernier aspect sera évoqué dans les chapitres consacrés à l'art. L'essentiel pour nous consiste ici à déterminer les voies empruntées par les jacquets au Moyen Age, lorsque les trajets furent désormais fixés, c'est-à-dire depuis les XIe-XIIe siècles.

Les chemins suivis par les pèlerins se reconstituent aisément non seulement grâce aux monuments et souvenirs de toutes sortes qui jalonnent encore leur parcours, mais aussi par les nombreux récits de voyageurs qui sont parvenus jusqu'à nous. Samuel Purchas publia en 1625 un itinéraire en anglais, en vers, assez confus, mais pittoresque autant que précieux, dont le texte doit remonter à la fin du XIVe siècle; il renseigne sur le change des monnaies, sur les reliques, sur les indulgences. Dans celui de Nompar de Caumont, en 1417, se trouvent indiqués les étapes et le nombre de lieues qui les séparent. A la fin du XVe siècle, un moine servite des environs de Strasbourg, Herman Künig von Vach, partit d'Einsiedeln et se rendit à Santiago par Lucerne, Berne, Fribourg, Lausanne, Genève, Chambéry, Valence, Montélimar et Montpellier. Au XVIe siècle est publié en français *Le chemin de Paris à Compostelle et combien il y a de Lieues de Ville en Ville.* Au début du XVIIIe siècle, on signale encore l'itinéraire de Guillaume Manier, un tailleur de Picardie.

Mais aucun de ces récits ou de ceux que l'on pourrait ajouter ne présente autant d'intérêt et de célébrité que le *Guide du pèlerin de Saint-Jacques de Compostelle*, contenu dans le livre V du *Codex Calixtinus* (vers 1139). L'auteur se livre à un long éloge du Poitou et de ses habitants, et on a supposé, avec beaucoup de vraisemblance, qu'il était originaire de cette région et pouvait être identifié avec Aymeri Picaud, de Parthenay-le-Vieux, à qui on attribue parfois tout ou partie du *Livre de Saint Jacques*, et à qui M. René Louis a trouvé des liens avec Vézelay. On a également proposé d'identifier Aymeri avec le chanoine de Jérusalem qui, vers 1131, se présentait à Compostelle porteur d'une lettre du patriarche latin Étienne, adressée à l'archevêque Gelmírez.

Le texte possède une valeur exceptionnelle et fournit des éléments essentiels à qui veut connaître les itinéraires du XIIe siècle. Il faut pourtant noter ses défauts, ou plus exactement ses insuffisances. La partie espagnole de la route est décrite avec beaucoup plus de minutie que les trajets possibles en France. Bien des villes ou des souvenirs connus, bien des chemins ou des « bretelles » — c'est-à-dire des routes qui permettent d'aller d'une voie à une autre — dans notre pays, sont passés sous silence. Aussi convient-il, pour les chemins français, de compléter ce texte par différentes études d'Élie Lambert, par la carte très détaillée et bien connue que, pour la France, a dressée M. Francis Salet et par celle que, plus récemment, avec minutie et pittoresque, ont établie, à la fois pour l'Espagne et pour notre pays, MM. René de La Coste-Messelière et Claude Petitet.

* * *

Examinons donc le tracé des routes au temps d'Aymeri Picaud; prenons place en pensée parmi les pèlerins du XIIe siècle, et en nous reportant sans cesse au *Guide* et en le citant largement, croyons tout ce que eux-mêmes ont cru[1]. Le premier chapitre en est ainsi rédigé : « Il y a quatre routes qui, menant à Saint-Jacques, se réunissent en une seule à Puente la Reina en territoire espagnol; l'une passe par Saint-Gilles [du Gard], Montpellier, Toulouse et le Somport; une autre par Notre-Dame du Puy, Sainte-Foy de Conques et Saint-Pierre de Moissac; une autre traverse Sainte-Marie-Madeleine de Vézelay, Saint-Léonard en Limousin[2] et la ville de Périgueux; une autre encore passe par Saint-Martin de Tours, Saint-Hilaire de Poitiers, Saint-Jean d'Angély, Saint-Eutrope de Saintes et la ville de Bordeaux. La route qui passe par Sainte-Foy, celle qui traverse Saint-Léonard et celle qui passe par Saint-Martin se réunissent à Ostabat et, après avoir franchi le col de Cize, elles rejoignent à Puente la Reina celle qui traverse le Somport; de là, un seul chemin conduit à Saint-Jacques. »

Pour plus de clarté, nous étudierons successivement chacune des quatre routes du trajet français, puis le tronçon commun à trois d'entre elles, d'Ostabat à Puente la Reina, enfin le parcours espagnol ou « camino francés ».

## *I. — LA « VIA TOLOSANA »*

### *D'Arles à Puente la Reina par Toulouse*

Des quatre routes délimitées en France, la première, passant par Toulouse, est dite « via tolosana ». L'empruntaient les pèlerins qui, venus d'Orient et d'Italie, se dirigeaient par les vallées des Alpes vers Avignon ou vers Aix. D'autres avaient pu suivre la côte de la Méditerranée au long de la voie aurélienne, par Fréjus, Le Thoronet et Saint-Maximin; à Marseille, ils se rendaient à l'abbaye Saint-Victor, en relations suivies avec l'Espagne. Mais c'est à Arles que

1. Le *Guide* désignera désormais, par abréviation, le *Guide du pèlerin de Saint-Jacques de Compostelle;* tous les extraits, spécialement dans ce chapitre et le suivant, seront tirés de la précieuse édition de Mademoiselle Jeanne Vielliard.

L'érudition moderne — est-il même besoin de le préciser ? — a pratiqué des coupes très sombres dans les récits si attachants de l'hagiographie médiévale, que nous rapportons ici.

2. Saint-Léonard ou Saint-Léonard de Noblat (Haute-Vienne).

commençait véritablement le chemin. Cette ville possédait le corps de saint Trophime dans la cathédrale, dont le portail, du XIIe siècle, nous émeut encore par sa majesté digne de l'antique. Elle présentait à la vénération des pèlerins, aux Alyscamps, dans l'église Saint-Honorat et dans beaucoup d'autres, de nombreuses reliques.

« Ceux qui vont à Saint-Jacques par la route de Saint-Gilles », lit-on dans le *Guide*, « doivent rendre visite à Arles au corps du bienheureux Trophime, confesseur; c'est lui dont saint Paul, écrivant à Timothée, évoque le souvenir et qui fut, par ce même apôtre, sacré évêque et envoyé le premier dans cette ville pour y prêcher l'évangile du Christ. C'est de cette source très claire, dit le pape Zozime, que toute la France reçut les ruisseaux de la foi... Il faut visiter aussi le corps du bienheureux Césaire, évêque et martyr, qui établit en cette ville la règle des moniales... Et dans le cimetière de la même ville on doit chercher les reliques de l'évêque saint Honorat (...). C'est dans sa vénérable et magnifique basilique que repose le corps du très saint martyr Genès. » L'histoire du martyr est alors longuement expliquée : « Il y a un faubourg près d'Arles, entre deux bras du Rhône, appelé Trinquetaille, où se trouve une colonne de marbre magnifique, très élevée, qui se dresse sur la terre derrière l'église de ce saint; c'est là que la méchante populace attacha, dit-on, le bienheureux Genès avant de le décapiter, et aujourd'hui encore on y voit les traces pourpres de son sang vermeil; quant au saint, il prit dans ses mains sa tête aussitôt tranchée et la jeta dans le Rhône; son corps fut porté par le fleuve jusqu'à la basilique de Saint-Honorat où il reçut une sépulture très honorable. Quant à sa tête, elle descendit par le Rhône jusqu'à la mer, et conduite par un ange, elle atteignit Carthagène en Espagne où elle repose glorieusement. » Ajoutons que la colonne de saint Genès demeura en place jusqu'au début du XIXe siècle dans le faubourg de Trinquetaille.

Sur les Alyscamps, le texte n'est pas moins prolixe que sur le martyr : « Il faut aller visiter auprès d'Arles, le cimetière, en un lieu qu'on appelle les Aliscamps, et intercéder pour les défunts suivant la coutume... Nulle part ailleurs, on ne pourrait trouver en un cimetière tant de tombes de marbre, ni de si grandes alignées sur la terre. Elles sont d'un travail varié, portent d'antiques inscriptions sculptées en lettres latines, mais dans une langue inintelligible. Plus on regarde au loin, plus on voit s'allonger la file des sarcophages... Dans ce cimetière, il y a sept églises; si, dans chacune d'entre elles, un prêtre célèbre l'Eucharistie pour les défunts, ou si un laïque fait pour eux dire la messe, ou si un clerc y récite le psautier, il est sûr de trouver auprès de Dieu, à la résurrection dernière, ces pieux gisants pour l'aider à obtenir son salut. En effet sont nombreux les corps des saints martyrs et confesseurs qui reposent là, et dont les âmes résident au milieu des joies du Paradis. »

Au-delà d'Arles, les pèlerins devaient poursuivre vers l'ouest. Un détour permettait de gagner les Saintes-Maries de la Mer, qui furent et demeurent célèbres pour le culte de Marie Jacobé, sœur de la Vierge, de Marie Salomé, mère de saint Jacques et de leur servante Sarah. Mais le véritable chemin passait par Saint-Gilles du Gard. L'église présente encore son admirable façade à triple porte et colonnade, vraisemblablement de la deuxième moitié du XIIe siècle; son ampleur, sa beauté rappellent combien profondément fut romanisée la Provence antique, dont la leçon ressurgit au Moyen Age. Le *Guide* s'étend sur les miracles de saint Gilles et décrit minutieusement la châsse d'or qui contenait ses restes : « Après les prophètes et les apôtres, nul parmi les bienheureux n'est plus digne que lui, nul n'est plus saint, plus revêtu de gloire, nul n'est plus prompt à venir en aide. En effet, c'est lui qui avant tous les autres saints a coutume de venir le plus vite au secours des malheureux, des affligés et des angoissés qui l'invoquent. O comme il est beau et profitable de visiter son tombeau ! Le jour même où on l'aura prié de tout son cœur, on sera exaucé sans aucun doute. J'ai fait moi-même l'expérience de ce que j'avance : j'ai vu jadis quelqu'un dans la ville de ce saint qui le jour même où il l'avait invoqué, s'échappa, grâce à la protection de de ce bienheureux confesseur, de la maison d'un certain Peyrot, cordonnier; après quoi, cette maison très vétuste s'écroula, complètement démolie. » Parmi les miracles accomplis, donnons quelques autres exemples : « Un malade revêt la tunique de ce saint; il est guéri; par son inépuisable vertu, un homme piqué par un serpent est guéri; un autre possédé par le démon est délivré; une tempête sur mer est apaisée. » La châsse d'or qui contient son corps, placée derrière l'autel, « porte sur sa face gauche au premier registre, les images sculptées de six apôtres, avec, au même niveau, à la première place, la représentation habilement sculptée de la Vierge Marie. » Au second registre, au-dessus, on voit les signes du Zodiaque et, au troisième, douze des vieillards de l'Apocalypse. Sur la face droite, paraissent les douze autres vieillards, des apôtres et des Vertus. Le toit, décoré « à la façon d'écailles de poisson », est orné de cristaux. A la face antérieure, siège le Christ entre l'A et l'Ω et les quatre évangélistes. A la face postérieure, on remarque l'Ascension, qui occupe deux registres, et le Christ trônant dans le ciel.

Après Lunel et Montpellier, les jacquets se dirigeaient vers Toulouse. Il leur fallait passer par Aniane, dont l'abbaye avait été fondée en 780 par Benoît, fils du comte de Maguelonne, dont le nom wisigoth était Witiza. Les pèlerins s'enfonçaient alors à travers la montagne et Saint-Guilhem-le-Désert offrait à leur dévotion le corps de saint Guillaume, le « porte-enseigne » et « comte de l'entourage du roi Charlemagne [...] soldat très courageux, expert dans les choses de la guerre. » Si l'église subsiste aujourd'hui encore dans la pittoresque cité, au milieu des monts rougeâtres et brûlés de soleil, le cloître est ruiné, et une partie en a été remontée au musée des Cloisters de New York.

Après Lodève et sa cathédrale fortifiée, les jacquets traversaient le nord de la Montagne Noire par Murat, la Salvetat et Castres.

Et désormais, c'étaient, au cœur du Languedoc, les bords de la Garonne et Toulouse — Toulouse, une des villes les plus importantes, les plus animées de l'itinéraire, une des plus vénérables aussi par le nombre de ses sanctuaires : la Daurade, la Dalbade, les églises des Jacobins, des Cordeliers avec la chapelle de Rieux, et surtout Saint-Sernin, célèbre pour contenir le corps du martyr qui lui donna son nom après avoir subi le supplice au capitole de la cité. « Il fut enseveli », lit-on dans le *Guide*, « en un bel emplacement près de la ville de Toulouse; une énorme basilique fut construite là par les fidèles en son honneur; la règle des chanoines de Saint-Augustin y est observée et beaucoup de grâces sont accordées par Dieu à ceux qui les demandent. »

A travers les campagnes séduisantes du pays toulousain et du Béarn, les pèlerins passaient par Gimont, l'abbaye cistercienne de Planselve, Auch, dont la cathédrale possède, dans le chœur, des stalles extraordinaires du début du XVIe siècle, Morlaas avec son portail roman représentant les vieillards de l'Apocalypse, Lescar et Oloron. Dans cette dernière ville, ils trouvaient hospice et églises; la coupole de Sainte-Croix rappelle à la fois l'art périgourdin et hispano-mauresque; Sainte-Marie montre un beau portail roman. Le temps, alors, était venu de la rude montée au cours de laquelle de petites chapelles permettaient de prier et de reprendre courage :

il fallait franchir la vallée d'Aspe, à 1562 m le Somport et gagner l'hôpital de Sainte-Christine.

Certains, à Montpellier, préféraient poursuivre leur chemin, non pas par le Languedoc, comme il vient d'être expliqué, mais par la Catalogne. D'autres faisaient route au delà de Narbonne, par Carcassonne, Saint-Girons et l'abbaye de Bonnefons. On traversait Saint-Gaudens, non loin de la poétique église de Valcabrère et de la cathédrale de Saint-Bertrand de Comminges. Puis, par Capvern, l'abbaye cistercienne de Lescale-Dieu, Saint-Pé de Bigorre et le col des Moines, on pouvait arriver à Sainte-Christine.

Imaginons le pèlerin qui a passé le Somport et s'est reposé dans le fameux hôpital : « La terre espagnole s'ouvre alors aux yeux et aux pas par l'un de ses pays les plus fiers, l'Aragon, âpre et guerrier, dont le chemin traverse les retranchements nord par la vallée du Rio qui lui a donné son nom. » (R. de La Coste-Messelière). Les jacquets, sans doute, contemplaient longuement ce paysage nouveau, cette terre magnifique et tourmentée que l'apôtre avait sanctifiée en l'évangélisant et en lui abandonnant son corps. Puis ils commençaient leur descente vers Canfranc et Jaca. Ils laissaient à quelque distance, dans les monts et les bois, le monastère de San Juan de la Peña. Se dirigeant vers l'ouest, ils traversaient les terres de San Salvador de Leyre, ils arrivaient à Sangüesa et par Monreal, par Tiebas, par Eunate et sa chapelle polygonale, ils gagnaient Puente la Reina.

Dans cette ville, on le sait, ils se joignaient aux pèlerins venus de France par les trois autres voies, qui convergeaient à Ostabat. Il nous faut donc à présent entreprendre l'explication des autres itinéraires habituels au nord des Pyrénées.

## *II. — LA « VIA PODENSIS »*

### *Du Puy à Ostabat*

Passant par Le Puy, la seconde route est appelée « via podensis ». Après Lyon, Vienne et Valence, les jacquets venus de l'est gagnaient la cité incomparable au milieu de son site volcanique et déjà remarquaient dans ses monuments bien des éléments empruntés à l'Espagne. On s'y rendait aussi par Clermont, Issoire, Sauxillanges, Brioude et l'abbaye de la Chaise-Dieu. C'est au Puy que le *Guide* commence son itinéraire. Il se poursuit par la dômerie d'Aubrac, qui domine encore l'horizon — le paysage désertique cachait alors de redoutables brigands. Après Espalion, accueillant et tendre, après Estaing, qui a conservé la procession de saint Fleuret, les pèlerins pénétraient dans les gorges impressionnantes du Dourdou et s'arrêtaient à Conques, étape essentielle de leur chemin et haut lieu du Moyen Age.

« Les Bourguignons et les Teutons qui vont à Saint-Jacques par la route du Puy », lit-on dans le *Guide*, « doivent vénérer les reliques de sainte Foy, vierge et martyre, dont l'âme très sainte, après que les bourreaux lui eurent tranché la tête sur la montagne de la ville d'Agen, fut emportée au Ciel par les chœurs des anges sous la forme d'une colombe et couronnée des lauriers de l'immortalité. Quand le bienheureux Caprais, évêque de la ville d'Agen, qui, pour fuir les violences de la persécution, se cachait dans une grotte, eut vu cela, trouvant le courage de supporter le martyre, il alla rejoindre le lieu où la vierge avait souffert et, gagnant dans un courageux combat la palme du martyre, il alla jusqu'à reprocher à ses bourreaux leur lenteur. » Le texte du *Guide*, escamotant le vol célèbre qui permit à l'abbaye des bords du Dourdou de posséder les restes de la sainte, dit seulement : « Enfin le très précieux corps de la bienheureuse Foy, vierge et martyre, fut enseveli avec honneur par les chrétiens dans une vallée appelée vulgairement Conques; on bâtit au-dessus une belle basilique dans laquelle, pour la gloire de Dieu, jusqu'à aujourd'hui, la règle de saint Benoît est observée avec le plus grand soin; beaucoup de grâces sont accordées aux gens bien portants et aux malades; devant les portes de la basilique, coule une source excellente dont les vertus sont plus admirables encore qu'on ne peut le dire. »

Partant de Conques, les pèlerins descendaient sur Figeac, Marcilhac et Cahors. Cette dernière ville, sur le Lot, leur offrait un hospice, la cathédrale Saint-Étienne, dont un tympan fut sculpté vers 1135 d'une très belle Ascension, et la silhouette harmonieuse du pont Valentré. Par une vallée fertile, ils allaient vers Moissac, son abbaye et ses sculptures et traversaient quatre villes épiscopales : Lectoure, Condom, Eauze et Aire-sur-l'Adour. Puis à Ostabat ils se joignaient aux jacquets venus par les deux autres chemins qui, situés plus à l'ouest, nous restent encore à examiner.

Une variante importante de la « via podensis » partait non pas du Puy, mais de Brioude et rejoignait Condom par Aurillac, le sanctuaire très fréquenté de Rocamadour, Eysses et Agen.

## *III. — LA « VIA LEMOVICENSIS »*

### *De Vézelay à Ostabat par Saint-Léonard*

C'est de Bourgogne que venait la troisième voie, dite limousine. De l'est et du nord-est, de Belgique et des Ardennes, de Champagne et de Lorraine, les pèlerins se rendaient à Vézelay et vénéraient la Madeleine sur la colline inspirée, dans le magnifique sanctuaire... Quelle était sur la sainte la croyance commune des voyageurs ? Le *Guide* peut justement nous le dire : « Sur la route qui va à Saint-Jacques en passant par Saint-Léonard, le très saint corps de la bienheureuse Marie-Madeleine doit être d'abord et à juste titre vénéré par les pèlerins. Elle est en effet la glorieuse Marie qui, dans la maison de Simon le Lépreux, arrosa de ses larmes les pieds du Sauveur, les essuya avec ses cheveux et les oignit d'un parfum précieux en les embrassant et c'est pour cela que ses nombreux péchés lui furent remis, parce qu'elle avait beaucoup aimé celui qui aime tous les hommes, Jésus-Christ, son Rédempteur. C'est elle qui, après l'Ascension du Seigneur, quittant les parages de Jérusalem avec le bienheureux Maximin, disciple du Christ et d'autres disciples de celui-ci, arriva par mer jusqu'au pays de Provence et débarqua au port de Marseille. Dans ce pays, elle mena pendant plusieurs années la vie érémitique et enfin fut ensevelie dans la ville d'Aix par ce même Maximin devenu évêque de la ville. Mais après un long temps, un certain personnage sanctifié dans la vie monastique, du nom de Badilon, transporta ses précieux restes de cette ville jusqu'à Vézelay où ils reposent aujourd'hui dans une tombe révérée. Dans ce lieu, une grande et très belle basilique et une abbaye de moines furent établies; les fautes y sont, pour l'amour de la sainte, remises par Dieu aux pécheurs; la vue est rendue aux aveugles, la langue des muets se délie, les boiteux se redressent, les possédés sont délivrés et d'ineffables bienfaits sont accordés à beaucoup de fidèles. »

A partir de Vézelay, le pèlerin pouvait visiter des cités aux monuments magnifiques : Avallon, Saulieu et Autun. Une variante, plus au nord, passait par la Charité-sur-Loire, Bourges et Déols. La route directe passait par Nevers. A Saint-Léonard, l'église que vante le *Guide* accueille encore le voyageur. C'est là, est-il écrit, que le jacquet doit « rendre visite au saint corps du bienheureux Léonard, confesseur, qui, issu d'une très noble famille franque et élevé à la cour royale, renonça, par amour du Dieu suprême, au monde criminel et mena longtemps à Noblat, en Limousin, la vie érémitique, jeûnant fréquemment, veillant souvent dans le froid, la nudité et des souffrances inouïes. Enfin, sur le terrain qui lui appartenait, il reposa après une sainte mort; ses restes sacrés ne quittèrent pas ces lieux. » Après avoir stigmatisé les moines de Corbigny[1], qui prétendaient à tort posséder le corps du bienheureux, l'auteur poursuit ainsi : « La clémence divine a donc déjà répandu au loin à travers le monde entier la gloire du bienheureux confesseur Léonard du Limousin et sa puissante intercession a fait sortir de prison d'innombrables milliers de captifs; leurs chaînes de fer, plus barbares qu'on ne peut le dire, réunies par milliers, ont été suspendues tout autour de sa basilique, à droite et à gauche, au dedans et au dehors, en témoignage de si grands miracles. On est surpris plus qu'on ne peut l'exprimer en voyant les mâts qui s'y trouvent chargés de tant et de si grandes ferrures barbares. Là, en effet, sont suspendus des menottes de fer, des carcans, des chaînes, des entraves, des engins variés, des pièges, des cadenas, des jougs, des casques, des faux et des instruments divers dont le très puissant confesseur du Christ a, par sa puissance, délivré les captifs. » Saint Léonard était renommé pour avoir délivré d'entre les mains des païens nombre de chrétiens, même s'ils étaient enchaînés, ainsi Bohémond, le fils de Robert Guiscard, fait prisonnier en Orient par les Infidèles.

A Limoges, les pèlerins vénéraient saint Martial dans l'abbaye qui lui était consacrée, puis il leur fallait « rendre visite dans la ville de Périgueux au corps du bienheureux Front, évêque et confesseur qui, sacré évêque à Rome par l'apôtre saint Pierre, fut envoyé avec un prêtre du nom de Georges pour prêcher dans cette ville ». Leur histoire, telle qu'elle est racontée dans le *Guide*, est digne de la *Légende dorée* : « Ils étaient partis ensemble, mais Georges étant mort en route et ayant été enseveli, le bienheureux Front revint auprès de l'apôtre et lui annonça la mort de son compagnon. Saint

1. Corbigny (Nièvre).

Pierre alors lui remit son bâton, disant : « Lorsque tu auras posé ce mien bâton sur le corps de ton compagnon, tu diras : En vertu de la mission que tu as reçue de l'Apôtre, lève-toi au nom du Christ et accomplis-la ». Ainsi fut fait; grâce au bâton de l'Apôtre, le bienheureux Front recouvra en route son compagnon revenu de l'autre monde et convertit la ville au Christ par sa prédication; il s'illustra par de nombreux miracles et étant mort saintement là-bas, fut enseveli dans la basilique élevée en son nom et où, par la munificence divine, de nombreux bienfaits sont accordés à ceux qui les sollicitent. Certains racontent même qu'il avait fait partie du collège des disciples du Christ. » Le tombeau de saint Front, dont des fragments subsistent au musée du Périgord, devait faire l'étonnement des visiteurs. Sa forme était extraordinaire, si l'on en croit la description publiée par Marcel Aubert : il était « édifié en rond, couvert d'une voûte faite en pyramide, et tout le dehors était entaillé de figures de personnes à l'antiquité et de monstres, de bêtes sauvages de diverses figures ».

Après avoir vénéré ces grands saints — Léonard, Martial et Front — le voyageur poursuivait son itinéraire vers La Réole et Mont-de-Marsan et parvenait à Ostabat.

## *IV. — LA « VIA TURONENSIS »*

### *De Paris à Ostabat par Tours*

Le quatrième, le « grand chemin de Saint-Jacques », « magnum iter Sancti Jacobi », passait par Tours, d'où son nom de « turonensis », et c'est à son propos que l'auteur du *Guide* se montre le plus intéressant sans être cependant complet. Cette voie amenait les pèlerins de l'Europe du Nord, particulièrement ceux des Pays-Bas et de la France septentrionale. Ils pénétraient dans Paris, les yeux avides de tout voir et le cœur ému, car la réputation de la capitale s'étendait dans toute la Chrétienté. L'évêque arménien d'Arzendjan disait : « Paris est une ville très grande, et superbe. Qui pourrait en décrire la grandeur ? » Et l'Allemand Herman Künig : « Je ne trouve pas facilement de ville qui égale Paris. » Par la rue Saint-Denis, les voyageurs se dirigeaient vers l'église Saint-Jacques la Boucherie, dont il reste — vestige préservé pour notre joie — l'allègre et noble tour

Saint-Jacques. Ils passaient devant Notre-Dame et quittaient la ville par la rue qui porte le nom de l'apôtre.

Par Longjumeau, Montlhéry et Étampes, ils atteignaient la Loire à Orléans. Là les pèlerins devaient vénérer le bois de la Croix à Sainte-Croix et la patène de la Cène à Saint-Samson. Mais la cité était surtout connue par le culte de saint Euverte. L'abbaye qui lui était dédiée conservait ses reliques. A Sainte-Croix, l'usage était que les fidèles puissent boire dans son calice, illustré par un singulier miracle. Le *Guide* en fait le récit minutieux : « Un jour que saint Euverte disait la messe, la main de Dieu apparut au-dessus de l'autel, en l'air, sous une apparence humaine, aux yeux des assistants et tout ce que le pontife faisait à l'autel, la main divine le faisait également; quand il traçait sur le pain et le calice le signe de la croix, la main le traçait de même; quand il élevait le pain et le calice, la main divine élevait également un vrai pain et un calice. Le saint sacrifice terminé, la très sainte main du Sauveur disparut. D'après cela, nous devons comprendre que, tandis que chaque prêtre chante la messe, le Christ la chante lui-même. »

Vers l'est, sur la rive septentrionale de la Loire, un détour permettait d'aller prier devant les reliques du fondateur des Bénédictins à Saint-Benoît-sur-Loire. La route généralement suivie se continuait, au contraire, à l'ouest, vers Tours, célèbre par le souvenir de saint Martin. Les pèlerins le comparaient volontiers à saint Jacques : l'un avait évangélisé la Gaule, l'autre, croyaient-ils, l'Espagne. « C'est là qu'il est », lit-on dans le *Guide*, « lui qui ressuscita glorieusement trois morts et rendit à la santé qu'ils souhaitaient lépreux, énergumènes, infirmes, lunatiques et démoniaques ainsi que d'autres malades. » Et, sur un ton presque lyrique, le texte se poursuit par l'évocation de la basilique qui abritait ses reliques[1] : « La châsse où ses précieux restes reposent auprès de la ville de Tours, resplendit d'une profusion d'or, d'argent et de pierres précieuses, elle est illustrée par de fréquents miracles. Au-dessus, une immense et vénérable basilique a été élevée en son honneur magnifiquement, à l'image de l'église de Saint-Jacques. Les malades y viennent et y sont guéris, les possédés sont délivrés, les aveugles voient, les boiteux se redressent et tous les genres de maladie sont guéris, et tous ceux qui demandent des grâces reçoivent un réconfort total; c'est pourquoi

1. Voir plus loin pages 118 et suiv.

la renommée de sa gloire est répandue partout par de justes panégyriques, à l'honneur du Christ. »

Les jacquets traversaient ensuite toute une région — Poitou et Saintonge — où le décor sculpté s'inspire fréquemment de modèles de l'Orient ou de l'Espagne musulmane. Mais plus peut-être qu'aux détails des monuments, ils étaient sensibles à l'accueil du pays traversé et à la renommée de certaines reliques. L'auteur du *Guide* — on comprend d'autant mieux ses louanges s'il est bien Aymeri Picaud, de Parthenay — vante longuement le Poitou « fertile, excellent et plein de toutes félicités », et aussi les Poitevins. Ce sont, assure-t-il, « des gens vigoureux et de bons guerriers, habiles au maniement des arcs, des flèches et des lances à la guerre, courageux sur le front de bataille, très rapides à la course, élégants dans leur façon de se vêtir, beaux de visage, spirituels, très généreux, larges dans l'hospitalité. »

Les pèlerins, par Montbazon, Sainte-Catherine de Fierbois, Sainte-Maure et Châtellerault, arrivaient à Poitiers, étape essentielle à cause des reliques de saint Hilaire. Le *Guide* — il nous faut, cette fois encore, y puiser largement — raconte sa lutte contre l'antipape Léon, lutte à laquelle Jacques de Voragine, moins crédule ou plus délicat, n'attachait pas créance. Saint Hilaire, « rempli de la grâce divine, abattit l'hérésie arienne et maintint l'unité de la foi. Mais Léon, l'hérétique, ne voulant pas accepter ce saint enseignement, sortit du concile, et dans les latrines, pris d'un flux de ventre, alla mourir honteusement. C'est pour saint Hilaire, qui désirait siéger au concile, que la terre se souleva miraculeusement, lui fournissant un siège. C'est lui qui, par la seule force de sa voix, brisa les serrures qui fermaient les portes du concile. C'est lui qui, exilé pour la foi catholique, fût relégué quatre années dans une île de Frise. Là, il mit en fuite par sa puissance d'innombrables serpents; c'est lui qui à Poitiers rendit à une mère en pleurs son enfant frappé prématurément d'une double mort », celle de l'âme et du corps.

Après s'être rendus à Saint-Hilaire, à Notre-Dame-la-Grande et à Sainte-Radegonde, les pèlerins quittaient la ville. Ils passaient à Lusignan, à Melle, dont le portail de l'église Saint-Hilaire représente « le cavalier Constantin », rappel, pour ces chrétiens du Moyen Age, du triomphe de l'Église au temps de l'Empire, puis à Aulnay-de-Saintonge, où le même thème, fréquent dans l'Ouest, est traité.

A Saint-Jean d'Angély, on vénérait le chef du Baptiste, apporté de Jérusalem et conservé dans une grande basilique : cent moines veillaient et priaient près de cette relique insigne et les miracles accomplis grâce à elle ne se comptaient plus. « Tandis qu'on le transportait par terre et par mer, ce chef se signala par de nombreux prodiges. Sur mer, il chassa bien des tempêtes et sur terre, si l'on en croit le livre de sa translation, il rendit la vie à plusieurs morts; aussi croit-on que c'est bien là véritablement le chef du vénéré Précurseur. Son invention eut lieu le 24 février, au temps de l'empereur Marcien, quand le Précurseur révéla tout d'abord à deux moines l'endroit où sa tête gisait cachée. »

Puis c'était Saintes, où les pèlerins devaient s'agenouiller devant le corps du bienheureux Eutrope, évêque et martyr. Sa vie est racontée avec de multiples détails grâce à la lettre, entièrement reproduite dans le *Guide*, de saint Denis au pape Clément.

Eutrope, « issu d'une noble famille de Perse, descendait de la race la plus excellente du monde entier : l'émir de Babylone' nommé Xersès, et la reine Guiva l'avaient engendré selon la chair ». Se trouvant à la cour d'Hérode, il entendit parler des miracles du Christ et se mit à le chercher de ville en ville. Mais le Sauveur « s'en était allé au delà de la mer de Galilée, qui s'appelle Tibériade, avec la foule innombrable des gens qui, attirés par ses miracles, le suivaient ». Eutrope, ayant décidé de se joindre à eux, assista à la multiplication des pains et des poissons. Il alla à Jérusalem adorer le Créateur dans le temple « à la façon des gentils », puis il retourna chez son père. Là, il raconta tout ce dont il avait été témoin : « J'ai vu », disait-il, « un homme qui est appelé le Christ et qui dans tout le monde n'a pas son pareil. Il rend la vie aux morts, il purifie les lépreux, donne la vue aux aveugles, l'ouïe aux sourds, rend aux infirmes leur ancienne vigueur et donne la santé aux malades de toutes sortes. Qu'ajouterais-je ? Sous mes yeux, il a nourri cinq mille hommes avec cinq pains et deux poissons; avec les restes, ses compagnons ont rempli douze corbeilles. Il chasse la famine, les intempéries, la mortalité des lieux où il se trouve ».

Venu en Palestine une seconde fois, il assiste à l'entrée à Jérusalem du Christ qui vient de ressusciter Lazare. Il voit jeter devant lui les fleurs et les rameaux de palmiers et d'oliviers. Il s'attache au Sauveur, regagne son pays et revient, pour la troisième fois, à

Jérusalem, C'est pour apprendre la crucifixion et la résurrection du Sauveur. Après la Pentecôte, il retourne à Babylone, « brûlant d'amour pour le Christ ». Alors, pris d'un zèle excessif, « il fit périr par le glaive les Juifs qu'il rencontra dans ce pays, se souvenant de ceux qui, en faisant mourir le Christ, avaient jeté l'opprobre sur Jérusalem ». La foi chrétienne fut apportée à Babylone par Simon et Thaddée. Le roi et Eutrope reçurent le baptême et toute la ville se convertit. Abdias en devint l'évêque et Eutrope fut nommé son archidiacre.

Instruit des miracles et des vertus de saint Pierre, il se rendit à Rome et resta quelque temps près de lui. Puis, « il s'en alla sur son ordre et son conseil, prêcher en France avec d'autres frères. Et comme il était entré dans une ville appelée Saintes, il la vit de toutes parts très bien enserrée dans des murailles antiques, décorée de tours élevées, occupant une situation magnifique, de dimensions parfaites en longueur et en largeur, prospère en tout et regorgeant de victuailles, bien pourvue de belles prairies et de claires fontaines, traversée par un grand fleuve, fertile en jardins, vergers et vignes aux alentours, jouissant d'un air salubre, pourvue de places et de rues agréables, charmante à tous égards; cet apôtre zélé se prit à penser que Dieu daignerait détourner cette belle et remarquable ville de l'erreur des gentils et du culte des idoles et la soumettre aux lois chrétiennes. »

Eutrope parcourut les places et les rues, prêchant la parole de vie. Mais les habitants le poursuivirent avec des torches et des bâtons, le brûlant et le battant, et le chassèrent de chez eux. Il se construisit un cabanon de bois, près de la cité. Le jour, il franchissait les murs pour évangéliser le peuple. La nuit, il la passait dans sa hutte, « en veilles, en prières et en larmes ». Il n'opéra que quelques conversions et se souvint du précepte divin : « Si l'on refuse de vous recevoir et d'écouter votre parole, sortez de cette maison ou de cette ville en secouant la poussière de vos pieds. »

Il retourna à Rome. Mais le nouveau pape, saint Clément, lui ordonna de regagner Saintes et de s'apprêter au martyre. En compagnie de saint Denis, qui se dirigeait sur Paris, il revint à Saintes. Les derniers moments de son apostolat, sa fin et son ensevelissement sont racontés de manière pathétique : « Alors il entra dans la ville d'un pas ferme, comme un insensé, avec une insistance opportune ou importune, il prêchait la foi du Seigneur, enseignant à tous l'Incarnation du Christ, sa Passion, sa Résurrection, son Ascension et tout ce qu'il a bien voulu souffrir pour le salut du genre humain; il proclamait devant tous que nul ne peut entrer dans le royaume de Dieu s'il n'a été régénéré par l'eau et l'Esprit Saint. Et cependant il restait la nuit dans sa cabane comme auparavant. Mais tandis qu'il prêchait, la grâce divine descendant aussitôt du ciel, beaucoup de gentils furent baptisés par lui dans la ville, parmi lesquels une fille du roi du pays, appelée Eustelle, fut régénérée par l'eau du baptême. Quand son père le sut, il la maudit et la chassa de la ville. Mais elle, voyant que c'était pour l'amour du Christ qu'elle avait été repoussée, alla s'installer auprès de la cabane du saint homme. Cependant le père, poussé par l'amour qu'il portait à sa fille, envoya à plusieurs reprises des émissaires vers elle pour qu'elle revînt à la maison. Mais elle répondit qu'elle aimait mieux demeurer hors de la ville pour la foi du Christ que d'y revenir et être souillée par les idoles. Alors le père, enflammé de colère, fit venir auprès de lui les bouchers de toute la ville — ils étaient cent cinquante — et leur donna l'ordre de mettre à mort saint Eutrope et de ramener la jeune fille dans la demeure de son père. Ceux-ci, le 30 avril, accompagnés d'une multitude de gentils, vinrent auprès de ladite cabane et commencèrent par jeter des pierres au saint homme de Dieu, puis ils le frappèrent, nu, avec des bâtons et des lanières plombées, enfin ils l'achevèrent en lui coupant la tête avec des haches et des cognées. »

Eustelle ensevelit le corps dans la cabane, continua de veiller sur lui sa vie durant et fut elle-même enterrée près du tombeau de son maître. Dans la basilique élevée par la suite — l'édifice actuel possède encore d'admirables parties romanes — les miracles se multiplièrent.

Le cœur ainsi attendri de la sainte et tragique histoire d'Eutrope et d'Eustelle, les pèlerins descendaient sur Pons. De nos jours, il subsiste, de l'hospice de la ville, des vestiges importants, qu'un voyageur non prévenu prendrait pour une porte de la cité. Les jacquets traversaient le Bordelais et les Landes, et les étapes étaient marquées par les souvenirs de la légende de Roland. « Issu d'une noble famille, comte de la suite du roi Charlemagne, il était l'un de ses douze compagnons d'armes et, poussé par le zèle de sa foi, il entra en Espagne pour en expulser les infidèles. Sa force était telle qu'à

Roncevaux il fendit, dit-on, un rocher par le milieu du haut en bas avec son épée en trois coups; on raconte aussi qu'en sonnant du cor, la puissance de son souffle le fendit de même par le milieu... Après avoir, dans des guerres nombreuses, vaincu les rois et les peuples, Roland épuisé par la faim, le froid et les chaleurs excessives, frappé de coups violents, et flagellé sans relâche pour l'amour de Dieu, percé de flèches et de coups de lances, ce valeureux martyr du Christ mourut », illustrant par son trépas le site de Roncevaux. Il fut enseveli à Saint-Romain de Blaye.

A Bordeaux, il fallait à Saint-Seurin vénérer non seulement les reliques du titulaire de l'église, évêque de la ville au v<sup>e</sup> siècle, mais aussi le cor du héros que Charlemagne y aurait déposé. A Belin, les pèlerins s'arrêtaient devant le tombeau qui, peut-être simple tumulus de terre, passait pour contenir les corps réunis de plusieurs de ses guerriers, martyrs de la foi : « Olivier, Gondebaud, roi de Frise, Ogier, roi de Dacie, Arastain, roi de Bretagne, Garin, duc de Lorraine et de bien d'autres compagnons d'armes de Charlemagne qui, après avoir vaincu les armées païennes, furent massacrés en Espagne pour la foi du Christ. »

Par Dax, par Sorde et son abbaye, sur le gave d'Oloron, près de son embouchure dans celui de Pau, les jacquets arrivaient à Ostabat.

Le *Guide* fournit sur les pays traversés et leurs habitants des détails parfois savoureux. En Saintonge, le parler est rude. En Bordelais, il l'est plus encore, mais « le vin est excellent, le poisson abondant ». L'auteur explique que « pour traverser les Landes bordelaises, il faut trois jours de marche à des gens déjà fatigués » par les étapes précédentes, et fait un tableau peu flatté de la région : « C'est un pays désolé où l'on manque de tout, il n'y a ni pain ni vin, ni viande, ni poisson, ni eau, ni sources; les villages sont rares dans cette plaine sablonneuse qui abonde cependant en miel, millet, panic[1] et en porcs. Si par hasard, tu traverses les Landes en été, prends soin de préserver ton visage des mouches énormes qui foisonnent surtout là-bas et qu'on appelle guêpes ou taons; et si tu ne regardes pas tes pieds avec précaution, tu t'enfonceras rapidement jusqu'au genou dans le sable marin qui là-bas est envahissant. »

Plus rassurant, en dépit de certains traits, est le portrait de la Gascogne. Cette province est « riche en pain blanc et en excellent

1. Sorte de millet (Mademoiselle Vielliard).

vin rouge; elle est couverte de bois et de prés, de rivières et de sources pures. Les Gascons sont légers en paroles, bavards, moqueurs, débauchés, ivrognes, gourmands, mal vêtus de haillons et dépourvus d'argent; pourtant ils sont entraînés aux combats et remarquables par leur hospitalité envers les pauvres. Assis autour du feu, ils ont l'habitude de manger sans table et de boire tous au même gobelet. Ils mangent beaucoup, boivent sec et sont mal vêtus; ils n'ont pas honte de coucher tous ensemble sur une mince litière de paille pourrie, les serviteurs avec le maître et la maîtresse. »

Sur cette quatrième voie s'en greffaient bien d'autres. D'Angleterre et des provinces de l'Ouest, les pèlerins descendaient sur Tours par Chartres, Bonneval, Châteaudun, Vendôme et Montoire, ou par Le Mans. Ils gagnaient Poitiers par Angers, et Saint-Jean d'Angély par Nantes. Pour les Anglais, les Normands et les Bretons, le Mont Saint-Michel méritait bien, dans sa baie légendaire que la mer ne se lasse pas à chaque marée d'envahir et d'abandonner, l'arrêt d'une prière et d'un instant d'émerveillement. Enfin, on pouvait à partir de Poitiers, au lieu d'aller à Saintes, descendre vers Charroux, Angoulême et Brantôme et rejoindre la route des Landes.

## *V. — D'OSTABAT A PUENTE LA REINA*

Au-delà d'Ostabat, où se réunissaient la deuxième, la troisième et la quatrième route, le chemin se poursuivait par Saint-Jean Pied-de-Port et les ports de Cize. Les pèlerins traversaient « le pays basque, dont la grande ville, Bayonne, est située au bord de la mer vers le nord. Ce pays, dont la langue est barbare, est boisé, montueux, pauvre en pain, vin et aliments de toutes sortes, mais on y trouve en compensation des pommes, du cidre et du lait. »

Le *Guide* décrit longuement la traversée du col[1] : « Pour le franchir, il y a huit milles à monter et autant à descendre. En effet, ce mont est si haut qu'il paraît toucher le ciel; celui qui en fait l'ascension croit pouvoir, de sa propre main, tâter le ciel. Du sommet l'on peut voir la mer de Bretagne et de l'Ouest et les frontières des trois pays : Castille, Aragon et France. Au sommet de ce mont, est un emplacement nommé la Croix de Charles parce que c'est à cet endroit qu'avec des haches, des pics, des pioches et d'autres outils,

1. Pour la valeur de ce texte par rapport à Roncevaux, voir plus loin pages 187-188.

Charlemagne allant en Espagne avec ses armées se fraya jadis un passage et qu'il dressa d'abord symboliquement la croix du Seigneur et ensuite, pliant le genou, tourné vers la Galice, adressa une prière à Dieu et à saint Jacques. Aussi, arrivés ici, les pèlerins ont-ils coutume de fléchir le genou et de prier en se tournant vers le pays de saint Jacques et chacun plante sa croix comme un étendard. On peut trouver là jusqu'à mille croix. C'est pourquoi cet endroit est la première station de prière sur le chemin de Saint-Jacques... Près de ce mont, vers le nord, est une vallée appelée le Val Carlos, dans laquelle se réfugia Charlemagne avec ses armées après que les combattants eurent été tués à Roncevaux. C'est par là que passent beaucoup de pèlerins allant à Saint-Jacques, quand ils ne veulent pas franchir la montagne. » Après avoir indiqué cet autre chemin, l'auteur du *Guide* consacre plusieurs lignes à Roncevaux : « Ensuite, en descendant la cime on trouve l'hospice et l'église dans laquelle se trouve le rocher que Roland, ce héros surhumain, fendit d'un triple coup de son épée du haut jusqu'en bas, par le milieu. Ensuite, on trouve Roncevaux où jadis eut lieu la grande bataille dans laquelle le roi Marsile, Roland, Olivier, avec quarante mille autres guerriers chrétiens et sarrasins, trouvèrent la mort. »

La route descend maintenant vers Pampelune, capitale de la Navarre, dont la porte de France est ornée de fleurs-de-lis et permet de gagner Puente la Reina.

Basques et Navarrais sont violemment pris à partie dans le texte du XII^e siècle. Il fallait, aux pèlerins de jadis, beaucoup de foi et de courage pour affronter des populations dont la renommée était aussi exécrable. Qu'on en juge plutôt sur le portrait qui en est fait : « Les Navarrais portent des vêtements noirs et courts qui s'arrêtent au genou, à la mode écossaise; ils ont des souliers qu'ils appellent « lavarcas »[1], faits de cuir non préparé et encore muni de poil, qu'ils attachent autour de leurs pieds avec des courroies, mais qui enveloppent seulement la plante des pieds laissant le dessus du pied nu. Ils portent des manteaux de laine de couleur sombre qui tombent jusqu'au coude, frangés, à la façon d'un capuchon et qu'ils appellent « saies ». Ces gens sont mal habillés et mangent et boivent mal; chez les Navarrais, toute la maisonnée, le serviteur comme le maître, la servante comme la maîtresse, tous ensemble mangent à

1. En castillan « abarcas » (Mlle Vielliard).

la même marmite les aliments qui y ont été mélangés, et cela avec leurs mains, sans se servir de cuillers, et ils boivent dans le même gobelet. Quand on les regarde manger, on croirait voir des chiens ou des porcs dévorer gloutonnement; en les écoutant parler, on croit entendre des chiens aboyer. » Suivent un certain nombre de mots cités en exemple et les détails repoussants reprennent de plus belle : « C'est un peuple barbare, différent de tous les peuples et par ses coutumes et par sa race, plein de méchanceté, noir de couleur, laid de visage, débauché, pervers, perfide, déloyal, corrompu, voluptueux, ivrogne, expert en toutes violences, féroce et sauvage, malhonnête et faux, impie et rude, cruel et querelleur, inapte à tout bon sentiment, dressé à tous les vices et iniquités. Il est semblable aux Gètes et aux Sarrasins par sa malice et de toute façon ennemi de notre peuple de France. Pour un sou seulement, le Navarrais ou le Basque tue, s'il le peut, un Français. Dans certaines régions de leur pays, en Biscaye et en Alava, quand les Navarrais se chauffent, l'homme montre à la femme et la femme à l'homme ce qu'ils devraient cacher. Les Navarrais forniquent honteusement avec les bestiaux, on raconte que le Navarrais met un cadenas à sa mule et à sa jument pour empêcher tout autre que lui-même d'en jouir. La femme comme la mule est livrée à sa débauche. »

Le *Guide* ne leur concède guère comme qualités que la bravoure et la générosité envers les églises. Pour le reste, sa description devait remplir les pèlerins de terreur. L'auteur, bien sûr, a exagéré et il n'a pas distingué l'aire géographique des Basques et des Navarrais; mais quelle saveur dans les lignes que nous venons de citer !

## *VI. — DE PUENTE LA REINA A SAINT-JACQUES DE COMPOSTELLE*

### *Le « camino francés »* [1]

De Puente la Reina, ainsi nommée à cause du pont qu'y fit construire sur le río Arga une bienfaisante souveraine du XIe siècle, les jacquets gagnaient Estella, « où le pain est bon, le vin excellent, la viande et le poisson abondants et qui regorge de toutes délices »;

1. Le « camino francés » est la route, plusieurs fois séculaire, empruntée en Espagne par les pèlerins de notre pays, d'où son nom de « chemin français ».

le río Ega y coule, « dont l'eau est douce, saine et excellente ». Puis le chemin filait, par un tracé presque identique à celui de la route actuelle, vers la Rioja et ses vignobles, puis vers la Castille, par Irache, Los Arcos et Viana et la grande cité de Logroño. C'est à quelques kilomètres de celle-ci qu'eut lieu l'apparition de l'apôtre à Clavijo. De Nájera, au prix de quelques détours au sud, les pèlerins pouvaient se rendre aux monastères d'Albelda et de San Millán de la Cogolla. Le « camino » habituel, dans la région de Nájera, suivait la chaussée qu'avait mise en état santo Domingo de la Calzada. Le saint non seulement laissa son nom à la ville actuelle, mais vit choisir sa cité par Santiago pour qu'y fût accompli un miracle célèbre. C'est là, en effet, et non à Toulouse qu'aurait eu lieu, d'après certains, le miracle du jeune homme demeuré en vie quoique pendu au gibet, après la fausse accusation de vol dont son père et lui avaient été victimes. Une chanson de pèlerins en conservait le souvenir :

Oh ! que nous fûmes joyeux
Quand nous fûmes à Saint-Dominique
En entendant le coq chanter
Et aussi la blanche geline;

Nous sommes allés vers la Justice,
Où resta trente-six jours l'enfant
Que son père trouva en vie
De Saint-Jacques en revenant.

Vers Villafranca-Montes de Oca, dans une région aujourd'hui peu peuplée, on trouvait autrefois diverses fondations qui accueillaient les pèlerins. Puis, à Valdefuentes, le « camino » offrait deux routes pour gagner Burgos. L'une, au nord, passait par San Juan de Ortega, qui nous rappelle un autre bâtisseur de chemins; la seconde plus au sud, par Zalduendo, correspond à peu près au tracé actuel et nous amène dans la capitale de la vieille Castille.

Une cathédrale admirable, des églises nombreuses, l'hôpital San Juan et l'Hospital del Rey, que d'attraits et de ressources offrait la ville aux jacquets fatigués, mais vite reposés et toujours prompts à s'émerveiller !

Sur toute cette région, le *Guide* se montre laconique : « On traverse la forêt d'Oca et la terre d'Espagne continue vers Burgos; c'est la Castille et sa campagne. Ce pays est plein de richesses, d'or et d'argent, il produit heureusement du fourrage et des chevaux vigoureux, et le pain, le vin, la viande, les poissons, le lait et le miel y abondent. Cependant il est dépourvu de bois et peuplé de gens méchants et vicieux. »

De Burgos, on pouvait gagner au sud le monastère bénédictin de Santo Domingo de Silos. L'itinéraire normal se poursuivait à l'ouest, différent du tracé actuel des grandes routes. Mais des restes de chaussée et la locution « del Camino », ajoutée au nom de plusieurs cités, permettent de le retrouver. Entre Burgos et Castrojeriz, on peut l'identifier dans la campagne avec un chemin large et quelquefois empierré. Après Tardajos et Hornillos del Camino, dont le monastère de bénédictins dépendait de Rocamadour, les jacquets arrivaient à Castrojeriz. Le château, la collégiale, plusieurs églises rappellent l'importance de la ville au Moyen Age; l'agglomération s'allonge de part et d'autre de la rue dans laquelle se trouvaient les auberges et les hôpitaux.

Que de cités encore et toujours à traverser ! La Castille, puis le León s'étendaient devant les pèlerins et tout n'était que silence, soleil et infinité de la nature... Ils gagnaient Boadilla del Camino, Frómista et son monastère roman, Villalcázar de Sirga, dont la haute église gothique domine le paysage. Carrión de los Condes venait ensuite, que le *Guide* du XII^e^ siècle décrit comme « une ville industrieuse et prospère, riche en pain, en vin, en viande et en toutes sortes de choses ». Après cette halte, la marche monotone reprenait : Calzadilla de la Cueza, Santa María de las Tiendas, San Nicolás del Real Camino. Les jacquets suivaient une chaussée qui s'est conservée par endroits, surélevée en terre-plein et empierrée de menus cailloux. Ils atteignaient enfin l'étape de Sahagún, impatiemment attendue par les Français à cause de ses liens avec notre pays : le monastère relevait de Cluny, Charlemagne passait pour l'avoir fondé et avoir remporté une grande victoire sur les bords du Céa, de nombreux « francos » y habitaient. Aussi le *Guide* assurait-il que dans la ville régnait l'abondance, et donnait le conseil d'aller « rendre visite aux corps des saints Facond et Primitif [martyrisés sous Dioclétien] dont la basilique fut élevée par Charlemagne; près de leur ville, il y a des prés plantés d'arbres dans lesquels, dit-on, les hastes des lances des guerriers fixées en terre verdoyèrent »[1].

Il fallait poursuivre vers Mansilla de las Mulas et parcourir une région pauvre dans laquelle les jacquets devaient trembler. Le bolonais Laffi, dans la deuxième moitié du XVII^e^ siècle, y trouva le corps d'un pèlerin dévoré par les loups... Pourtant, un peu en dehors du trajet habituel, dans une campagne idyllique, s'élève le monastère mozarabe de San Miguel de Escalada.

1. Voir plus loin pages 99-102 le résumé du *Pseudo-Turpin*. « Sahagún » doit son nom à San Facundo.

La halte de León, capitale du royaume du même nom, était presque aussi importante que Burgos. La cathédrale gothique, directement imitée de l'art français, les reliques de saint Isidore dans le vénérable sanctuaire dont il est encore le titulaire, le vaste et magnifique hôpital de San Marcos conféraient un lustre rare à la vieille cité. De sa renommée le *Guide du pèlerin* s'est fait l'écho, expliquant qu'elle est la « résidence du roi et des cours, pleine de toutes sortes de prospérités ». Et il ajoute : « Il faut aller voir (...) le corps vénérable du bienheureux Isidore, évêque, confesseur et docteur qui institua pour les clercs ecclésiastiques une très pieuse règle, imprégna de sa doctrine tout le peuple espagnol, et honora la sainte Église tout entière par ses ouvrages féconds. »

La partie de l'itinéraire qui restait à accomplir se déroulait en partie dans des régions sauvages, par des cols redoutables, au milieu de populations peu accueillantes. Par San Miguel del Camino, Villadangos et San Martín del Camino, les jacquets arrivaient à Astorga, heureux d'y trouver l'hospitalité d'une cité importante. Puis de nouveau, il fallait marcher, traverser les villages et la campagne, se hâter vers le but de la journée quand le soleil descendait devant soi à l'horizon, immense et empourpré. Sur la route du pèlerin, s'égrenaient Rabanal del Camino, El Acebo, Molinaseca, Ponferrada enfin, arrosé par le río Sil, dans une vallée dont la verdure était un réconfort.

La Galice, maintenant, de l'autre côté du col de Piedrafita, accueillait le voyageur : « La campagne est boisée, arrosée de fleurs, bien pourvue de prés et d'excellents vergers; les fruits y sont bons et les sources claires, mais les villes, villages et champs cultivés sont rares; le pain de froment et le vin n'abondent pas, mais on trouve largement du pain de seigle et du cidre, du bétail et des montures, du lait et du miel; les poissons de mer qu'on y pêche sont énormes, mais en petit nombre; quant à l'or, l'argent, les tissus, les fourrures d'animaux des forêts et d'autres richesses y abondent ainsi que les somptueux trésors sarrasins. » L'auteur, qui a gardé du pays un souvenir si tendre, se sent aussi très proche des habitants — et le compliment qu'il leur adresse, quoique nuancé, prend son prix, quand on se souvient de sa dureté envers les Basques et les Navarrais. « Les gens de Galice », écrit-il, « sont, avant tous les autres peuples incultes d'Espagne, ceux qui se rapprochent le plus de notre race française par leurs coutumes mais ils sont, dit-on, enclins à la colère et très chicaniers. »

C'est donc au cœur d'une région accueillante et parmi une population sympathique que s'accomplissaient les derniers jours de voyage. Un premier itinéraire traversait Cebrero, Triacastela, Samos et son grand monastère, Portomarín, tapi mélancoliquement dans ses collines vertes au bord du Miño, Palas del Rey et Mellid. Plus au nord, un trajet différent passait par la ville charmante de Lugo et, autre monastère célèbre de Galice, par Sobrado de los Monjes.

Enfin, rayonnant d'une poésie mystérieuse, apparaissait « Compostelle, la très excellente ville de l'apôtre, pleine de toutes délices, qui a la garde du précieux corps de saint Jacques et qui est reconnue pour cela comme étant la plus heureuse et la plus noble de toutes les villes d'Espagne ».

* * *

Relativement simples en Espagne, les grands itinéraires couvraient la France d'un réseau serré et complexe en Languedoc et Gascogne. On pourrait écrire que ce réseau, dans notre Sud-Ouest, ressemble aux nervures, plus ou moins ramifiées, d'une feuille d'arbre. En réalité, les pèlerins n'étaient pas astreints à suivre tel ou tel chemin. Sûrs de rencontrer en grand nombre des hospices, des couvents ou des auberges pour les accueillir, ils pouvaient sans inconvénient passer d'une route à l'autre et satisfaire soit une curiosité, soit une dévotion particulière.

Certains trajets, quoique moins célèbres, semblent avoir été assez fréquentés le long de l'Atlantique, à quelque distance ou en bordure de la côte — du moins lorsque la sécurité y était suffisante contre les incursions maritimes et que la sauvagerie des Basques n'effrayait pas les voyageurs. Ainsi bien des pèlerins, par exemple les Anglais, venus par bateau, débarquaient en France à Soulac et continuaient leur chemin le long du littoral par Mimizan et Bayonne. Ils traversaient Saint-Jean de Luz, Irún et Saint-Sébastien, poursuivaient par Guernica, gagnaient les grandes villes de Bilbao et de Santander, s'arrêtaient à Oviedo où les reliques de la Cámara Santa méritaient de les retenir, passaient ensuite par Ribadeo et s'enfonçaient dans les terres vers Mondoñedo. Ils rejoignaient à Sobrado un itinéraire que nous connaissons déjà.

D'Irún et de Saint-Sébastien, au lieu de la route côtière, on pouvait descendre sur Burgos selon un tracé que reprend à peu près le voyageur moderne, par Tolosa, Vitoria, Miranda de Ebro et les défilés de Pancorbo. A travers les Pyrénées, des voies secondaires permettaient de franchir les monts sans emprunter les ports d'Aspe et de Cize. Tous les chemins, dans notre Sud-Ouest, menaient vers Compostelle — vérité indéniable, mais qu'il convient naturellement de nuancer selon les époques.

Avec le temps, les itinéraires ont pu, en France surtout, se modifier sensiblement. Par une carte du « chemin de Saint-Jacques » de 1659, on voit qu'à cette date, la nouvelle route évite Tours entre Blois et Châtellerault, et Saintes entre Poitiers et Bordeaux. Pourquoi ces changements ? Ils ne tiennent pas à de simples caprices, mais à l'évolution de l'esprit des pèlerins. La foi est devenue moins crédule et les souvenirs épiques de Blaye ne présentent plus d'intérêt.

Précisons, pour terminer, l'importance de certaines nuances. Plus denses en France qu'en Espagne, spécialement à proximité et au nord des Pyrénées, variant sensiblement avec les siècles sur certaines parties de leur tracé, surtout en territoire français, les « chemins de Saint-Jacques » recouvrent un peu abusivement de leur patronage un ensemble de communications dont la réalité et l'usage furent plus complexes que ceux d'un réseau de pèlerinages. Non seulement les jacquets pouvaient à leur gré passer d'une voie à une autre, mais ils ne furent pas forcément les seuls usagers de ces routes. Continuant au Moyen Age et depuis lors les voies romaines sur de longues distances, elles servaient à bien d'autres voyageurs, en premier lieu aux marchands. Le pèlerinage, comme on le verra, a favorisé le commerce au long de l'itinéraire de Galice. Les « chemins de Saint-Jacques » ne sont que le nom le plus connu de bien des routes ouvertes et empruntées dès l'Antiquité et souvent utilisées à d'autres fins que religieuses.

# 5 LES PÈLERINS, LE VOYAGE ET L'HOSPITALITÉ

Hospes eram et collegistis me.
*Saint Matthieu, XXV*-35.

LE pèlerinage au Moyen Age consiste à aller vénérer des reliques et particulièrement un corps saint. On se rendait ainsi au tombeau d'un martyr, d'un apôtre ou du Christ lui-même. Dans la *Vita nuova*, Dante distingue selon le but du voyage trois sortes de pèlerins :

> Chiamansi palmieri in quanto vanno oltremare, là onde molte volte recano la palma; chiamansi peregrini in quanto vanno a la casa di Galizia, pero che la sepultura di sa' Jacopo fue più lontana de la de la sua patria che d'alcuno altro apostolo; chiamansi romei in quanto vanno a Roma, là ove questi cu'io chiamo peregrini andavano.

L'habitude de rapporter en Europe des branches de palmiers cueillies à Jéricho a fait nommer « paumiers » les voyageurs qui se rendaient aux Lieux Saints. Les « romées » allaient à Rome et les « pèlerins », au sens strict, en Galice. Cette distinction classique, et fort claire, ne fut pourtant pas toujours respectée. Le terme de « pèlerin » fut généralement employé, comme de nos jours, dans une acception très large. Surtout il convient de séparer les pèlerins authentiques, spontanés et ceux qui ne le sont pas.

Comme l'a justement montré M. Edmond-René Labande, il faut en effet définir nettement ces deux catégories. Les premiers sont les « chrétiens qui, à un moment donné, ont résolu de se rendre en un lieu défini et, à ce voyage qu'ils avaient résolu, ont subordonné l'organisation de leur existence. » Avant de partir, il faut rendre ce qu'on a volé et, d'une façon générale, tendre à être pauvre : « pauper » et « peregrinus », d'une manière idéale, doivent être synonymes. Pierre le Vénérable, dans le *Liber de miraculis*, parle d'un riche chevalier qui, touché d'une inspiration divine, fait de grands dons à Cluny. Devenu pauvre, il part en pèlerinage pour Jérusalem. Il ne rencontre pas en Terre Sainte la mort qu'il espérait, et revient en Bourgogne où il revêt l'habit monastique.

C'est à la littérature d'imagination, non à l'histoire que l'on peut emprunter un autre exemple — combien émouvant — de ces pèlerins spontanés. Anne Vercors, le père de Violaine, dans *L'Annonce faite à Marie*, prépare le mariage de Violaine et de Jacques, laisse à celui-ci Combernon et part pour Jérusalem. C'est qu'alors la France est déchirée entre deux rois et la Chrétienté entre trois papes et un concile. Anne Vercors veut assumer sa part dans la réparation de ce grand « mal du monde », dans le retour à l'unité de son pays et de la religion. Il obéit à un appel, celui de l' « ange sonnant de la trompette », car il est « las d'être heureux ». Comme sa femme s'étonne, il précise :

> La trompette sans aucun doute que tous entendent.
> La trompette qui cite tous les hommes de temps en temps afin que les parts soient redistribuées.
> Celle de Josaphat, avant qu'elle n'ait fait bruit.
> Celle de Bethléem, quand Auguste comptait la terre.
> Celle de l'Assomption, quand les apôtres furent convoqués.
> La Voix qui remplace le Verbe, quand le chef ne se fait plus entendre.
> Au corps qui cherche son unité.

Faut-il classer parmi les pèlerins non spontanés ceux qui accomplissaient un vœu prononcé dans un péril mortel ? La contrainte, en ce cas, était d'une sorte particulière. D'autres exemples sont typiques du caractère forcé de certains voyages. Bien des jacquets s'acquittaient d'une pénitence canonique, imposée à la suite d'une faute jugée grave. Certaines villes, accablées par une calamité publique, envoyaient une délégation. Dans le bas Moyen Age, on laissait par testament des legs destinés à payer l'envoi de pèlerins, dont les mérites profiteraient à l'âme du défunt. Le déplacement jusque dans le lointain Santiago fut parfois une peine purement civile, dont on pouvait se racheter moyennant finances. La pénitence des homicides était aggravée par une gêne particulière : ils devaient demeurer enchaînés, et les chaînes étaient forgées avec le fer utilisé pour le meurtre. Cette catégorie de « peregrinación », commune, du reste, à tous les sanctuaires célèbres, constitue naturellement un exemple bien caractéristique du pèlerinage forcé.

On ne peut que constater avec regret cette intrusion du code pénal dans le culte de l'apôtre, mais le Moyen Age, on le sait, ne distinguait pas comme nous le domaine civil et le religieux.

Le jacquet ordinaire ne portait pas, à l'origine, de vêtement caractéristique. D'une manière générale, il avait besoin comme tous les voyageurs, du moins s'il allait à pied, de chaussures solides et pratiques; il lui fallait des vêtements assez courts pour que sa marche n'en fût pas gênée; souvent il était revêtu d'une pèlerine renforcée de cuir et d'un chapeau de feutre à larges bords, généralement rond; ainsi se protégeait-il efficacement du froid et de la pluie. Puis le costume, établi par l'usage, se précisa, se fixa, devint le signe du jacquet, lui servit de sauf-conduit, lui donna droit à la charité des hospices et des fidèles. Et désormais le pèlerin de Saint-Jacques, que les estampes comme celles de Jacques Callot ont popularisé, se reconnaîtra pendant plusieurs siècles par son habillement.

Aux vêtements eux-mêmes, il convient d'ajouter la besace, le bourdon et la calebasse. La première consistait en un petit sac de peau de bête — le cerf, notamment, était particulièrement recherché pour cet usage — toujours orné d'une coquille; d'habitude en forme de trapèze, la base étant plus large que la partie supérieure, elle pouvait aussi se réduire aux dimensions d'un porte-monnaie. Originellement le bourdon n'était autre que le bâton du pèlerin, aussi utile pour aider la marche que pour chasser les chiens et les loups, et offrir un appui dans les passages difficiles du chemin. De tailles très diverses, il comportait au sommet un pommeau avec un crochet, d'où pendait la besace et, dans le bas, une pointe de fer. L'archevêque de Santiago offrit un bourdon de luxe à la reine sainte Isabelle de Portugal, lorsqu'elle vint en pèlerinage à Compostelle. En 1612, lors de l'ouverture de sa tombe, il est ainsi décrit : « Il mesurait six paumes et demie de haut, il était recouvert de plaques de laiton doré et travaillé avec des coquilles de saint Jacques... » La calebasse, dans laquelle les pèlerins mettaient en réserve les rations supplémentaires de vin fournies par certains hôpitaux, pouvait être suspendue à la ceinture du voyageur ou à son bourdon.

L'équipement habituel des jacquets est énuméré dans une de ces chansons de route qu'ils reprenaient, sur le chemin, pour se donner du courage :

Des choses nécessaires
Il faut être garni;

A l'exemple des Pères
N'être pas défourni

De bourdon, de malette,
Aussi d'un grand chapeau,
Et contre la tempête
Avoir un bon manteau.

Une fois revenus au pays, les pèlerins faisaient don de cet équipement à un sanctuaire ou à une confrérie en témoignage de reconnaissance. Ou bien ils les conservaient pour les revêtir dans les occasions solennelles comme les processions. Et on les ensevelissait avec leur costume et leurs insignes.

Le port de ceux-ci et de celui-là donnait lieu à des abus et servit trop souvent, à partir du bas Moyen Age, à abriter des vagabonds et des fainéants professionnels. Philippe II interdit de les porter aux pèlerins espagnols et les réserva à ceux de l'étranger, munis de lettres dûment signées et datées de leur évêque. On peut douter que l'interdiction ait été efficace.

La coquille particulière aux côtes de Galice, la « concha venera », caractéristique du voyageur de Santiago et sculptée sur tant de statues de l'apôtre pour le rendre reconnaissable, se rencontre déjà, dans le cloître de Santo Domingo de Silos, sur le relief du Christ ressuscité et des pèlerins d'Emmaüs. La coutume de la coudre sur les capes, les chapeaux, les escarcelles remonte peut-être à l'antiquité païenne. Mais au Moyen Age on attribuait à ces coquillages une origine miraculeuse. Un prince, précipité dans les flots par son cheval emballé, en aurait été retiré par saint Jacques et en serait sorti couvert de coquillages. Cette touchante histoire n'est-elle pas conforme aux récits émouvants qui composaient jadis la légende dorée de l'apôtre ? D'un point de vue plus scientifique, on constate qu'il a été retrouvé, dans les fouilles de la chapelle d'Eunate, deux coquilles avec les trous nécessaires pour les coudre; elles semblent remonter au XIIe siècle. Le *Guide du pèlerin de Saint-Jacques* précise que ces objets pouvaient s'acheter à Compostelle sur le parvis de la cathédrale ou « paraíso ». On se les procurait aussi en métal, en plomb ou en étain. Les marchands, ou « concheros », passèrent un accord avec l'archevêque de la ville pour leur commerce, et les papes intervinrent pour que la fabrication et la vente fussent opérées exclusivement à Santiago.

* * *

Une liturgie spéciale sanctifiait le départ des jacquets. De même que les armes étaient remises au chevalier lors de son adoubement, les pèlerins, dûment bénits, recevaient la besace et le bourdon qui, pour eux, constituaient l'épée spirituelle. Pour certains voyages collectifs, un cérémonial spécial se déroulait. Le clergé et le peuple, après que la bénédiction eût été donnée à l'intérieur de l'église, que le psaume *Qui confidunt in Domino* eût été chanté, accompagnaient processionnellement les pèlerins en chantant des litanies au début de la route. Puis les jacquets étaient livrés à la fatigue des étapes à parcourir, à la peur des pays inconnus, au danger des bandits...

Certains voyageaient solitaires, à pied ou à cheval : c'était la façon de se déplacer la moins sûre. La plupart se groupaient, à pied ou avec une monture. Ils se réunissaient généralement par pays ou par localité et pouvaient s'adjoindre des compagnons rencontrés en chemin. Les pèlerins plus fortunés aimaient se faire suivre d'un ou de plusieurs domestiques qui, parfois, étaient eux-mêmes des pèlerins. Alors que « peregrinus » et « pauper » devaient se confondre, les ecclésiastiques ne donnaient pas toujours le bon exemple : les évêques allemands qui traversaient l'Europe centrale vers 1065 avec Günther, évêque de Bamberg, menaient un train magnifique.

Comment se répartissaient les étapes sur le chemin de Santiago ? Celles qu'indique le *Guide* du XIIe siècle, quand on les vérifie, paraissent inégales et beaucoup trop longues en certains cas; elles ne semblent pas correspondre aux possibilités des pèlerins, même montés à cheval. C'est qu'elles ont sans doute été présentées de manière à rendre attrayant l'interminable voyage. A titre de curiosité, voici cependant leur énumération d'après le deuxième chapitre : « Depuis le Somport jusqu'à Puente la Reina il y a trois petites étapes : la première va de Borce, qui est un village situé au pied du Somport, sur le versant gascon, jusqu'à Jacca; la seconde va depuis Jacca jusqu'à Monreal; la troisième de Monreal à Puente la Reina. Depuis les ports de Cize jusqu'à Saint-Jacques, il y a treize étapes : la première va depuis le village de Saint-Michel qui est au pied des ports de Cize, sur le versant gascon, jusqu'à Viscarret, et cette étape est courte; la seconde va de Viscarret jusqu'à Pampelune et elle est petite; la troisième va de la ville de Pampelune à Estella; la quatrième d'Estella à Nájera, se fait à cheval; la cinquième, de Nájera à la ville de Burgos, se fait également à cheval; la sixième va de Burgos à Frómista; la septième de Frómista à Sahagún; la huitième va de Sahagún à la ville de Léon; la neuvième va de Léon à Rabanal;

la dixième va de Rabanal à Villafranca, à l'embouchure du Valcarce, après avoir franchi les ports du Monte Irago; la onzième va de Villafranca à Triacastela, en passant par les cols du Mont Cebrero; la douzième va de Triacastela à Palaz de Rey; quant à la treizième, qui va de Palaz de Rey jusqu'à Saint-Jacques, elle est courte. »

On peut attribuer plus de créance aux étapes qu'indique Nompar II de Caumont; elles correspondent au pèlerinage que lui-même accomplit en 1417 et dont le récit a été réédité par Mlle J. Vielliard. A cette réédition[1] nous empruntons les précisions qui suivent :

de Caumont-sur-Garonne (Lot-et-Garonne) à Roquefort (Landes), 9 lieues;
de Roquefort à Mont-de-Marsan, 3 lieues;
de Mont-de-Marsan à Saint-Sever (Landes), 2 lieues;
de Saint-Sever à Hagetmau (Landes), 2 lieues;
de Hagetmau à Orthez (Basses-Pyrénées), 4 lieues;
d'Orthez à Sauveterre (Basses-Pyrénées), 3 lieues;
de Sauveterre à Saint-Palais (Basses-Pyrénées), 2 lieues;
de Saint-Palais à Ostabat (Basses-Pyrénées), 2 lieues;
d'Ostabat à Saint-Jean-Pied-de-Port (Basses-Pyrénées), 4 lieues;
de Saint-Jean-Pied-de-Port au « Capeyron roge » (non identifié), 3 lieues;
du « Capeyron roge » à Roncevaux et à Burguete, 4 lieues;
de Burguete à Larrasoaña, 5 lieues;
de Larrasoaña à Pampelune, 3 lieues;
de Pampelune à Puente la Reina, 5 lieues;
de Puente la Reina à Estella, 4 lieues;
d'Estella à Los Arcos, 4 lieues;
de Los Arcos à Logroño, 5 lieues;
de Logroño à Navarete, 2 lieues;
de Navarete à Nájera, 3 lieues;
de Nájera à Santo Domingo de la Calzada, 4 lieues;
de Santo Domingo de la Calzada à Villafranca, 7 lieues;
de Villafranca à Burgos, 8 lieues;
de Burgos à Hornillos del Camino, 4 lieues;
de Hornillos del Camino à Castrojeriz, 4 lieues;
de Castrojeriz à Frómista, 5 lieues;

1. A la suite du texte du *Guide du pèlerin de Saint-Jacques de Compostelle* pages 132-140.

de Frómista à Carrión de los Condes, 4 lieues;
de Carrión de los Condes à Sahagún, 8 lieues;
de Sahagún à Mansilla, 8 lieues;
de Mansilla à Léon, 3 lieues;
de Léon à Puente Orbigo (?), 6 lieues;
de Puente Orbigo à Astorga, 3 lieues;
d'Astorga à Rabanal del Camino, 5 lieues;
de Rabanal del Camino à Ponferrada, 8 lieues;
de Ponferrada à Cacabelos, 3 lieues;
de Cacabelos à Travadelos, 4 lieues;
de Travadelos à Lafaba, 4 lieues;
de Lafaba à Triacastela, 6 lieues;
de Triacastela à Surria, 4 lieues;
de Surria à Puertomarín, 4 lieues;
de Puertomarín à Palaz de Rey, 6 lieues;
de Palaz de Rey à Mellid, 3 lieues;
de Mellid à Doas Casas (?), 6 lieues;
de Doas Casas à Santiago, 3 lieues.

Plus près de nous, en 1867, J. B. Bouchain, né à Chiry, dans le diocèse de Noyon, près de Carlepont, en Picardie (d'où était aussi originaire Manier, cet autre pèlerin de Saint-Jacques, mais au XVIIe siècle), entreprit le voyage à pied depuis Poitiers. Il mit trois mois moins deux jours et dépensa en tout deux cent dix francs.

Au temps de Bouchain, le déplacement n'était plus que méritoire. Il avait cessé d'être héroïque comme aux siècles où les dangers et même les difficultés se multipliaient entre chaque étape. Alors se procurer de l'eau potable était un souci journalier, aussi le *Guide* consacre-t-il un chapitre entier aux « fleuves bons et mauvais que l'on rencontre sur le chemin de Saint-Jacques ». Quelques détails méritent d'être rapportés : « A Puente la Reina coulent à la fois l'Arga et la Runa; en un lieu dit Lorca, vers l'est, coule un fleuve appelé le ruisseau salé; là, garde-toi bien d'en approcher ta bouche ou d'y abreuver ton cheval, car ce fleuve donne la mort. Sur ses bords, tandis que nous allions à Saint-Jacques, nous trouvâmes deux Navarrais assis, aiguisant leurs couteaux : ils ont l'habitude d'enlever la peau des montures des pèlerins qui boivent cette eau et en meurent. A notre question ils répondirent de façon mensongère, disant que cette eau était bonne et potable; nous en donnâmes donc à boire à nos chevaux et aussitôt deux d'entre eux moururent, que ces gens écorchèrent sur-le-champ. »

Voici qui n'est pas plus rassurant : « Tous les fleuves que l'on rencontre depuis Estella jusqu'à Logroño ont une eau dangereuse à boire pour les hommes et les chevaux, et leurs poissons sont funestes à ceux qui les mangent. Que ce soit le poisson qu'on appelle vulgairement barbeau ou celui que les Poitevins nomment « alose » et les Italiens « clipia » ou l'anguille ou la tanche, nulle part en Espagne, ni en Galice, tu n'en dois manger, car, sans aucun doute, ou bien tu mourrais peu après, ou tu tomberais malade. Si quelqu'un par hasard en mange et n'est pas malade, c'est qu'il a plus de santé que les autres ou bien c'est qu'il est acclimaté par un long séjour dans ce pays. Tous les poissons et les viandes de bœuf et de porc de toute l'Espagne et de la Galice donnent des maladies aux étrangers. »

La traversée des rivières réservait de non moindres périls à cause de l'avidité des bateliers. A Saint-Jean de Sorde, le gave d'Oloron se jette dans celui de Pau. Les passeurs ont « coutume d'exiger de chaque homme qu'ils font passer de l'autre côté, aussi bien du pauvre que du riche, une pièce de monnaie et, pour un cheval, ils en extorquent indignement par la force quatre. Or leur bateau est petit, fait d'un seul tronc d'arbre, pouvant à peine porter les chevaux; aussi quand on y monte, faut-il prendre bien garde de ne pas tomber à l'eau. Tu feras bien de tenir ton cheval par la bride, derrière toi, dans l'eau, hors du bateau, et de ne t'embarquer qu'avec peu de passagers, car si le bateau est trop chargé, il chavire aussitôt. »

Franchir les ports de Cize, toujours d'après le *Guide*, était dangereux non seulement à cause des monts, mais aussi des péagers, qui « sont franchement à envoyer au diable. En effet, ils vont au devant des pèlerins avec deux ou trois bâtons pour extorquer par la force un injuste tribut et, si quelque voyageur refuse de céder à leur demande et de donner de l'argent, ils le frappent à coups de bâton et lui arrachent la taxe en l'injuriant et en le fouillant jusque dans ses culottes. Ce sont des gens féroces et la terre qu'ils habitent est hostile aussi par ses forêts et par sa sauvagerie; la férocité de leurs visages, et semblablement celle de leur parler barbare, épouvantent le cœur de ceux qui les voient. Bien qu'ils ne dussent pas régulièrement exiger un tribut d'autres que des seuls marchands, ils en perçoivent injustement sur les pèlerins et tous les voyageurs. Quand l'usage

1. Saint Jacques. Cathédrale d'Amiens.
Détail du portail central de la façade ouest.

3. Basilique Saint-Martin de Tours.
Lithographie d'après un dessin de 1620. Bibliothèque de Tours.

◄ 2. Vézelay. Basilique de la Madeleine, la nef et le chœur.

4. Église de Brancion.
Fresque : pèlerins arrivant devant une église.

5. Statue de saint Jacques
provenant de la chapelle de Rieux.
Musée des Augustins, Toulouse.

6. Conques. Abbatiale Sainte-Foy. L'Annonciation. ►
Sculpture à l'intérieur de l'église.

7. Moissac. Portail de l'abbatiale.

voudrait qu'ils perçoivent sur un objet quelconque une taxe de quatre ou six sous, ils en prennent huit ou douze, soit le double. »

En dehors des agglomérations, de faux pèlerins abordaient les jacquets. On racontait comment un brigand s'était installé à l'aurore à la sortie d'une ville. Il lançait la formule habituelle : « Deus, adjuva, Sancte Jacobe ! » Il accompagnait le premier jacquet qui passait jusqu'à l'endroit solitaire choisi soigneusement avec des complices, et là le malheureux était dévalisé et tué. De faux prêtres imposaient des pénitences étranges, par exemple trente messes à dire par un célébrant qui n'ait jamais commis le péché de chair, ni mangé de viande, ni rien possédé en propre; bien incapables de découvrir ce prêtre rare, les dupes confiaient à leur confesseur de hasard et le soin de le trouver et l'argent nécessaire aux messes...

Ayant esquivé ou surmonté de tels dangers, les pèlerins parvenaient, explique le *Guide*, à « un certain fleuve qui arrose à deux milles de la ville de Saint-Jacques un endroit boisé et qu'on appelle Lava-Mentula, parce que, là, les pèlerins de France allant à Saint-Jacques ont coutume, par amour de l'apôtre, de s'y laver non seulement partiellement, mais aussi d'y purifier leur corps tout entier de ses souillures, après s'être dépouillés de leurs vêtements. » Du Monte del Gozo[1], ils voyaient Compostelle, la ville désirée, établie entre les collines de la Galice, aux nuances vertes et tendres.

L'affluence dans la cité sainte devenait particulièrement importante pour les fêtes de Pâques et pour la Saint-Michel. Pris dans la foule, le jacquet passait la nuit de son arrivée à veiller dans la cathédrale. Le lendemain, il était admis à présenter ses offrandes. Quand sonnait la cloche du matin, il se rendait à l' « arca de la obra », ou coffre de l'œuvre, près duquel un gardien se tenait debout, une verge à la main, et frappait le visiteur à l'épaule; sur le coffre même, un clerc attendait, revêtu du surplis; un autre personnage donnait lecture des indulgences. Puis le clerc invitait les fidèles, en employant des formules variables selon les nations, à déposer leurs offrandes. Les jacquets se confessaient et communiaient dans la chapelle des rois de France. A partir du XIVe siècle au moins, ils obtenaient un certificat assurant qu'ils s'étaient acquittés en bonne et due forme du pèlerinage. Enfin, ils montaient derrière la statue de l'apôtre

1. Mont de la Joie, aujourd'hui Monte San Marcos.

qui orne la « capilla mayor »; là, pour se livrer commodément aux dévotions que leur piété leur inspirait et qui pouvaient aller jusqu'à l' « abrazo » de l'effigie de saint Jacques, c'est-à-dire jusqu'à l'embrassade, ils se débarrassaient de leur chapeau et le posaient provisoirement... sur la tête de la statue. C'est du moins ce qu'assure l'auteur du *Voyage de Cosme de Médicis*, au milieu du XVIIe siècle. De loin et vu de la nef, l'apôtre prenait un aspect grotesque car, assis et richement orné, il changeait sans cesse de coiffure et agitait des bras qui ne lui appartenaient pas, aussi longtemps que défilaient les pèlerins avides de l'embrasser, mais soucieux de le faire à leur aise...

* * *

Pour que le jacquet échappe aux dangers qui le guettaient au long de la route, une organisation perfectionnée était nécessaire. Elle prit deux aspects complémentaires, une sauvegarde juridique et l'hospitalité.

Les pèlerins qui, venus de terres lointaines, se dirigeaient vers Santiago, traversaient des États aux juridictions, aux législations très différentes, sinon rivales. Sans même parler de la protection que leur garantissait leur costume ou que leur fournissaient des lettres de sauvegarde, ils bénéficiaient de cette sorte de droit international que toutes les lois tendaient à créer en leur faveur. Alphonse IX rappelait que, si l'autorité du souverain devait s'exercer pour le bien de ses sujets, elle devait faire plus encore pour ceux qui avaient quitté leurs biens et leur famille pour se livrer au péril de la route. Ainsi les jacquets jouissaient-ils, pour eux-mêmes, pour leurs bagages, du droit de libre circulation dans les royaumes espagnols. Ils ne payaient pas de portage, ni de péage pour les bêtes et les affaires qu'ils emportaient avec eux. Ils achetaient les marchandises au même prix que les gens du pays. L'usage des faux poids et mesures destinés à les tromper était sévèrement interdit. Dès le concile de Latran (1123), Calixte II faisait excommunier ceux qui les voleraient. Le brigandage et les assassinats sur les chemins étaient si impitoyablement châtiés qu'ils furent sans doute moins fréquents qu'on imaginerait. Mais il est probable que les vols, et plus généralement les tromperies de toutes sortes dans les auberges étaient assez courants, car ils constituèrent une préoccupation constante des législateurs. Le droit de León et de Castille réglementait minutieusement l'emploi des biens[1] d'un pèlerin mort en cours de route. D'après le *Libro de los fueros de Castilla,* si le jacquet n'avait rien donné à l'aubergiste, celui-ci ne pouvait rien conserver de ce qui appartenait au défunt; tout devait revenir à ses compagnons. Si le voyageur se trouvait seul et n'avait pas pris de disposition spéciale dans son testament, si aucun parent ne présentait de réclamation, l'hôtelier était autorisé à conserver ce que le mort avait laissé. Alphonse IX régla que les compagnons du défunt assureraient sa sépulture et rapporteraient ses affaires aux héritiers légitimes, mais le meilleur habit devait toujours rester à l'hôtelier. Si le disparu n'avait pas de compagnon de voyage de son pays, le chapelain et l'aubergiste se chargeraient des funérailles et de l'ensevelissement et, les frais des cérémonies une fois déduits, ils partageraient le reste en tiers avec le roi.

Les moines et les prêtres du Moyen Age ont répandu parmi les fidèles les textes des Saintes Écritures relatifs à l'hospitalité. Celle-ci est un aspect de la Charité, vertu chrétienne s'il en fut; elle peut, en outre, déboucher sur le merveilleux ou le miraculeux; les orfèvres qui exécutèrent la croix conservée à la Cámara santa d'Oviedo se présentèrent à Alphonse II comme des pèlerins, mais la légende assure qu'ils étaient des anges. Recevoir l'un de ces voyageurs qui poursuivaient le pénible chemin d'un sanctuaire connu, comme Saint-Jacques, réservait donc toujours la possibilité que son identité ne fût humble qu'apparemment. Derrière son visage humain pouvaient se cacher les traits d'un ange ou se dérober temporairement aux regards la face ineffable du Christ lui-même.

Ce sont les mêmes idées que dans les dernières pages met en valeur le *Guide* si souvent cité, mais auquel il faut, à nouveau, recourir : « Les pèlerins pauvres, qui reviennent de Saint-Jacques ou qui y vont, doivent être reçus avec charité et égards par tous : car quiconque les aura reçus et hébergés avec empressement aura pour hôte non seulement saint Jacques, mais Notre Seigneur lui-même ainsi qu'il l'a dit dans son évangile : Qui vous reçoit me reçoit. Nombreux sont ceux qui jadis encoururent la colère de Dieu, parce

1. Il s'agit des vêtements, affaires, bêtes, monnaie, etc... dont le pèlerin était chargé ou accompagné, non des biens et propriétés laissés dans son pays d'origine, qui relevaient d'une autre juridiction.

qu'ils n'avaient pas voulu recevoir les pèlerins de Saint-Jacques et les indigents. »

Suivent quelques exemples précis de cette colère divine : « A Nantua, qui est une ville située entre Genève et Lyon, un tisserand avait refusé du pain à un pèlerin de Saint-Jacques qui lui en demandait : il vit tout à coup sa toile tomber par terre, déchirée par le milieu. A Villeneuve, un pauvre pèlerin de Saint-Jacques s'adresse à une femme qui gardait du pain sous des cendres chaudes, lui demandant l'aumône pour l'amour de Dieu et du bienheureux Jacques; elle lui répond qu'elle n'a pas de pain, à quoi le pèlerin repartit : « Plût au ciel que ton pain se change en pierre ! » Et le pèlerin s'étant éloigné de cette maison se trouvait déjà à une grande distance quand cette méchante femme, s'approchant des cendres pour y prendre son pain, ne trouve à la place qu'une pierre ronde. Le cœur contrit, elle se met aussitôt à la recherche du pèlerin, mais ne peut le trouver. » Le *Guide* raconte d'autres anecdotes probantes : « A Poitiers deux vaillants pèlerins français, revenant jadis de Saint-Jacques dénués de tout, s'en vinrent depuis la maison de Jean Gautier jusqu'à Saint-Porchaire, demandant un gîte pour l'amour de Dieu et de saint Jacques, mais ils n'en trouvèrent pas. Enfin, dans la dernière maison de cette rue, auprès de la basilique Saint-Porchaire, ils furent hébergés par un pauvre et voici que, par un effet de la vengeance divine, un violent incendie éclate et détruit rapidement, cette nuit-là, toute la rue en commençant par la maison où ils avaient demandé tout d'abord l'hospitalité jusqu'à celle qui les avait accueillis. Ces maisons étaient au nombre d'un millier environ, mais celle où les serviteurs de Dieu avaient été reçus demeura, par sa grâce, indemne. »

L'organisation hôtelière du « camino francés » — ou, si l'on veut, d'une manière plus vague, l' « hébergement », — ne s'est pas dressée d'un seul coup dans sa perfection. Pendant les premiers temps du pèlerinage, quand les routes se trouvaient exposées aux incursions des Normands ou des Arabes, elle devait être rudimentaire. Aux IX$^{e}$ et X$^{e}$ siècles, les voyageurs pouvaient frapper à la porte des monastères qui, dans les royaumes chrétiens du nord de la péninsule ibérique, conservaient les traditions wisigothiques ou la culture mozarabe. Non loin des cols des Pyrénées, l'abbaye de San Juan de la Peña avait été fondée dès le VIII^e siècle et celle de San Salvador de Leyre, qui fut détruite lors d'un raid d'Al-Mansour, remontait, semblait-il, au IX^e siècle. Dans la Rioja, aux confins de la Navarre et de la Castille, des monastères mozarabes existaient à San Martín d'Albelda et à San Millán de la Cogolla, qui possédait les deux églises del Suso et del Yuso. En Castille, Silos, San Pedro de Cardena, en León, San Facundo de Sahagún, San Miguel de Escalada, San Salvador de Tavara existaient dès lors, et, sur la route de Galice, San Martín de Castañeda, Santiago de Peñalba, San Julián de Samos, San Salvador de Celanova.

Une nouvelle étape de l'organisation est marquée par l'introduction en Espagne de la réforme de Cluny. Le premier monastère à la recevoir est, on le sait, celui de San Juan de la Peña, en 1205; le roi Sanche le Grand fait venir le moine Paternus. L'influence de l'Ordre dans la péninsule se fait sentir jusque dans l'écriture, jusque dans la liturgie; elle connaît sa plus belle époque pendant la deuxième moitié du XI^e siècle. Parallèlement aux expéditions des chevaliers français et s'incorporant pareillement dans le soutien accordé aux royaumes chrétiens d'Espagne, les « moines noirs » multiplient les liens avec les états au-delà des Pyrénées et y deviennent propriétaires; ainsi en est-il non seulement de Cluny même, mais de Moissac, Conques, Saint-Gilles du Gard, Saint-Victor de Marseille. Ils fondent ou réforment des abbayes dont la renommée fut considérable dans la vie intellectuelle, artistique et religieuse et qui — là réside leur intérêt pour nous — purent accueillir les pèlerins : Leyre, Hirache, Nájera, Silos, Arlanza, Cardeña, Sahagún, Frómista, Carrión de los Condes.

Mais l'importance du rôle de Cluny ne doit pas obscurcir celle des saints ermites qui, dans la solitude, en dehors des villes ou des agglomérations, dans une nature souvent hostile et infestée de brigands, offrirent aux pèlerins des routes et plus de sécurité. Ils construisaient des ponts sur les rivières et les torrents, ils aménageaient des chaussées; ils édifiaient des chapelles et des maisons où le soir, une fois accomplie l'étape du jour, les jacquets pouvaient prier, se reposer, prendre des forces. Les trois plus connus, aux XI^e et XII^e siècles, furent saint Aleaume de Burgos, saint Dominique de la Calzada (ou de la Chaussée) et saint Jean l'Ermite d'Ortega.

Le premier, français d'origine, mourut vers la fin du XI^e siècle. D'abord moine à la Chaise-Dieu, il vient en Castille, et, aux portes de Burgos, sur les bords de l'Arlanzón, établit une chapelle et une maison pour les pèlerins. Saint Dominique, mort en 1109, avait vainement essayé de se faire admettre dans les couvents de Valvanera, près de Nájera, et de San Millán de la Cogolla. Il s'installa, à l'est de Burgos, à l'endroit auquel il laissera son nom, près du chemin emprunté par les pèlerins de Compostelle. Il aménagea la route, construisit un pont et un hôpital; l'église fondée par lui devint, après sa mort, la cathédrale de Santo Domingo de la Calzada. Saint Jean l'Ermite, mort en 1163, s'établit dans la forêt d'Oca, à Ortega, dans un endroit infesté de bandits. Il entreprit d'élever une église, mais les malfaiteurs démolissaient la nuit son ouvrage du jour. Il réussit cependant à terminer le sanctuaire; puis il construisit un refuge pour les pèlerins, des ponts à Logroño, Nájera, Santo Domingo, une route dans les marais d'Atapuerca, nom du bourg situé près de son habitation... On demandait ses conseils pour organiser les hôpitaux de Logroño à Burgos...

Contrairement à ce qu'a pensé Joseph Bédier, il ne semble pas que *Le Livre de Saint-Jacques* ait été composé sous l'inspiration de Cluny. L'ouvrage, en effet, différencie nettement, et sans marquer de préférence, trois sortes de clercs : « les évêques et les prêtres aux vêtements d'une seule couleur », qui enseignent la religion et absolvent les fidèles; « les moines et les abbés à l'habit noir qui ne cessent d'implorer pour nous la miséricorde divine », c'est-à-dire les clunisiens; enfin « les chanoines réguliers à l'habit blanc », qui prennent de plus en plus d'importance dans l'hospitalité des pèlerins et l'organisation du voyage.

Nombreuses étaient, en effet, sur les routes de Saint-Jacques, les cathédrales dont les chapitres étaient rangés sous la règle de saint Augustin et qui possédaient un hôpital annexe : ainsi Saint-Étienne à Toulouse, depuis 1077, et Saint-Bertrand de Comminges, Lescar, Pampelune. On pourrait citer bien des fondations religieuses soumises à la même règle au début et dans la première moitié du XIIe siècle, particulièrement dans les ordres hospitaliers. Ce sont des chanoines réguliers qui possédaient les hôpitaux fameux des grands cols des Pyrénées : celui de Sainte-Christine au Somport, celui de Roncevaux. Les religieux de ce dernier, constitués en ordre spécial, s'annexèrent les souvenirs de Roland et de Charlemagne, attirèrent d'innombrables pèlerins et organisèrent à leur tour un ensemble de maisons hospitalières. Ils bénéficièrent, en outre, au XVIe siècle, aux dépens de Sainte-Christine, de la protection de Philippe II. Des ordres moins connus jouèrent un rôle non négligeable : en France celui d'Aubrac, établi dans les monts de ce nom en Rouergue vers la fin du XIe siècle; en Espagne, celui de Saint-Jacques de l'Épée rouge, fondé vers 1160 dont le siège principal était à San Marcos, à León; il faut signaler aussi, dans le sud-ouest de notre pays, au XIIIe siècle, la « Milice de l'ordre de Saint-Jacques pour la défense de la Foi et de la Paix en Gascogne ».

Les pèlerins pouvaient loger, moyennant finances, chez les aubergistes et hôteliers, mais la réputation de ces derniers, d'une manière générale, était exécrable. On les accusait de vendre du mauvais vin et de la mauvaise nourriture, de se servir de tonneaux à double fond, de pratiquer un change malhonnête et même de pousser leur servante dans le lit de leur hôte.

Les jacquets recevaient aussi, à titre gracieux, au nom de la charité, l'hospitalité de particuliers. Mais, le plus souvent, ils étaient hébergés dans les hôpitaux des ordres religieux et des confréries établis au long de la route, et reconnaissables, de l'extérieur, à la coquille de Santiago. Ceux qui étaient installés dans les montagnes isolées, d'un accès difficile, avaient l'habitude de faire tinter leur cloche afin de guider la marche du voyageur.

La réception de celui-ci se déroulait presque toujours de la même manière. On lavait d'abord les pieds du pèlerin, autant pour satisfaire à un rite que pour le soulager. Ce geste rappelait non seulement les peuples orientaux, mais le Christ lui-même et les apôtres avant la Cène; il symbolisait le pardon des péchés et l'humilité et la charité chrétiennes. Il était aussi une nécessité pour des hommes, dont les pieds étaient endoloris par de longues marches. Même au XVIIe et au XVIIIe siècle, les chaussures tenaient une grande place dans les préoccupations des jacquets. Entre Blois et Amboise, Manier, qui ne pouvait presque plus marcher, fut porté par ses camarades. Un cavalier lui donna un remède pour s'endurcir les pieds : ce remède consistait en un mélange de suif de chandelle, d'huile d'olive et d'eau de vie. Herman von Künig rapporte que, près de Roncevaux, on fabriquait des clous avec lesquels on renforçait efficacement les chaussures.

Le repas constituait un autre acte essentiel de l'hospitalité. L'alimentation reflétait les ressources du pays (vin ou cidre pour la boisson) et la richesse de l'hôpital. Celui de Roncevaux jouissait d'une excellente réputation, que le poème de la *Preciosa* met en valeur :

> La porte s'ouvre à tous, malades et bien portants,
> Non seulement aux catholiques, mais aux païens[1].

On revigorait les voyageurs; on leur donnait des provisions pour passer les montagnes; aussi assuraient-ils « que dans tout le pèlerinage on ne trouvait pas une pareille hospitalité ». A Burgos, cependant, l'Hospital del Rey réservait un accueil égal à celui de Roncevaux. A Manier, on y donna plus de soupe et de viande qu'il n'avait besoin, une livre d'excellent pain blanc et du bon vin. A en juger par ses souvenirs, les repas des hôpitaux de son parcours étaient satisfaisants. A San Martín del Camino, il mangea du beurre et il note la rareté du fait en Espagne.

Les grands établissements qui distribuaient la nourriture la plus abondante étaient aussi ceux qui possédaient les dortoirs les mieux aménagés. Ils recevaient souvent des donations de lits et de linge. Hommes et femmes se trouvaient généralement séparés, sauf dans les maisons plus modestes. Le règlement prévoyait même à San Marcos de León que, pour plus d'honnêteté, on disposerait des draps en guise de rideaux devant les lits. Le nombre de ceux que possédait l'hôpital, lors de la visite du 3 novembre 1528, s'élevait à dix-sept, tous pourvus de la couverture et du linge nécessaires. A San Juan d'Oviedo, les pèlerins reçus pour la nuit de 1795 à 1803 furent successivement : 31, 119, 68, 88, 72, 90, 239 et 180; ces chiffres comprennent indistinctement des Espagnols ou des étrangers[2].

Le Moyen Age ne concevait pas de fondation hospitalière sans une chapelle annexe. Les jacquets arrivaient parfois un jour de fête. Ils pouvaient avoir besoin, surtout en cas de maladie, des secours religieux. A Roncevaux, exemple illustre, il y avait des frères chapelains qui résidaient dans le cloître, et huit diacres et acolytes, en plus du sous-prieur, du cellerier, du sacristain, etc. Quatre prêtres séculiers étaient chargés de baptiser, de prêcher, de confesser, de donner la communion, de faire la lecture aux pèlerins.

1. La puerta se abre a todos, enfermos y sanos;
No sólo a católicos, sino aún a paganos...

2. Pour l'architecture des hôpitaux, voir plus loin, page 127.

8. Puente la Reina.
"Le pont qu'utilisèrent pendant des siècles les pèlerins..."

9. Estella "dont l'eau est douce, sainte et excellente".

MIRABILIA

11. Saint Jacques.
Cathédrale de Burgos.
Reliquaire du trésor.

◄ 10. Cathédrale de Burgos.
La coupole vue de l'intérieur de l'église.

13-14. Frómista.
Église San Martín.
Chapiteaux de la nef.

◄12. Saint Jacques et saint Jean.
Oviédo. Camára Santa.

15. Monastère Santo Domingo de Silos.
L'incrédulité de saint Thomas.
Bas-relief du cloître.

16. Saint-Jacques de Compostelle. Obradoiro ou façade ouest
de la cathédrale sur la Plaza mayor.

Ceux-ci, quand ils mouraient en cours de route dans un hôpital, étaient l'objet de soins multiples, spirituels et matériels, particulièrement de la part des confréries, et ils recevaient une sépulture à proximité de la chapelle, comme ce fut le cas à Eunate, où des fouilles ont permis, on le sait, de retrouver des insignes de jacquets. A Oviedo, au XVI<sup>e</sup> siècle, les cloches de la cathédrale sonnaient deux fois, une première fois au moment de la mort, une seconde pour l'enterrement. Tout le chapitre allait processionnellement chercher le corps avec la croix et les chandeliers. Arrivé devant la dépouille mortelle, le sous-chantre entonnait un répons et on continuait en accompagnant le cadavre. Une oraison était dite devant la porte de la cathédrale. Un enfant de chœur commençait le premier nocturne des défunts et le sous-chantre le psaume *Verba mea*, tandis que le corps était conduit à la sépulture. A l'exception des chanoines les plus âgés, qui demeuraient à la cathédrale, le chapitre entier accompagnait celui-ci à sa dernière demeure, à la chapelle San Antón, près de la Cámara santa, et demeurait avec le chapelain et les acolytes jusqu'à ce que le pèlerin fût enseveli.

Les miniatures constituent l'illustration vivante et poétique des voyages ou des pèlerinages médiévaux. Un manuscrit de la fin du XIII<sup>e</sup> siècle, la *Vie et les miracles de Saint Louis*, par Guillaume de Saint-Pathus, montre notamment un naufrage; un autre, de la Bibliothèque de l'Arsenal, vers 1330, la chute du voyageur qui tombe du pont dans le fleuve. Dans l'*Histoire du Graal et autres romans de chevalerie*, vers 1280, une troupe de cavaliers s'avance, tandis que l'épisode inférieur est consacré à une traversée de rivière ou de mer. Dans un recueil de décrétales, de la fin du XIII<sup>e</sup> siècle, un homme qui avait été retenu captif pendant de longues années rentre chez lui... et trouve sa femme remariée; il porte sur lui la coquille de Santiago. Particulièrement intéressantes sont les *Œuvres de miséricorde* d'un psautier imité de celui d'Utrecht, vers 1300, car on y voit accueillir les pèlerins : ils sont reçus à la porte de la maison, couchés, nourris, vêtus; on assiste même à l'ensevelissement de l'un d'eux[1].

Une fresque de Brancion, en Saône-et-Loire, montre l'arrivée d'un pèlerin devant une église; sa tête est couverte du large chapeau et il tient son bâton d'une main.

1. Sauf indication contraire, tous ces manuscrits sont conservés à la Bibliothèque Nationale de Paris. Les recherches qui les concernent ont été faites par Mlle S. Goubet, que je suis heureux de remercier ici.

Mais c'est sur des scènes directement en rapport avec le voyage de Compostelle qu'il convient de terminer. Le miracle du fils pendu à la place de son père et sauvé par l'intervention de saint Jacques a été représenté au XIIe siècle sur le retable de Solsona, en Catalogne; on le trouve également sur des vitraux : au XIVe siècle, à Saint-Ouen de Rouen; au XVIe siècle, à Saint-Nicolas de Châtillon-sur-Seine, à Saint-Ythier de Sully-sur-Loire et à l'église de Cour-sur-Loire. Au linteau de la cathédrale d'Autun figurent des jacquets avec les insignes propres aux voyageurs de Galice. Dans le Jugement dernier de Gislebert, ressuscités déjà, ils comptent au nombre des Élus, en marche vers la maison du Père, dont le pèlerinage de Santiago contribue à leur assurer l'accès.

# 6 LES FRANÇAIS ET LE REPEUPLEMENT DU « CAMINO »

Au XI^e^ siècle, « la route de pèlerinage se transforme en même temps en la grande voie commerciale du Nord de l'Espagne ».
JOSÉ MARÍA LACARRA, *Peregrinaciones a Santiago.*

NOMBREUX furent, aux XIe et XIIe siècles, les habitants originaires de notre pays dans les villes installées au long du « camino francés ». Ils croyaient, sur la foi des légendes épiques, que Charlemagne et ses preux avaient jadis délivré des Infidèles le tombeau de l'apôtre, croyance qui ne manquait pas de provoquer chez les Espagnols de souche des réactions violentes. Nous abordons ainsi deux autres problèmes relatifs aux « chemins de Saint-Jacques », problèmes qu'il ne sera possible ici que d'esquisser : l'un concerne la part prise par les Français au repeuplement des routes de pèlerinage en Espagne, aspect particulier d'un tableau d'ensemble qui est la géographie humaine du « camino »; l'autre est le rapport du pèlerinage et des légendes épiques et sera examiné dans la seconde partie.

Le XIe siècle a été dans l'Europe entière en général, et dans la péninsule ibérique notamment, une époque de grands changements. Cluny exerce une influence essentielle dans la chrétienté et l'art; les villes s'enrichissent. En Espagne, les royaumes qui s'opposent aux Musulmans progressent dans la Reconquête, et celle-ci se traduit par des mouvements de population très divers. Des chevaliers, des grands seigneurs passent les monts pour combattre. Ils retournent généralement dans leur pays d'origine. Mais un certain nombre reçoivent d'importants domaines et leur exemple répand en France la croyance que l'Espagne est un pays où l'on fait facilement fortune. Les prêtres et les religieux, qui deviennent évêques et abbés ou repeuplent les monastères, jouent un rôle de premier ordre dont, çà et là, il a déjà été question. Des Français d'origine humble s'établissent durablement le long du « camino ». P. Boissonnade a justement écrit : « La longue guerre contre les Maures laissait les villes et les campagnes conquises en un triste état, ainsi que le proclament à l'envi les bulles des papes, les lettres des évêques et les chartes de franchise (fueros) des princes. Pour attirer les colons de France, on leur concède des privilèges, liberté exceptionnelle, exemption de taxes, garanties juridiques, facilités d'acquisitions de terre, libre exercice des métiers, autonomie administrative. Jamais période n'a été, en Espagne, plus féconde en concessions de « fueros » que celle qui s'étend entre 1070 et 1140. Des centaines de bourgs ou villes en ont reçu, surtout d'Alphonse le Batailleur, et parfois on a pris modèle, comme à Jaca (1136), sur les chartes de franchises françaises, telles que celles de Montpellier. »

L'origine des liens entre le repeuplement du « camino » et le pèlerinage se trouve en partie dans l'importance économique de celui-ci. Les jacquets attirent les marchands, qui peuvent leur écouler certains articles à coup sûr, si bien que la route de Santiago, à une époque où l'on constate, en outre, une augmentation générale de la population, devient « la grande voie commerciale du Nord de l'Espagne ». Aux XI^e^ et XII^e^ siècles, les royaumes chrétiens de la péninsule passent d'une économie agricole rudimentaire, que complète presque exclusivement l'industrie des régions soumises aux Infidèles, à une phase de commerce assez actif et d'échanges avec les divers pays d'Europe. De France, des Flandres, d'Angleterre arrivent au sud des Pyrénées surtout des laines. Les peaux, les chevaux et le blé constituent les principales exportations de l'Espagne. Des commerçants galiciens se rendent jusqu'aux foires de Champagne. A partir du XIII^e^ siècle, ce commerce emprunte les mêmes routes que les pèlerins en Navarre, en Guipúzcoa ou par mer. Les marchands espagnols établis à Bruges au début du XV^e^ siècle possédaient un sceau composé de l'image de Santiago et de l'inscription : « Sceau de la nation espagnole ». Tout au long du « camino » sont organisés d'importants marchés : le mardi à Pampelune et Jaca, le jeudi à Estella, une foire franche de quinze jours à Burgos, le lundi à Sahagún, le mercredi à Léon. A Santiago même, le grand nombre de pèlerins posait des problèmes de logement, de ravitaillement et de sécurité. En 1130, d'après l'*Historia Compostelana*, une importante expédition commerciale, provenant d'Angleterre, débarqua au Padrón; la valeur des marchandises montait, paraît-il, à vingt-deux mille marcs d'argent. Il fallut que l'archevêque fît protéger le convoi par les armes contre les nobles galiciens qui voulaient s'en emparer... Diego Gelmírez, réagissant contre la montée abusive des prix, avait dû, en 1133, réglementer à Compostelle le prix de vente des denrées alimentaires, des chaussures, des chevaux, de la cire. Quant aux changeurs, ils pratiquaient trop souvent, à l'égard des pèlerins, des taux abusifs.

Les chemins de Saint-Jacques furent donc autant des itinéraires commerciaux que des routes de foi. Les villes situées sur leur parcours étaient parmi les plus importantes des états de l'Espagne chrétienne. Aussi est-il normal que leurs souverains en aient favorisé le repeuplement en y installant des colonies de « francos », ces groupements d'étrangers (qui n'étaient pas forcément des Français), moyennant des chartes d'établissement avantageuses.

Parmi ces étrangers pouvaient se rencontrer des pèlerins de retour de Santiago. Les véritables jacquets devaient aller, à l'exemple du saint qu'ils vénéraient, pauvrement vêtus et ne porter avec eux que le nécessaire. En réalité, beaucoup d'entre eux profitaient du pèlerinage pour faire du commerce; le cas était encore plus fréquent lorsqu'ils étaient d'humbles gens et se trouvaient sur la voie du retour. De là à se fixer dans une cité où l'établissement paraissait intéressant... Passer de l'état de marchand ambulant et plus ou moins clandestin à celui de commerçant protégé par la loi pouvait, à juste titre, séduire bien des gens.

A Jaca, Sanche Ramírez (1063-1093), désireux de voir s'élever une ville importante, accorda à ceux qui viendraient y habiter des privilèges exceptionnels : liberté personnelle, inviolabilité du domicile, indépendance relative vis-à-vis de la justice royale. Une population nouvelle se groupa dans le « Burgo novo » et le quartier de Santiago, et conserva ses saints d'au-delà des Pyrénées, comme en témoigne l'existence en 1107 d'une église de Saint-Saturnin. Le « fuero » de Jaca fut accordé, au long du « camino », à bien d'autres villes : Estella (1090), Sangüesa, Pampelune (1129), Puente la Reina (1122), Monreal (1149), Villava (1184)...

La population étrangère de Pampelune dépassait de beaucoup les autochtones. Elle se groupait dans les quartiers de Saint-Saturnin ou de Saint-Sernin, et de Saint-Nicolas. A Puente la Reina, on rencontre des « francos » en 1090. C'est à Estella que l'élément étranger a gardé le plus longtemps son individualité. Les dévotions y étaient essentiellement françaises : chapelles de Saint-Martin, de Notre-Dame du Puy, de Notre-Dame de Rocamadour; les Français étaient hôteliers ou changeurs et les pèlerins de notre pays croyaient se retrouver au pays natal. Et jusqu'au XIVe siècle, les « Establiments » furent rédigés en provençal.

Logroño, Nájera, Santo Domingo de la Calzada possédaient également une forte population d'origine étrangère. Burgos était particulièrement attirant pour les « francos » parce que la ville constituait un carrefour commercial, et que les fondations hospitalières y retenaient de nombreux pèlerins. A Sahagún, dont on sait les liens avec Cluny, vinrent des artisans de tous les métiers et de tous les pays. A León, le quartier des « francs » se trouvait à l'entrée de la ville, du côté de Sahagún et de la France. A Compostelle enfin, on rencontrait un certain nombre de nos compatriotes, marchands ou changeurs, mais aussi clercs et ces derniers jouissaient d'une notable influence.

Le temps nécessaire à la fusion des « francos » parmi la population espagnole fut très variable selon les villes et les régions. Dans les cités éloignées du « camino », à Avila, à Ségovie, à Salamanque, où ils s'étaient également établis, ils furent assez vite assimilés, car l'éloignement empêchait des apports nouveaux. Au long même du « camino », on constate bien des différences. A Burgos, le commerce, toujours actif, continua d'attirer les étrangers. Mais leurs origines étaient très diverses et ils ne jouissaient pas d'un statut spécial. A Nájera, l'activité des « francos » correspond à la période de splendeur de l'abbaye. En Navarre, à cause de la proximité de la France et du règne de dynasties venues de l'extérieur, ils gardèrent plus longtemps leur individualité. A Pampelune, les deux populations furent longtemps rivales. Charles III, en 1422, les unifia.

Tant d'étrangers vivant à part, surtout les Français, possédant souvent leurs dévotions particulières et leurs confréries, accueillant les pèlerins de leur nation, tirant leur profit du commerce et du passage d'autres étrangers, c'est-à-dire des pèlerins, bénéficiant d'une situation juridique privilégiée, se sentaient relativement isolés et entourés d'une atmosphère d'hostilité. Aussi — psychologiquement la réaction s'explique fort bien — ont-ils voulu se créer, sur ce pays qui les faisait vivre, un droit incontestable, antérieur à celui de la population autochtone qui les réprouvait. C'est à ce besoin qu'ont répondu les légendes épiques quand elles ont chanté la geste de Charlemagne délivrant le tombeau de Santiago. Ainsi la présence des « francs » trouvait-elle une justification prestigieuse.

# II

# *LES PROBLÈMES CULTURELS DU PÈLERINAGE*

# 7 DE L'ARCHEVÊQUE TURPIN À JOSEPH BÉDIER

La route étoilée que tu as vue dans le ciel signifie que tu iras en Galice à la tête d'une grande armée, et qu'après toi tous les peuples s'y rendront en pèlerinage jusqu'à la consommation des siècles.

Saint Jacques apparaissant à Charlemagne dans la Chanson de geste appelée *Le Pseudo-Turpin*.

Si la littérature exprime l'âme d'une nation, elle peut aussi bien prêter sa voix multiple aux grands épisodes de l'histoire de l'humanité, et les chanter non pas forcément tels qu'ils furent exactement vécus, mais tels que l'imagination les a embellis et magnifiés. Ainsi en est-il de Charlemagne et de saint Jacques le Majeur. Un moment arriva, au XI$^{e}$ siècle, où les pèlerins, sur les routes de Compostelle, et les Croisés, se rendant au combat contre les Infidèles, croyaient que leurs patrons et protecteurs célestes n'étaient autres que Charlemagne et ses preux. Dans le Sud de la France abondèrent les souvenirs héroïques, les reliques pieuses de leur passage. Roncevaux oubliait ses origines premières pour exploiter le culte de Roland. Les liens de Charlemagne avec saint Jacques, les événements les plus marquants de sa vie en Espagne trouvaient une expression magnifique dans certaines orfèvreries d'Allemagne ou de France : la châsse de Charlemagne qui figure au trésor de la cathédrale d'Aix-la-Chapelle et le sceptre de Charles V que conserve le Louvre. On considérait l'Empereur comme le fondateur de l'église de Compostelle, le guerrier surhumain qui, livrant combat aux Infidèles, leur avait arraché et le tombeau de l'apôtre et la route qui y donnait accès.

La chanson de geste qui raconte la légende de la manière la plus complète est l'*Historia Karoli Magni et Rotholandi (Histoire de Charlemagne et de Roland)*, ou *Pseudo-Turpin*, car elle fait parler, par un artifice littéraire, l'archevêque de Reims et compagnon de Charlemagne, le fameux Turpin. Elle s'ouvre par une lettre de Turpin à son ami Liutprand, doyen d'Aquisgran[1]; l'archevêque lui annonce qu'à sa demande il va raconter les quatorze années que lui Turpin a passées dans la péninsule ibérique avec Charlemagne.

Les théories se sont succédé sur l'origine du *Pseudo-Turpin.* Gaston Paris et R. Dozy discernèrent avec raison que les caractères différents de certains chapitres posaient des problèmes d'auteurs et de chronologie. Joseph Bédier, fidèle à son interprétation du *Livre de Saint-Jacques*, dans lequel il voyait une inspiration unique, celle de Cluny, croyait, au contraire, que l'*Historia Karoli Magni et Rotholandi* ne constituait qu'une partie de ce *Livre*. Insistant sur l'importance des colonies de « francs » dont il a déjà été question, Don Luis Vázquez de Parga ne conçoit pas l'origine du *Pseudo-Turpin* en dehors de ce milieu privilégié, et insiste justement sur la connaissance du pays navarrais dont témoigne le texte, connaissance bien meilleure que celle de Compostelle ou de la Galice. Le chanoine P. David a examiné le problème avec une sagacité minutieuse. Il distingue deux idées directrices : l'une tend à relier le pèlerinage de Santiago et la croisade de Charlemagne; mais, selon l'autre, « la capitale religieuse de la France est l'abbaye de Saint-Denys exactement comme la basilique de Saint-Jacques est la capitale religieuse de l'Espagne, et cela en vertu de privilèges identiques conférés par Charlemagne ». Le chanoine P. David tire aisément quelques conclusions fort claires. Une première rédaction, indépendante du *Livre de Saint-Jacques* et plus spécialement rattachée à Saint-Denys et à l'Aquitaine, doit remonter à 1140 environ; la seconde rédaction entra dans le recueil du *Codex calixtinus* vers 1150, « très probablement en même temps que le *Guide du pèlerin* ».

Ces dissections érudites ne nous rappellent-elles pas la formation de la légende médiévale de l'apôtre ? Elles s'en rapprochent, en effet, dans la mesure où le processus fut analogue, avec la différence qu'il s'agit cette fois de l'Empereur, et non plus de saint Jacques.

Le *Pseudo-Turpin*, même résumé[2], touche par sa grandeur, par sa poésie, par sa foi. Après avoir prêché en Galice, saint Jacques retourna à Jérusalem, y souffrit le martyre, et ses disciples ramenèrent le corps en Galice. Jusque-là d'accord avec la légende — tout court —

1. Aix-la-Chapelle.

2. Le résumé qui suit doit beaucoup au texte de Don Luis Vázquez de Parga dans *Peregrinaciones a Santiago*, t. I, pages 499-502.

de l'apôtre, la chanson de geste commence ici de différer. Après l'ensevelissement de Santiago, le temps passe, les habitants du pays retournent au paganisme, le sépulcre du saint tombe dans l'oubli. Mais Santiago, que continuait de préoccuper l'évangélisation de l'Espagne, apparaît à Charlemagne. Il lui montre la voie étoilée qui part de la mer de Frise, traverse la Gascogne, la Navarre, le Nord de la péninsule ibérique et aboutit en Galice. Il l'exhorte à reprendre aux Sarrasins le chemin qui mène à son tombeau, et la terre où repose son corps : « La route étoilée que tu as vue dans le ciel signifie que tu iras en Galice à la tête d'une grande armée, et qu'après toi tous les peuples s'y rendront en pèlerinage jusqu'à la consommation des siècles. Je t'aiderai et, en récompense de tes travaux, j'obtiendrai pour toi de Dieu la gloire du ciel, et ton nom demeurera dans la mémoire des hommes tant que durera le monde. »

Alors Charlemagne réunit ses armées, il entre en Espagne. Vainement l'Empereur assiège Pampelune. Au bout de trois mois, il implore l'aide du Christ et de saint Jacques, et les murailles, comme celles de Jéricho, s'écroulent. Le miracle éclatant dont il a été favorisé terrorise les Sarrasins, et les armées franques s'avancent sans rencontrer d'opposition jusqu'au tombeau de l'apôtre. Charlemagne s'y rend et le visite, continue jusqu'au Padrón et enfonce sa lance dans l'Océan. Turpin baptise les habitants du pays retournés au paganisme. A Compostelle, l'Empereur enrichit l'église de l'or pris sur les Infidèles, il établit un évêque et des chanoines soumis à la règle de San Isidro. Puis, après avoir passé trois ans, il retourne en France. Et là, sur le chemin du retour, leur abandonnant ce qui reste du butin arraché aux Infidèles, il fonde des églises dédiées à saint Jacques à Béziers, à Toulouse, à Sorde et à Paris.

Mais la guerre doit reprendre, car un nouveau roi païen, Aigoland, arrive d'Afrique — c'est une transposition de la venue des Almoravides — et oblige Charlemagne à revenir en Espagne. Près du Céa et de Sahagún se joue une grande bataille; avant celle-ci, les lances des chevaliers qui vont mourir verdissent miraculeusement. Très dur est le combat et, malgré les exploits de Charlemagne, les chrétiens sont battus. Devant les renforts amenés par quatre marquis d'Italie, les Sarrasins se réfugient d'abord à León, puis ils poursuivent l'armée franque qui s'est retirée en Aquitaine. Mais l'Empereur est vainqueur d'Aigoland à Agen et à Saintes, et l'oblige à chercher la protection de la ville de Pampelune. Sous les murs de la cité, au cours d'une trêve, Charlemagne et Aigoland discutent théologie; dans la bataille qui a lieu ensuite, Aigoland est tué.

Une autre victoire de l'Empereur, celle de Montjardin, donne lieu à un événement miraculeux. Dieu lui avait fait connaître que les chevaliers marqués d'une croix rouge entre les épaules périraient dans le combat. L'Empereur, voulant les sauver, les enferme dans son oratoire; il les retrouve morts... pourtant ils seront considérés comme des martyrs de la foi.

Puis, à Nájera, Roland tue le géant Ferragut. Charlemagne descend jusqu'à Cordoue, prend la ville et tue Altumajour — c'est évidemment le fameux Al-Mansour. Et voici l'Empereur maître à nouveau de l'Espagne. Il se rend à Santiago et réunit un concile; Turpin, avec neuf évêques, consacre l'église de Compostelle. A celle-ci l'Empereur accorde des privilèges extraordinaires, concède le titre d' « apostolique »; il supprime l'évêché d'Iria Flavia. Les évêques devront recevoir la crosse à Saint-Jacques et les rois le sceptre, car, des trois églises apostoliques, Santiago occupe le second rang, après Rome, mais avant Ephèse.

Et c'est un autre retour vers la France, le dernier celui-là, mais qu'ensanglante malheureusement l'embuscade de Roncevaux. Les rois de Saragosse, Marsile et Béligand, ont tramé le piège avec le traître Ganelon. Roland meurt les bras en croix, martyr de la foi. Aux sanctuaires de Belin, Bordeaux, Blaye et Arles, Charlemagne laisse les corps des héros morts. Puis, à nouveau, il réunit un concile, à Saint-Denis, cette fois, pour que l'abbaye française ne conçoive envers Compostelle aucune jalousie. Il ordonne de décorer son palais d'Aquisgran de peintures consacrées aux arts libéraux et aux guerres d'Espagne. L'Empereur meurt et son âme est arrachée au démon par saint Jacques, qui fait valoir les nombreuses églises élevées en son honneur par Charlemagne. Peu après, l'archevêque Turpin meurt lui aussi.

A la suite de l'*Historia Karoli Magni et Rotholandi*, furent composées un certain nombre de chansons de geste; elles racontent, à son imitation, comment Charlemagne a chassé les Sarrasins du chemin de Compostelle. *L'entrée en Espagne*, longue de seize mille vers, décrit en dialecte franco-italien les combats des armées franques autour de Nájera et de Pampelune; l'œuvre dut être rédigée à Padoue dans la première moitié du XIV^e siècle. Elle fut continuée par Nicolas de Vérone qui, vers 1350, dans la même langue, raconte la prise de Pampelune, celle d'Estella, délivrée à l'issue d'une bataille gigantesque, la capture et le baptême d'Altumajour. Sauf une expédition destinée à replacer celui-ci sur le trône de Cordoue que lui a ravi un usurpateur, la légende est consacrée à la délivrance d'autres villes du « camino » : Carrión de los Condes, Sahagún, Mansilla de las Mulas, León, Astorga enfin. Et ce n'est que de ces cités, jalonnant le chemin de Compostelle, qu'il est parlé avec exactitude.

Cet exemple d'une chanson de geste écrite à la suite de l'*Historia Karoli Magni et Rotholandi* n'est pas unique. Et au long du XIIe siècle, les jongleurs de différentes nations parcouraient déjà les villes et les hôpitaux du « camino », provoquant l'émerveillement, l'enchantement des pèlerins. Ainsi la littérature épique d'origine française put influencer celle de langue castillane; le chef-d'œuvre de celle-ci, le *Cantar de mio Cid*, écrit vers 1140, est le pendant, par la beauté et la noblesse, de notre *Chanson de Roland*. Et l'on sait quelles admirables études a consacrées Don Ramón Menéndez Pidal à la fois à *L'Espagne du Cid (La España del Cid)* et au poème épique qui célèbre le héros.

* * *

Si la légende de Santiago a ainsi connu, en se greffant sur celle de Charlemagne, une autre floraison au Moyen Age, le fait historique du pèlerinage a été invoqué de nos jours par les historiens de la littérature pour expliquer l'origine des chansons de geste françaises.

On sait que nos poèmes épiques sont presque toujours anonymes et que *La Chanson de Roland* s'achève sur le vers mystérieux qui hante la mémoire de tous les lettrés et des amoureux du Moyen Age :

Ci falt la geste que Turoldus declinet.

Ce « Turoldus » est-il le copiste, le jongleur ou l'auteur ? D'une manière générale le problème de l'origine de nos poèmes épiques, et particulièrement de *La Chanson de Roland*, a passionné plusieurs générations d'érudits, sans qu'on ait pu parvenir, semble-t-il, sinon à des certitudes partielles, du moins à une explication définitive. Pendant longtemps, au XIXe siècle, on n'a vu dans nos épopées médiévales que le développement et l'arrangement de « cantilènes », d'inspiration germanique et contemporaines de l'événement — ainsi elles remonteraient aux alentours de l'an 800 pour les poèmes où Charlemagne est en cause —; ces courts morceaux lyrico-épiques, peu à peu remaniés, complétés, mis en ordre, seraient devenus les chansons de geste. Tel fut l'avis de Fauriel, de Léon Gautier, de Gaston Paris. En 1884, l'italien Pio Rajna montra qu'il n'y avait pas la moindre preuve de l'existence de ces fameuses « cantilènes », mais, de la théorie qu'il détruisait, il conserva l'idée que la formation de *La Chanson de Roland* avait été très lente et s'était opérée au prix de plusieurs états intermédiaires.

Puis, en France, Joseph Bédier, à qui le grand public demeure reconnaissant d'adaptations de textes médiévaux aussi belles par la poésie que par l'érudition, publia en 1912-1913 les tomes III et IV des *Légendes épiques*. Il avait été frappé par l'importance du pèlerinage de Compostelle et la perfection de son organisation, dans laquelle, on le sait, il estimait primordial le rôle de Cluny. Il écrivait que *La Chanson de Roland* était née au XIe siècle en raison des attaches étroites du poème avec les étapes des routes qui menaient les pèlerins par Roncevaux vers Saint-Jacques. Il expliquait que l'esprit même de l'œuvre était celui de la guerre sainte qu'avait connue la péninsule à partir du XIe siècle. Il affirmait que « la légende de Roland s'est d'abord formée à l'état de légende locale à Roncevaux même et dans les églises des routes qui passaient par Roncevaux; et que, si elle avait pu végéter obscurément dans ces églises dès une époque peut-être ancienne, elle n'avait pris corps en des poèmes qu'au XIe siècle ». Cette explication, très séduisante, a prévalu pendant longtemps, et P. Boissonnade, dans son livre intitulé *Du nouveau sur la Chanson de Roland*, a encore insisté sur l'importance des Croisades d'Espagne. Mais qui trop embrasse mal étreint, qui veut trop prouver affaiblit la part de vérité de sa thèse... Cette étude obligea à un nouvel examen de la théorie de Joseph Bédier. On fut bien obligé de constater que, si les échanges entre les littératures épiques de France et d'Espagne se conçoivent aisément sur les routes de pèlerinage, s'il est exact que Roncevaux a exploité le culte de Roland, comme l'a montré M. Élie Lambert, l'explication de Joseph Bédier n'est pas valable pour *La Chanson de Roland*; on n'y trouve, en effet, nulle trace d'une dévotion particulière à Santiago ni du pèlerinage de Compostelle... Enfin le problème de l'origine des chansons de geste a rebondi récemment à la suite de la découverte d'un texte qui raconte brièvement l'histoire légendaire de l'expédition de Charlemagne dans la péninsule et l'épisode tragique de Roncevaux; or ce texte paraît dater du troisième quart du XIe siècle, c'est-à-dire qu'il semble antérieur à la meilleure version de *La Chanson de Roland*, celle du manuscrit d'Oxford.

Ainsi la gloire de Charlemagne et le renom de Saint-Jacques furent associés à tort, mais avec grand succès par les jongleurs du Moyen Age. Ainsi l'importance du pèlerinage fut telle qu'un savant de l'autorité et de la séduction de Joseph Bédier put y chercher l'origine de *La Chanson de Roland*. Et si, en ce qui concerne cette dernière, le rôle des « chemins de Compostelle » a été surestimé, il fut certainement essentiel pour la formation et la propagation de bien des poèmes épiques.

# 8 L'APOTRE DANS LA LÉGION DES SAINTS ICONOGRAPHIE DE SANTIAGO

Mais maintenant comment atteindrai-je ton
[ombre,
O mon Seigneur, quand tant de saints grands
[et petits,
Ces papes, ces docteurs, ces évêques sans
[nombre
Remplissent devant Toi l'effrayant Paradis ?

MARIE NOËL, *Les Chansons et les Heures.*

QUELLE floraison naïve de saints, tantôt authentiques, tantôt légendaires, le Moyen Age a suscitée sur les terres de Chrétienté ! Combien de voyageurs, combien de pèlerins des « chemins de Compostelle » ont cru à leur sainteté héroïque, à leurs miracles multiples ! Et nous qui, des siècles après eux, reprenons les routes sanctifiées par leurs pas, nous rêvons d'un rassemblement fantastique. Il serait émouvant, et prodigieux, de réunir dans une plaine privilégiée, au grand soleil sinon de la foi, du moins de la poésie, cette légion de bienheureux dans le pouvoir desquels ont cru des générations ! De même que le poète de l'*Histoire de Charlemagne et de Roland* assemble l'Empereur, son neveu et ses preux, on voudrait les faire comparaître dans un concile jamais tenu. Mais pourquoi s'interroger et regretter vainement ? L'assemblée merveilleuse, le concile poétique, quoique érudit, ont déjà été tenus par Émile Mâle qui, en quelques pages saisissantes, a raconté pour notre joie tant de vies de saints de notre pays, liés sinon à Santiago, du moins aux régions traversées par les pèlerins en leurs itinéraires. C'est le peuplement invisible et omniprésent du ciel sous lequel ils marchaient qu'il convient d'évoquer. Et le texte d'Émile Mâle, commentant, recouvrant souvent les trop brèves mentions du *Guide* du XIIe siècle, est inoubliable. Saints de Toulouse, comme Sernin, Étienne et Exupère; — de l'Agenais, comme Caprais, Vincent et la vierge sainte Foy; — des Pyrénées, comme Volusien, Aventin et Bertrand de Comminges; — d'Aquitaine, comme Martial et Valérie — et ceux d'Espagne qu'adopta notre Midi...

C'est un peuple, en effet, qui, comme une moisson divine, couvrait la France méridionale et dont le culte constituait pour les jacquets la meilleure préparation spirituelle à celui de Santiago.

Sernin, ou Saturnin, premier apôtre de Toulouse, avait guéri Austris, la fille du gouverneur de la ville, qui souffrait de la lèpre, en la plongeant dans la cuve du baptême. Comme il refusait de sacrifier aux dieux, il avait été traîné par un taureau furieux sur les marches du Capitole. Étienne, qui avait reçu sa mission de saint Pierre, fut le premier évêque de Toulouse. L'un de ses successeurs, Exupère, en période de disette, vendit les ornements sacrés, y compris le calice et la patène, pour secourir les pauvres.

A Agen, devant le gouverneur romain, une jeune fille refuse de sacrifier aux faux dieux. On l'étend sur un gril de fer rougi au feu, on la décapite. De loin, le pasteur des chrétiens persécutés assiste au martyre; il aperçoit des anges qui tiennent une couronne au-dessus de la jeune fille; il se rend auprès du gouverneur, lui déclare qu'il est chrétien; il est, à son tour, décapité. La martyre est sainte Foy, dont les reliques, plus tard dérobées par un moine de Conques, assurèrent la célébrité et le succès du pèlerinage du Rouergue; le saint est Caprais. Le successeur de celui-ci, Vincent, osa arrêter la roue enflammée qui symbolisait le soleil et qu'on laissait descendre du haut de la montagne; il fut battu de verges et décapité.

Volusien était évêque de Tours pendant les persécutions romaines. Il fut arraché à son siège, mené à Toulouse et décapité dans les Pyrénées. Foix s'est développé autour du couvent qui conservait ses reliques. Aventin, au VIII^e^ siècle, était un pauvre ermite qui vivait caché dans les bois près de Luchon. Les montagnards le décapitèrent. Quant à saint Bertrand, c'était un petit-fils des comtes de Toulouse. L'antique ville de *Lugdunum Convenarum* étant devenue une solitude, Bertrand rappela les habitants et releva l'église. Telle fut l'origine de Saint-Bertrand de Comminges.

L'histoire de saint Martial, apparue tardivement et constituée au XI^e^ siècle, est une des plus touchantes qui soient. Enfant, il avait déjà été disciple du Christ, et c'est de lui dont il avait dit : « Quiconque ne ressemble pas à cet enfant n'entrera pas dans le royaume des cieux. » En sa présence avaient eu lieu la multiplication des pains, le lavement des pieds. Puis saint Pierre l'avait emmené à Rome et, lui remettant son bâton, l'avait envoyé évangéliser la Gaule. Prêchant en Aquitaine, ressuscitant les morts avec son bâton miraculeux, il fonda les églises de Limoges, de Bourges, de Poitiers, et aussi de Saintes, Bordeaux, Cahors, Tulle, Rodez, Aurillac, Mende, Le Puy. Martial était venu en Gaule avec Véronique, qui avait essuyé la face ensanglantée du Christ, et avec Amateur, que l'on confondit au xve siècle avec le Zachée de l'Évangile. La sainte se retira dans le désert à Soulac, près de l'Océan, et le saint dans la vallée sauvage où son ermitage allait donner naissance au sanctuaire de Rocamadour.

A Limoges, la jeune Valérie, de famille illustre, était fiancée au proconsul romain. Mais, une fois baptisée par saint Martial, elle aspira à la perfection chrétienne et refusa de se marier. Son ex-fiancé la fit décapiter. Alors la martyre prit sa tête entre les mains, et s'en fut la présenter à Martial, qui célébrait la messe dans l'église de Limoges.

Le Midi de la France adopta l'évêque Fructueux et les diacres Augure et Euloge, que le gouverneur de la Tarraconaise, le proconsul Aemilianus, fit mettre à mort sur le bûcher. Comme Fructueux disait : « Je suis évêque du Christ », Aemilianus répliqua : « Dis que tu l'as été. » Notre Midi vénéra aussi deux écoliers d'Alcalá de Henares, saint Just et saint Pasteur qui, sous Dioclétien, furent battus de verge et mis à mort sur l'ordre du préfet Dacien. Eulalie, enfin, la sainte de Merida, fut vite populaire dans notre pays; en effet la plus ancienne de nos poésies en langue romane lui a été consacrée.

Il est un caractère commun à la plupart de ces légendes touchantes : elles manifestent le désir de relier le plus directement possible les églises des Gaules aux apôtres, aux disciples, à l'époque même du Christ. Il est impossible pourtant, après la lecture des *Fastes épiscopaux de l'Ancienne Gaule* de Monseigneur Duchesne, de croire à leur « apostolicité », de croire à des liens aussi rapides. Mais ces épisodes héroïques ont aidé d'innombrables âmes sur le chemin de Santiago et sur celui du salut éternel, et ils ont été représentés, d'une manière souvent digne d'admiration, par les artistes du Moyen Age.

Les peintres et les sculpteurs ont composé une magnifique illustration pour cette Bible des saints. A Saint-Sernin de Toulouse, le martyr était représenté au portail occidental, debout, le taureau sous les pieds. On le retrouve sur un chapiteau du cloître de Moissac et sur un sarcophage, du XIIe siècle, de l'abbaye de Saint-Hilaire, entre Carcassonne et Alet. Saint Bertrand, mort en 1123, figure au portail de la cathédrale de Saint-Bertrand de Comminges, au tympan de l'Adoration des Mages, avant sa canonisation (1179), car il est sans nimbe. La vie de saint Martial était retracée dans le monastère, détruit, de ce nom à Limoges. Elle le fut encore au palais des Papes où on peut toujours la voir dans la chapelle placée sous son invocation; les peintures ont été exécutées en 1344-1345 par Matteo Giovanetti. Et de nombreuses châsses limousines ont répandu les épisodes du martyre de sainte Valérie; celle-ci a été décapitée, puis elle présente sa tête à Martial devant l'autel; enfin elle est ensevelie. A Valcabrère, près de Saint-Bertrand de Comminges, des statues représentent saint Just, saint Pasteur et le diacre saint Étienne.

Ces exemples pourraient être multipliés. Nous aurons l'occasion, du reste, au cours de notre itinéraire, de contempler les représentations les plus célèbres de nos saints du Sud-Ouest et du Centre et surtout celles de Santiago.

Dans l'iconographie de saint Jacques le Majeur, du XIIe siècle à la fin du Moyen Age, on distingue plusieurs types[1].

Le premier, dans les monuments les plus anciens, montre l'apôtre, drapé dans une toge, les pieds nus, portant le rouleau de la nouvelle Loi. Il est parfois placé entre deux troncs d'arbres écotés ou même deux palmiers. Ses attributs sont la croix primatiale à double traverse, puisqu'il était considéré comme le premier archevêque d'Espagne, et l'épée avec laquelle il fut décapité. Dans cette première catégorie, on range trois représentations célèbres de Santiago : à la porte Miégeville de Saint-Sernin, au portail de la salle capitulaire de la cathédrale Saint-Etienne de Toulouse (maintenant au musée des Augustins) et à la « puerta de las Platerías » de la cathédrale de Compostelle.

Le second type, aux exemples très nombreux, est le saint Jacques pèlerin. Debout ou assis, il est coiffé du chapeau à larges bords et à une ou plusieurs coquilles; il s'appuie sur un bourdon; il porte la

1. Une liste détaillée des principales représentations de saint Jacques le Majeur a été dressée par L. RÉAU, *Iconographie de l'Art chrétien*, t. III-2, p. 695 et suiv. La reprendre ici conduirait à une répétition fastidieuse et sèche. Nous indiquons seulement quelques exemples illustres ou caractéristiques et renvoyons pour le reste à M. RÉAU.

panetière et la gourde; parfois même, il abrite des jacquets sous son ample manteau. Quelle est l'origine de cette représentation ? Elle devrait être cherchée, d'après Émile Mâle, dans les processions des confréries jacobites, au cours desquelles le rôle du saint était tenu par un pèlerin en costume. Cette hypothèse n'est pas sans présenter de sérieuses difficultés, comme l'a montré Don Luis Vázquez de Parga. L'évolution a commencé dès avant la vague de ces associations pieuses, et le premier exemple que l'on rencontre en Espagne, non pas de Santiago avec la panetière, mais de l'apôtre muni d'un bourdon de pèlerin, se trouve au portail de l'église de Santa Marta de Tera, dans la province de Zamora; cette église appartint à une abbaye célèbre au XII^e^ siècle, mais située en dehors du « camino ». Il faut donc admettre provisoirement que, si l'idée de montrer Santiago comme un de ces pèlerins par lui protégés et secourus paraît toute naturelle, la manière dont elle fut d'abord mise en œuvre demeure mal connue.

En dépit des discussions auxquelles a donné lieu sa date, le magnifique relief du cloître de Silos, de la fin du XI^e^ ou du XII^e^ siècle, avec le Christ et les pèlerins d'Emmaüs, est l'une des premières œuvres d'art à montrer une coquille sur la panetière du Sauveur. C'est du XII^e^ siècle que l'on peut dater la statue-colonne de la Cámara santa d'Oviedo — le bâton du saint se termine en croix; la panetière est marquée d'une coquille — et le saint Jacques de Notre-Dame de Mimizan, dans les Landes, d'une rude saveur. Le Santiago du trumeau du Porche de la Gloire à Compostelle (1188) s'appuie sur un bâton en forme de « tau », qui évoque peut-être déjà celui des voyageurs de Galice. La « puerta del Sarmental », du XIII^e^ siècle, à la cathédrale de Burgos, possède aussi un saint Jacques du second type.

C'est des XIV^e^-XV^e^ siècles que datent plusieurs statues très connues : celle du musée de Cluny, provenant de Saint-Jacques de l'Hôpital; celle du Louvre, autrefois à Semur-en-Auxois; celle du musée de Beauvais qui, contrairement aux deux premières, montre le saint assis; celle de la chapelle du Connétable à la cathédrale de Burgos; celle de San Juan de los Reyes de Tolède. Cette dernière est inoubliable : le traitement magistral du corps tourmenté, la force spirituelle qu'il dégage exercent une fascination angoissante qui évoque, sans que le rapprochement soit écrasant, la puissance anxieuse d'Alonso Berruguete et de Michel-Ange. D'une émotion différente, mais combien attachant aussi est le saint Jacques de la

Chapelle de Rieux au musée des Augustins de Toulouse[1], empreint d'une humanité, d'une sainteté souveraines.

Ce second type a inspiré aux orfèvres français du Moyen Age au moins deux œuvres exquises, des statuettes-reliquaires de saint Jacques, conservées dans le trésor de la cathédrale de Compostelle. L'une d'elles, de cinquante centimètres environ de hauteur, du début du XIVe siècle, montre Santiago en pèlerin, tenant dans une main une sorte de petite tour qui est le reliquaire proprement dit; l'autre main retient le bourdon surmonté d'une pancarte, et l'inscription de celle-ci apprend que la statuette a été envoyée par le parisien Coqueresse. Plus typique encore, plus représentative des jacquets est la seconde, offerte par un Français en 1430. L'apôtre est vêtu d'une sorte de robe que recouvre presque complètement une tunique un peu plus courte; le chapeau à larges bords et la panetière sont timbrés de la coquille; le saint tient un livre d'une main et le bourdon de l'autre.

C'est « Santiago peregrino » que reproduisent aussi, à de très nombreux exemplaires, les insignes de pèlerinage en jais, les « azabaches », dont le musée de Pontevedra et l'institut Valencia de Don Juan à Madrid possèdent de remarquables collections. La faveur de ce type se poursuit à travers le XVIe, le XVIIe et le XVIIIe siècle non seulement dans les menues pièces comme ces « azabaches », mais dans la grande sculpture. En France, à Notre-Dame de Cléry, on admire une statue de bois polychrome qui montre le saint en marche comme un jacquet (XVIe siècle). A Compostelle même, le Santiago assis de l'altar mayor de la cathédrale (XVIIe siècle) et les statues debout de la Puerta santa et de l'Obradoiro le représentent également en pèlerin.

Sur un haut-relief du couvent des Agustinas recoletas de León, du XVIIe siècle, on voit un Augustin laver les pieds d'un pèlerin qui est le Christ lui-même.

Du troisième type, il y a beaucoup moins à dire. Il est consacré à un épisode particulièrement glorieux de la légende de l'apôtre, son intervention miraculeuse contre les Maures à la bataille de Clavijo. Le « Santiago matamoros », très proche parfois du « cavalier

1. Jean Tissandier, cordelier, évêque de Rieux (1324-1348), fit construire une chapelle, pour abriter son tombeau, contre l'abside de l'église du couvent de son Ordre à Toulouse. L'ensemble des sculptures de cette chapelle est conservé au musée des Augustins, à l'exception de deux apôtres qui se trouvent au musée Bonnat de Bayonne.

Constantin », est de type équestre et charge les ennemis. L'un des premiers exemples se trouve sur un tympan de la cathédrale de Compostelle.

Le Moyen Age, puis le XVIe siècle ont aussi représenté, avec ferveur et poésie, les épisodes marquants de la vie et de la légende de saint Jacques, notamment dans des vitraux des cathédrales de Bourges et de Chartres. Le transfert de son corps depuis la Galice ou la translation en Galice même figurent sur de nombreuses œuvres d'art : au XIIe siècle, sur le retable de Solsona, en Catalogne, et sur un chapiteau de la cathédrale de Tudela; au XIVe siècle, sur deux tableaux exécutés par un peintre catalan ou aragonais et maintenant conservés au Prado; sur un vitrail de 1548 à la chapelle de Notre-Dame de Crann en Spézet, en Bretagne. L'apparition de l'apôtre à Charlemagne se rendant en Espagne se trouve sur un vitrail du XIIIe siècle à la cathédrale de Chartres. Ainsi peintres, sculpteurs et maîtres verriers mettaient-ils leur talent sensible et savant au service d'une légende déjà attachante en elle-même.

# 9 LES CHEMINS DE SAINT-JACQUES ET L'ARCHITECTURE ROMANE

En realidad, no ha sido el camino, mero vehículo de influencias, sino la función la que ha hecho nacer el tipo y lo ha difundido.
En réalité, ce n'est pas le chemin, simple véhicule d'influences, mais c'est la fonction qui a fait naître le type [d'églises de pèlerinage] et l'a répandu.

LUIS VÁZQUEZ DE PARGA, *Peregrinaciones a Santiago.*

ENTRE les églises de Saint-Martin de Tours, de Saint-Martial de Limoges, de Sainte-Foy de Conques, de Saint-Sernin de Toulouse et la cathédrale de Compostelle, toutes situées sur une des voies du *Guide du pèlerin* ou à l'extrémité du « camino francés », il a existé (Saint-Martin de Tours est presque entièrement détruit, Saint-Martial de Limoges a disparu), ou il existe encore des ressemblances frappantes. On a aimé les réunir dans un groupe, celui des églises des routes de pèlerinage. Définir les caractères fondamentaux de ces édifices est particulièrement aisé si l'on examine celui qui les possède à la perfection, la cathédrale de Santiago. De celle-ci se dégage l'impression d'une remarquable réussite architecturale : ampleur du plan, harmonie qui règne entre celui-ci et l'élévation, adaptation remarquable de l'église aux fonctions du pèlerinage médiéval. C'est avec un développement extraordinaire que se présente le plan, puisque autour de la partie essentielle de l'édifice — nef, transept, chœur — s'inscrivent, non seulement à la partie basse, mais à l'étage supérieur, tout un ensemble de galeries et d'absidioles : autour du chœur, le déambulatoire et les chapelles rayonnantes; autour du transept, des galeries qui donnent accès à d'autres chapelles; des bas-côtés de part et d'autre de la nef. Celle-ci, voûtée en berceau semi-circulaire sur doubleaux, est dépourvue de fenêtres hautes; mais, au-dessus des collatéraux à voûtes d'arêtes, elle est contrebutée par des tribunes qui, voûtées en quart de cercle, éclairent la nef par des fenêtres géminées sous des arcs en plein cintre, et permettent de faire à l'étage supérieur le tour de l'édifice. Ainsi est résolu au mieux le problème de la circulation de foules très denses et du déploiement du clergé et des fidèles pour les cérémonies solennelles.

Une première constatation de ces ressemblances frappantes avait été faite dès 1892 par l'abbé Bouilhet qui présenta Conques comme l'origine, le modèle de la série. Puis, séduits sans doute par la théorie de Joseph Bédier qui, dans le domaine littéraire, attribuait au pèlerinage une importance capitale dans la naissance de la *Chanson de Roland*, et guidés par une sorte de parallélisme intellectuel que l'on s'explique fort bien, les historiens d'art cherchèrent en archéologie une influence analogue, et conclurent à l'existence d'une École très homogène d'églises, dont les caractères dérivaient du fait même des chemins qui les reliaient, des relations que supposaient ceux-ci, des courants qui les empruntaient.

Émile Mâle, avec la science et l'émotion qui rendent inestimables aujourd'hui encore ses ouvrages sur le Moyen Age, étudia, entre bien d'autres questions, dans *L'Art religieux du XII^e^ siècle en France* (1922), la diffusion des influences au long des routes fréquentées par les pèlerins. Son travail, précisé ou nuancé par la suite, demeure essentiel. Il trouva le modèle de ce type d'églises à Saint-Martin de Tours. Certaines études postérieures, malheureusement, ont d'une part mêlé les problèmes, souvent indépendants, de l'architecture et de la sculpture et, d'autre part, teinté d'une couleur passionnelle ou chauvine tout à fait hors de propos des discussions qui auraient dû demeurer sereines; l'énigme de l'art des édifices de pèlerinage sembla devenir l'enjeu d'un concours d'excellence entre la France et l'Espagne. Auteur d'un répertoire monumental de première importance, *The Romanesque Sculpture of the Pilgrimage Road* (1923), l'américain Arthur Kingsley Porter a soutenu, avec une superbe inconscience historique, que la cathédrale de Compostelle a inspiré l'architecture et la sculpture de la France romane. Un éminent savant espagnol, parfait connaisseur des monuments de son pays, emboîta le pas, sans dater avec une suffisante précision ceux de notre patrie qui lui étaient, comme on pouvait s'y attendre, beaucoup moins familiers. De ce côté-ci des Pyrénées, piqués à leur tour, les historiens invoquèrent avec raison la supériorité de la civilisation française, surtout en Languedoc, lors de la construction des monuments contestés et, rétablissant la vérité, ils montrèrent que la cathédrale de Santiago, quoique située à l'extrémité nord-ouest de l'Espagne, constituait l'achèvement d'un type dont les exemples antérieurs avaient été mis en œuvre en France. Toutes ces discussions, si elles semblent avoir atteint aujourd'hui la part essentielle de vérité, transposèrent trop souvent, d'une manière proprement « anti-historique », les passions et les susceptibilités étroitement nationalistes du XIXe et du XXe siècle dans l'époque préromane et romane.

Les problèmes d'architecture ainsi posés semblent se ramener à trois : comment se répartissent, géographiquement et chronologiquement, les origines et le développement du type d'églises de pèlerinage, qu'on peut aussi appeler églises à reliques ? Que penser de l'existence d'une École des routes de pèlerinage ? Le réseau des routes de pèlerinage a-t-il joué un rôle particulier dans la diffusion de l'architecture romane en général, et du type d'églises à reliques en particulier ?

* * *

Pour traiter le premier de ces points délicats, il faut se poser quelques questions précises, répondre par des dates et tirer les conclusions.

Il est indispensable d'abord, comme l'a justement montré Élie Lambert, « de savoir ce qui existait en Espagne le long du « Chemin Français », et d'autres routes encore que l'on suivit déjà depuis les ports d'Aspe et de Cize jusqu'à Saint-Jacques de Galice aux premiers temps du pèlerinage, avant l'apparition de l'art roman, pendant la période qui comprend le Xe siècle et le début du XIe ». Un groupe s'était constitué dans les montagnes asturiennes; le monument principal en était la cathédrale Saint-Sauveur d'Oviedo, du début du IXe siècle. Les églises Santa María de Naranco et San Salvador de Valdedios, de même caractère, nous permettent de rappeler ce groupe encore aujourd'hui. Imprégnés inégalement, mais nettement, d'Islam, apparaissent d'autres édifices des royaumes chrétiens; ils mêlent les éléments empruntés aux églises des Asturies à ceux qui caractérisent les mosquées du Sud de l'Espagne, ces derniers ayant été apportés par les chrétiens mozarabes qui avaient fui le califat de Cordoue. On rencontre ainsi l'arc outrepassé ou polylobé dans un encadrement rectangulaire, les niches d'autel qui se présentent, dans le fond des églises, comme les mihrabs, et les coupoles nervées sur arcs entrecroisés. Dans la Rioja, les monastères mozarabes de San Martín d'Albelda et de San Millán de la Cogolla

— ce dernier avec deux églises, celles de Suso et de Yuso, la dernière encore existante —; au delà de Burgos, vers l'Ouest, ceux de Frómista, de Carrión de los Condes, de Sahagún; autour de León, Santa María de Bamba, San Román de Horniza, San Miguel de Escalada, Santiago de Peñalba : autant de noms qu'il faut retenir et dont les derniers constituent un groupe homogène.

D'une manière analogue, il convient de se demander quels types d'églises on rencontrait en France à l'époque préromane. La variété des monuments fut très grande, et la réalité se montre rebelle aux classifications trop étroites. On distingue cependant des caractères communs à l'intérieur de certaines régions : la Provence et la Bourgogne, le Massif Central, la Loire Moyenne, la Basse Loire. Le fait le plus important, en ce qui nous concerne, est l'existence, dès l'époque préromane, époque qu'a étudiée tout spécialement M. Jean Hubert, d'un type d'églises qui, possédant des reliques fameuses, doivent permettre la circulation de foules de pèlerins; le déambulatoire et les chapelles rayonnantes correspondent à cette fonction. Différents éléments de ce modèle de monuments apparaissent à Flavigny, en Bourgogne, dès le IX^e^ siècle, à Saint-Pierre-le-Vif de Sens, à l'ancienne cathédrale de Clermont, à Saint-Aignan d'Orléans et, vers l'an 1000, à Saint-Martin de Tours.

Les réponses aux deux questions préliminaires, pour ce qui intéresse le premier problème, sont donc fort claires et appuient la présomption suivante : le type d'églises à reliques était étranger à l'architecture de l'Espagne du Nord; certains de ses caractères par contre se remarquent en France; c'est donc dans notre pays que, raisonnablement, devraient se situer sa naissance et son développement.

Mais trouve-t-on effectivement en France — et là réside le nœud du problème — une succession de monuments qui fasse paraître le développement de ce type ? L'abbé Bouilhet, on le sait, avait cru découvrir le premier édifice caractéristique à Sainte-Foy de Conques. C'est Saint-Martin de Tours qu'Émile Mâle désigna comme le modèle et l'ancêtre de cette série d'églises. Les archéologues, d'abord entraînés par les arguments et le prestige du grand savant, adoptent aujourd'hui une opinion plus nuancée, mais il semble, à l'honnête homme qui étudie le problème, qu'il eut la juste intuition de l'importance de ce sanctuaire. Si l'on comprend bien une étude encore récente, celle du Docteur Lesueur, Saint-Martin ne réalisa pas le type archéologiquement achevé de l'église de pèlerinage et influença d'autres sanctuaires qui lui sont étrangers, mais il en présenta, à un moment donné, des éléments importants et caractéristiques. Les documents indispensables à son étude sont constitués par un plan de 1779, une vue de l'intérieur pendant la destruction (1798) et, dans un manuscrit des *Grandes Chroniques de France* enluminé par Jean Fouquet, une miniature représentant la prise de Tours par Philippe-Auguste. De ces documents il ressort aisément qu'à la fin du XV^e^ siècle, Saint-Martin affectait à l'extérieur une allure générale assez gothique qui n'est pas sans évoquer la cathédrale de Bourges et que, modifié par de nombreuses transformations, il était de composition hétérogène. Le problème ne consiste donc pas à découvrir une église à reliques qui aurait été le modèle de plusieurs autres, mais à dégager du cours d'une complexe histoire l'élaboration du groupe de monuments qu'elles ont constitué.

L'évangélisateur le plus vénéré de notre pays, saint Martin, mourut probablement le 11 novembre 397 à Candes. Son corps, rapporté à Tours, fut enseveli dans un cimetière situé à 550 pas à l'ouest de la ville. Sur l'emplacement de son tombeau, centre du plus grand pèlerinage des Gaules, quatre églises furent successivement édifiées. La première, décrite par Grégoire de Tours, fut construite dans la deuxième moitié du V^e^ siècle par Perpetuus, c'est-à-dire saint Perpet, évêque de 461 à 491. La seconde fut réédifiée après les invasions normandes entre 903 et 919. La troisième, celle qui pour nous présente le plus d'intérêt, fut élevée entre 997-1003 et 1014 par Hervé, « archichef » ou « trésorier » de Saint-Martin. La quatrième consista dans une suite d'agrandissements ou de transformations qui lui donnèrent l'allure gothique, au moins à l'extérieur, et la composition hétérogène dont il a déjà été parlé.

Examinons donc l'église d'Hervé.

Que penser du plan ? Les opinions diffèrent sur la date de construction de la nef et des bas-côtés qui ont pu faire partie du monument du « trésorier » ou n'être élevés qu'au XII^e^ siècle. Aussi préférons-nous ne pas en tenir compte ici. Les divergences s'atténuent au sujet du transept qui, muni de chapelles, put remonter, au moins partiellement, au temps d'Hervé. Sur le chœur, l'unanimité doit se faire : vaste et magnifique, entouré d'un déambulatoire et de chapelles rayonnantes, il présente déjà, par son plan, un élément caractéristique et parfaitement reconnaissable des églises de pèlerinage. L'influence du chevet avec les absidioles du déambulatoire et, éventuellement, celle du transept fut considérable : leur ordonnance se retrouve à Saint-Sernin de Toulouse et à Saint-Jacques de Compostelle; mais en outre indiquons tout de suite qu'il fut imité, dès le XI^e siècle, dans des édifices que l'on ne range pas dans le groupe du pèlerinage : à la cathédrale d'Hubert de Vendôme à Angers, à celle de Fulbert à Chartres.

Que penser de l'élévation ? Les opinions diffèrent également sur les dates auxquelles soit le transept, soit la nef furent voûtés. Il semble, si l'on suit la pensée du Dr Lesueur, que le transept ait présenté dès la construction d'Hervé un système de voûtement identique à celui de Saint-Sernin de Toulouse. Quoi qu'il en soit, on ne peut qu'être frappé par une remarque bizarre du *Guide du pèlerin* selon laquelle Saint-Martin fut construit ou, plus exactement, partiellement reconstruit, « à l'imitation de la cathédrale de Compostelle », ce qui peut s'interpréter, assez logiquement, comme une influence en retour de Saint-Sernin ou de Santiago sur un monument qui leur avait auparavant fourni un modèle de chevet. On voit donc quel rôle peut être attribué au vénérable sanctuaire de Tours dans l'élaboration du type d'églises à reliques : il a assuré la réussite et la diffusion d'un modèle de chevet dont il n'existait avant lui que des approximations, il a peut-être devancé le voûtement de Saint-Sernin, puis prouvant qu'une route se parcourait dans les deux sens, il a dû à son tour recevoir des édifices auxquels il avait donné.

L'étape suivante de l'élaboration, définitive ou presque, est celle de Saint-Martial de Limoges.

Sur le tombeau de Martial fut édifiée une petite église, Saint-Pierre du Sépulcre, dont les gardiens furent transformés en chapitre, puis, en 848, en abbaye. Vers le milieu du IX^e siècle, fut entreprise une basilique placée sous le titre du Sauveur; incendiée en 952 et reconstruite avec un grand clocher de façade avant la fin du siècle, elle se révéla insuffisante pour les besoins du pèlerinage; mais la nouvelle église, plus ample, qui fut commencée par l'abbé Geoffroy et continuée par l'abbé Odolric, et dont le chevet fut consacré en 1028, brûla en 1053. En 1062, les Clunisiens prennent possession de l'abbaye Saint-Martial. Avait-on déjà commencé à reconstruire l'église du Sauveur ? C'est possible. Il semble sûr, par contre, que l'abbé

Adhémar (1063-1114) l'acheva, puisque Urbain II, en 1095, procéda à la consécration et qu'Adhémar, avant de mourir, fit voûter la nef et exécuter des travaux de peinture et de décoration, et éleva les principaux bâtiments du monastère. C'est cette église qui, en dépit des restaurations et des modifications, subsista jusqu'à la destruction de 1792-1797. Elle nous est aujourd'hui connue par deux plans, l'un de l'architecte Cajon, en 1776, l'autre de l'abbé Legros, chanoine de la basilique, en 1784, et par deux vues perspectives de l'intérieur; on croit qu'elles furent dessinées en 1726 pour être envoyées à Dom Bernard de Montfaucon. Mis à part le clocher antérieur, qui avait été conservé, on s'aperçoit que Saint-Martial réalisa déjà, mais avec moins d'ampleur, la conception monumentale qui sera portée à son achèvement à Santiago. Certaines particularités du transept, moins majestueux, certaines irrégularités de la nef et des bas-côtés s'expliquent vraisemblablement par des contingences locales, par la gêne que causèrent au développement des nouvelles constructions la présence ancienne de l'église Saint-Pierre du Sépulcre et celle du grand clocher. Quant aux voûtes et aux tribunes des collatéraux, elles étaient dès lors celles de Saint-Jacques. « Ainsi », écrit Élie Lambert, « vers la fin du XIe siècle, il a existé, nous semble-t-il, à Saint-Martial de Limoges un monument parfaitement homogène, harmonieusement conçu dans toutes ses parties dès l'origine suivant le même type architectural que Saint-Jacques de Compostelle, mais un peu antérieur, et n'ayant pas encore au chevet et surtout au transept un aussi complet développement. »

L'importance architecturale de la basilique n'est, du reste, qu'un des éléments de la juste renommée du monastère, dont le rôle artistique, dans l'enluminure par exemple, fut considérable.

A Saint-Sernin de Toulouse, puis à la cathédrale de Compostelle, commencée quelques années après, l'église de pèlerinage trouve, enfin, son accomplissement harmonieux.

D'une homogénéité remarquable, Saint-Sernin a d'abord été construit très rapidement, comme l'a montré récemment M. Marcel Durliat. Puis les travaux se sont ralentis et ont duré jusqu'au XIXe et au XXe siècle, et l'édifice a même été restauré par Viollet-le-Duc. Vers 1080, les Augustins commençaient d'élever leur église à peu près sous la forme qu'elle affecte aujourd'hui. La construction fut menée avec suffisamment de vigueur pour qu'Urbain II, le 24 mai 1096, puisse procéder à la consécration du maître-autel; il est sûr que, lors de cette cérémonie, le chœur se trouvait très avancé. Puis, dans les années qui avoisinent le changement de siècle, Raymond Gayrard, prévôt de Saint-Sernin, donne une nouvelle impulsion à l'entreprise; à sa mort, en 1118, le transept avec ses murs extérieurs et ceux des bas-côtés de la nef avec leurs fenêtres étaient bâtis. Par la suite, la continuation de l'édifice passe par des étapes difficiles à préciser. Vers le milieu du XIIe siècle, le gros œuvres des parties hautes n'était pas achevé, car l'aménagement et la décoration des bas-côtés suivirent la construction de leurs murs. Certaines baies des tribunes ne datent que du XVIe ou du XVIIe siècle.

Cette entreprise étendue sur tant et tant d'années, confiée au soin de générations successives, explique que le plan primitif paraisse moins ample, moins logiquement développé que celui de Compostelle; elle explique pareillement que, par des repentirs, on se soit efforcé de modifier ou d'agrandir, avec un bonheur inégal, certaines parties comme les collatéraux ou la façade principale. Enfin on trouve, çà et là, les traces d'une construction peu soignée. Mais ces imperfections, qui sont courantes parmi les édifices élevés au prix d'un labeur de plusieurs siècles, n'altèrent qu'insensiblement les qualités d'un ensemble monumental qui font de Saint-Sernin, sur le sol français, la plus majestueuse, la plus complète des églises de pèlerinage.

A Compostelle, le sanctuaire d'Alphonse II avait été remplacé par celui d'Alphonse III, qui, détruit par Al-Mansour, fut restauré par les évêques Pedro de Mezonzo et Cresconio. Un de leurs plus célèbres successeurs, Diego Peláez, entreprit la cathédrale actuelle. L'*Historia Compostelana* et le *Codex Calixtinus* s'accordent à indiquer 1078 comme la date du commencement des travaux; mais cette date est peut-être celle d'une cérémonie officielle qu'ont pu précéder, au cours des années antérieures, des travaux préliminaires. Les maîtres d'œuvre, Bernard le Vieux et Robert, qu'aident une cinquantaine de maçons, sont probablement des étrangers, et vraisemblablement des Français; le plan qu'ils réalisent, en tout cas, est strictement celui de l'église à reliques qui a été mis au point au nord des Pyrénées.

Une première étape se termine quand Diego Peláez perd son évêché pour des raisons politiques, en 1088. Une seconde commence presque aussitôt après, en 1090. Raymond de Bourgogne est alors comte de Galice; saint Hugues, abbé de Cluny, visite Santiago et

Diego Gelmírez, évêque en 1100, pousse si bien les travaux qu'en 1105 toutes les chapelles du déambulatoire et trois du transept sont consacrées. En 1112, l'église primitive, celle qu'avaient restaurée Pedro de Mezonzo et Cresconio, et qui n'avait pas encore gêné la construction de la nouvelle, est démolie. Le maître d'œuvre en 1101 est un certain Étienne, qui abandonna ensuite le chantier pour travailler à la cathédrale de Pampelune. Après lui, on peut signaler un dénommé Bernard, plus administrateur qu'architecte, mort en 1134. Au cours d'une révolte populaire, l'édifice fut pris d'assaut et incendié (1117). Diego Gelmírez, qui devient métropolitain en 1120, reprend la construction. Le gros œuvre était achevé vers 1122, et le tout en 1128, puisque, à cette dernière date, l'archevêque, ayant terminé sa cathédrale, proposait au chapitre d'ajouter un cloître « comme il existe au delà des monts ».

Ce simple détail suffirait, du reste, à suggérer que le plan et la conception de l'église furent d'origine française. La souveraine beauté de l'édifice, dont nous avons déjà détaillé le plan et l'élévation au début de ce chapitre, en faisait l'exemple achevé du type dont les approximations avaient eu lieu en France, mais par son ampleur et son unité il dépassait Saint-Martin de Tours, Saint-Martial de Limoges et Saint-Sernin de Toulouse. Ce n'était pas en vain que la cathédrale de Compostelle avait été conçue après eux et réalisée en un temps relativement court. De l'aspect qu'elle présentait lors de son achèvement, on se fait une idée précise grâce à un dessin de M. Kenneth John Conant et à la description du *Guide du pèlerin*. La pureté architecturale de l'édifice ne serait, du reste, que de brève durée puisque, dès la fin du XIIe siècle, la façade principale allait s'orner du Porche de la Gloire du Maître Mathieu — et depuis lors la cathédrale romane a été peu à peu cachée derrière les adjonctions, souvent admirables, de chaque génération.

Près de cette suite d'églises, Sainte-Foy de Conques, en dépit de ses particularités, a sa place marquée. Après l'enlèvement réussi des reliques de la martyre, la prospérité du couvent est à l'origine de l'église construite dans la deuxième moitié du Xe siècle par les abbés Étienne Ier, Bégon II et Hugues, et à peu près terminée vers 980. L'abbatiale actuelle fut commencée entre 1041 et 1050.

En 1065, les travaux, quoique très avancés, n'étaient pas achevés et ils se poursuivirent pendant une bonne partie du XII^e siècle. Ainsi l'église est bien apparentée au groupe des sanctuaires de pèlerinage, mais son achèvement, semble-t-il, intervint trop tard pour que l'édifice puisse servir de modèle dans l'élaboration de ce groupe.

Les « irrégularités », cependant, n'ont pas manqué d'intriguer les historiens et les archéologues. Élie Lambert pensait que l'édifice de la deuxième moitié du X^e siècle a pu imiter, dans son ensemble, Saint-Géraud d'Aurillac. Les anomalies que l'on constate dans l'église actuelle proviennent sans doute de ce que l'on a adopté « des conceptions successives différentes », d'où l'impression que la nef et le transept ont été surélevés après coup ou durant la construction. En ce qui concerne plus spécialement le plan général, « les principales irrégularités qu'il présente, paraissent pouvoir s'expliquer par l'hypothèse qu'une première église, conçue suivant un plan semblable à celui de l'église de l'abbé Adralde à Aurillac — c'est le Saint-Géraud dont il vient d'être question —, aurait été ensuite enveloppée sur tout son pourtour de parties nouvelles, dont les murs extérieurs coïncideraient avec ceux du déambulatoire, du transept, de la nef et de la façade occidentale de la basilique actuelle. »

Cette explication permettrait de comprendre aussi bien les différences que les ressemblances présentées par Conques avec les autres églises de pèlerinage. En attendant que des fouilles soient opérées, il convient de fournir ici la chronologie établie par Marcel Aubert : « L'abbé Odolric, entre 1041 et 1052, commence les travaux dans l'angle sud-est du transept, sur un plan dont le parti est modifié peu après, puis il construit les chapelles du croisillon sud, le mur et les trois chapelles du déambulatoire, et les chapelles du croisillon nord. L'étage inférieur des travées droites du chœur et du collatéral oriental du croisillon sud, les parties basses de ce croisillon et de la dernière travée du collatéral sud de la nef devaient être debout en 1065 lorsque Étienne II succéda à Odolric. Peut-être celui-ci avait-il également élevé les parties hautes du chœur, ce qui expliquerait qu'il avait, d'après la *Chronique* (de l'abbaye), achevé la plus grande partie de l'église et qu'il pût transporter de la vieille église dans la nouvelle le corps de sainte Foy, mais il fallut plus tard les reconstruire. »

Sous Étienne II (1065-1087), on éleva sans doute « l'étage inférieur du transept et de la nef, puis les tribunes et la voûte de la nef, qui ne furent terminées que dans les dernières années du XI^e siècle. » L'abbé Bégon prit un soin particulier du cloître et du trésor, sans que apparemment soit négligée l'église elle-même. Parce qu'elles étaient en mauvais état, certaines parties furent remontées dans les dernières années de son abbatiat et sous celui de Boniface : « les tribunes du transept et du chœur, l'abside, les voûtes du transept, du chœur et du déambulatoire, tels que nous les voyons aujourd'hui, puis les parties hautes des façades du transept, et de la croisée dont l'étage du tambour marquerait à la fin du premier quart du XII^e^ siècle, ou même au début du deuxième, l'achèvement des grands travaux de la construction. » En même temps que les sculptures du grand portail, vers 1130, on exécuta, « peut-être pour la façade ouest, le beau groupe de l'Annonciation et les statues d'Isaïe et de saint Jean-Baptiste du fond du croisillon nord. » Au XIV^e^ siècle fut élevée la coupole actuelle. Pendant les guerres de religion, le 9 octobre 1568, les Protestants essayèrent de mettre le feu à l'église et il fallut, par la suite, renforcer les colonnes de l'abside.

Inséparable des édifices précédemment étudiés et pourtant originale, sinon énigmatique, ainsi paraît à juste titre l'abbatiale de Conques.

* * *

Deux autres problèmes se sont posés au début de ce chapitre : peut-on parler d'une École des routes de pèlerinage ? Quel rôle ont joué dans la diffusion de l'architecture romane les routes du pèlerinage de Compostelle ? Les deux réponses sont solidaires, mais il est difficile, et peut-être dangereux, de les formuler avec une excessive netteté. Il paraît plus honnête, et plus conforme au dessein d'un ouvrage comme celui-ci, de procéder à propos de ces deux problèmes à quelques constatations et de préciser certains points. Ainsi le lecteur sera-t-il amené, en toute bonne foi, à se faire une opinion personnelle, mais motivée.

Entre les églises analysées précédemment, il existe une parenté étroite. Sous quel nom les réunir ? Le terme d'École connaît aujourd'hui une relative défaveur; celui de groupe ou de famille des routes de pèlerinage s'adapte peut-être mieux aux nuances de la réalité. Mais à beaucoup cette discussion paraîtra purement formelle, car le fait de la parenté étant incontestable, peu importe au fond le nom dont on la baptise.

Ces églises ne doivent pas être isolées de la complexité de l'architecture romane. De même que dans un arbre généalogique, même royal, on ne se borne pas à la succession des aînés « de mâle en mâle par ordre de primogéniture », en élaguant les cadets, on ne peut, dans la grande forêt des édifices religieux de ce temps, séparer les sanctuaires à reliques de certains autres. On s'achemine, semble-t-il, vers une filiation dont les grandes lignes se résument ainsi : Saint-Martin de Tours (plan du chevet); Saint-Martial (plan d'ensemble, système de voûtement); Saint-Sernin de Toulouse et Saint-Jacques de Compostelle. Conques et Saint-Rémi de Reims participent de ce même type et doivent être ajoutés à cette filiation. Celle-ci ne s'achève pas avec la cathédrale de Compostelle. Le chevet de nos grandes cathédrales gothiques peut paraître à bon droit issu de celui des églises de pèlerinage.

Une fois replacées dans la complexité architecturale du temps, ces églises nous amènent à penser, par prudence autant que par bon sens, qu'il faut séparer l'élaboration de leurs caractères du tracé des routes.

Plus qu'aux voies dont parle le *Guide*, il convient d'attribuer un rôle important aux relations personnelles entre les chefs des monastères et les évêques qui avaient à résoudre des problèmes analogues, et surtout une influence décisive à la fonction. Cette fonction, à peu près certainement, a déterminé la formation de la famille d'églises qui, sur les chemins de Saint-Jacques ou en dehors de ceux-ci, se rangent dans une même catégorie et obéissent aux mêmes nécessités : accueillir les foules des pèlerins, permettre le déploiement des cérémonies. Ces exigences ont été mises parfaitement en lumière par Don Luis Vázquez de Parga : « En réalité », écrit-il, « ce n'est pas le chemin, simple véhicule d'influences, mais c'est la fonction qui a fait naître le type (d'église de pèlerinage) et l'a répandu. Il ne faut pas oublier que les routes françaises du pèlerinage de Compostelle, telles que les décrit le guide médiéval du *Liber Sancti Jacobi*, cherchaient à lier entre eux des sanctuaires vénérables, grands centres de pèlerinage, comme les itinéraires touristiques cherchent aujourd'hui non pas les lignes de communication les plus courtes, mais les plus attirantes par la beauté de leurs paysages et de leurs monuments (...). Si nous examinons attentivement l'histoire des principales églises que l'on a appelées « famille des routes de pèlerinage », nous observons que chacune d'elles était à son tour un centre de pèlerinage important et que là, et non dans la situation sur un chemin déterminé, se trouve l'explication des caractères architecturaux de ces églises. Par ailleurs, il existait soit entre tous ces grands sanctuaires de pèlerinage, soit entre eux et avec le plus important d'Occident, Saint-Jacques de Compostelle, des relations qui allaient de l'amitié à la concurrence. On sait que Saint-Sernin de Toulouse en vint à prétendre lui disputer la possession du corps de l'apôtre. »

Cette idée de l'importance de la fonction est encore renforcée par les exemples que fournissent, dans un autre domaine de l'architecture, les hospices des pèlerins de Saint-Jacques aux XII<sup>e</sup> et XIII<sup>e</sup> siècles. D'une manière générale, dans une région assez vaste qui s'étend principalement dans le Centre et le Sud-Ouest de la France, leur disposition obligée comportait, de part et d'autre de la route, la chapelle à l'est et la salle des jacquets à l'ouest, et des dépendances variables ; le chemin, pendant la traversée des bâtiments, était voûté, et le pèlerin, pour prier, se restaurer et dormir, avait à peine besoin de s'en détourner. La porte de Pons n'est en réalité qu'un reste de l'hospice. La Dômerie des Hospitaliers d'Aubrac entre Le Puy et Conques, à 1 000 mètres d'altitude, montre l'ancienne salle séparée de la chapelle par un passage qui correspond, sans doute, à la route, aujourd'hui détournée en dehors des constructions. Là aussi, l'architecture a répondu à une fonction.

Pourtant, dans ce domaine de l'architecture des hôpitaux, il ne faudrait pas outrer de pareilles conclusions. Don Luis Vázquez de Parga s'est montré sceptique devant les généralisations que nous venons d'exposer. Il a été, à juste titre, impressionné par la diversité des plans des édifices espagnols, dont la complexité se range en plusieurs catégories, difficiles à discerner pour le non-spécialiste. Mais on doit remarquer l'harmonie particulière de l'Hospital real de Compostelle, avec ses quatre cours réparties autour de la chapelle centrale.

Le dernier problème à soulever relève d'une vaste étude de civilisation, car il met en jeu les rapports de deux mondes différents, l'Islam et la Chrétienté.

On constate, en France, la présence d'éléments d'origine arabe, dont la cathédrale du Puy fournit les exemples les plus connus et les plus remarquables. En Espagne, au contraire, on dénombre bien des églises ou des monastères élevés, au long du « camino », sur le modèle, plus ou moins respecté, de nos monuments romans. La cathédrale de Jaca a été inspirée par ceux du Languedoc et du Sud-Ouest; les chevets de Leyre, d'Irache, près d'Estella, de San Pedro de Arlanza, près de Burgos, par ceux du Poitou; San Martín de Frómista rappelle nos églises des provinces de l'Ouest. San Isidoro de León témoigne partiellement de l'influence française. Les éléments orientaux ont pu parvenir dans notre pays soit directement des régions soumises à la domination musulmane, soit par l'intermédiaire de l'art des royaumes chrétiens. Quel lien établir entre les routes du pèlerinage de Compostelle en Espagne et le développement sur leur tracé d'une architecture d'inspiration française — qui ne tardera pas, du reste, à s'hispaniser ? — Une relation de cause à effet ? Comme nous avons déjà eu l'occasion de le remarquer, le terme de « chemins de Saint-Jacques » recouvre de sa célébrité, de son appellation un peu exclusive des routes qui, sur de longs trajets, étaient des voies de communication comme les autres ou, même, « la grande voie commerciale du Nord de l'Espagne ». Plus qu'à une relation de cause à effet, plus qu'au flux et au reflux des pèlerins sur ces chemins, il faut songer au vaste mouvement d'aide aux royaumes chrétiens qu'ont organisé la Papauté, Cluny, les moines français. De ce dessein sont inséparables le pèlerinage et l'usage de la route et, dès lors, il est normal qu'au long de son tracé s'élèvent des édifices d'inspiration française : ils le furent parce que les liens étaient multiples avec notre pays, que nombreux furent les religieux envoyés de chez nous.

Les moines, les abbés, les évêques ne changeaient pas de Dieu : c'était pour servir celui-ci justement qu'ils passaient les monts, et il fut naturel pour eux, en leur nouvelle patrie, de l'adorer dans des couvents et des églises pareils à ceux qu'ils avaient quittés.

# 10 LES CHEMINS DE SAINT-JACQUES ET LA NAISSANCE DE LA SCULPTURE ROMANE

> L'œuvre d'art n'est pas faite essentiellement d'influences : elle est avant tout une création.
>
> GEORGES GAILLARD,
> *Les débuts de la sculpture romane espagnole.*

LES ressemblances que l'on remarque, les liens que l'on constate dans la décoration des églises et des monastères sur les routes de Saint-Jacques présentent-ils un rapport certain avec le pèlerinage ? A cette question, on ne peut répondre qu'en traitant dans son ensemble les origines de la sculpture romane en France et en Espagne du Nord. Ces origines ont longtemps été considérées en fonction de deux problèmes, dont la solution, pour l'un comme pour l'autre, devait consister, croyait-on, à octroyer une primauté. Fallait-il donner, dans la naissance et le développement de cette sculpture, la priorité au Languedoc ou à la Bourgogne ? Était-ce le Languedoc qui était redevable à l'Espagne, ou, au contraire, l'Espagne au Languedoc ?

Le premier de ces problèmes — Bourgogne-Languedoc — sort quelque peu de notre sujet, et l'on se contentera ici d'en rappeler sommairement les données. De l'abbatiale de Cluny, qui fut l'une des merveilles de la Chrétienté médiévale, il ne demeure plus aujourd'hui que des épaves : essentiellement le croisillon sud du grand transept, un croisillon du petit transept et d'admirables sculptures. Parmi celles-ci figurent les chapiteaux du chœur, dont la date, si elle pouvait être déterminée avec certitude, permettrait de dénouer l'énigme. Le chœur fut consacré dès 1095. Les chapiteaux, dont la perfection est étonnante — qu'on songe aux saisons et aux vertus, ou aux premiers quatre tons du chant grégorien — étaient-ils achevés dès cette époque ? Les archéologues américains, Arthur Kingsley Porter, Kenneth John Conant, et l'historien bourguignon Charles

Oursel considèrent qu'ils furent sculptés entre 1088 et 1095, c'est-à-dire avant la pose. M. Paul Deschamps en recule la date jusque vers 1125, et Marcel Aubert propose une époque intermédiaire, vers 1113-1118.

Le problème Languedoc-Espagne du Nord se pose différemment. Des ressemblances étonnantes unissent certaines sculptures de Sainte-Foy de Conques, abbaye dont l'influence fut considérable en Espagne, de Saint-Sernin de Toulouse et du cloître de Moissac avec celles de San Isidoro de León et des cathédrales de Jaca et de Saint-Jacques de Compostelle. Les anges porteurs de phylactères ou de livres à inscriptions gravées, les tailloirs ornés de fleurettes, d'oiseaux, d'animaux et d'anges en buste, l'avare suspendu à une potence ou portant sa bourse au cou, les sirènes, les centaures, les sonneurs d'olifant représentent autant de sujets traités à Conques et en Espagne. Avec Saint-Sernin et Moissac, on a vite fait d'établir des rapprochements dont l'intérêt saute aux yeux : les saints Pierre et Jacques et l'ordonnance même de la porte Miégeville de Saint-Sernin sont à étudier avec la puerta de las Platerías de Compostelle; le saint Jacques de celle-ci est représenté entre deux cyprès comme à la porte Miégeville; la femme au lionceau et la femme au crâne de la même « puerta » appellent une comparaison avec le relief qui, provenant de Saint-Sernin et conservé au musée des Augustins de Toulouse, montre deux femmes tenant un lionceau et un bélier; les attitudes, les visages, les drapés enfin, de part et d'autre des Pyrénées, traités de manière plus ou moins semblable, ont donné lieu à des commentaires détaillés.

Ainsi la question se pose : s'il y a eu influence, dans quel sens s'est-elle exercée ? La réponse montrera qu'en réalité c'est autrement qu'il fallait saisir le problème... Mais n'anticipons pas.

Arthur Kingsley Porter, nous le savons, a voulu faire dériver la sculpture languedocienne de Saint-Jacques de Compostelle. Moissac se placerait, d'après lui, dans la filiation du cloître de Santo Domingo de Silos, la grande abbaye bénédictine située à une cinquantaine de kilomètres au sud-est de Burgos. M. Paul Deschamps a réfuté les allégations et les dates de Porter. Comme il a été fait pour l'architecture dans le chapitre précédent, essayons de préciser la chronologie des sculptures contestées, et en même temps, naturellement, étudions leurs caractères.

Conques sera étudié en détail dans les notes de voyage. Indiquons seulement ici que les chapiteaux correspondent à la deuxième moitié du XIe siècle et au premier quart du XIIe, que le tympan du Jugement dernier se situe, ainsi que l'Annonciation, Saint Jean-Baptiste et Isaïe du transept, vers 1120-1135 au plus tard.

Plusieurs années avant 1096, un atelier, de style archaïque, sculpta, à Saint-Sernin, les chapiteaux historiés du chœur et de la partie basse du transept et le décor de la porte méridionale du transept, appelée porte des comtes. Puis l'arrivée de Bernard Gilduin, peu avant 1096, provoqua, comme l'explique M. Marcel Durliat, « une profonde révolution stylistique et un progrès certain dans la représentation de la figure humaine ». A cet autre atelier se rattachent la table d'autel primitive de Saint-Sernin, signée par Bernard Gilduin, les bas-reliefs remontés dans le déambulatoire, certains chapiteaux des parties hautes du transept de la même église, et plusieurs chapiteaux et les bas-reliefs de marbre du cloître de Moissac. La table d'autel de Saint-Sernin, récemment replacée dans le chœur, est celle qui fut consacrée par Urbain II le 24 mai 1096; creusée en forme d'évier, elle est entourée d'une bordure de lobes en plein cintre et sculptée sur la tranche des figures du Christ, de la Vierge et des apôtres, avec un griffon, des anges et des oiseaux affrontés. Ces figures doivent être rapprochées des sept plaques de marbre remontées dans le déambulatoire et représentant, au centre, le Christ en gloire et, de part et d'autre, un séraphin, un chérubin, deux anges et deux apôtres debout sous des arcades. A Moissac, les bas-reliefs, proches de ceux de Saint-Sernin, sont consacrés à neuf apôtres et à l'abbé Durand, mort en 1072. Ces ouvrages ne sont pas les seuls qui nous intéressent dans la sculpture languedocienne. A Saint-Sernin, la façade de chaque bras du transept est percée d'une grande porte jumelle : au nord, la porte royale, au sud, celle des comtes; c'est à cette dernière qu'était appliqué le bas-relief des deux femmes au lionceau et au bélier, du deuxième quart du XIIe siècle, que conserve le musée des Augustins. Plus considérable encore pour son mérite propre et les comparaisons qu'elle suscite est la porte Miégeville, qui correspond à la cinquième travée de la nef au sud et peut se dater des environs de 1100; au tympan est sculptée l'Ascension, de chaque côté saint Jacques entre des cyprès et saint Pierre; aux chapiteaux, on remarque l'Annonciation, la Visitation et le massacre des Innocents; les corbeaux du linteau montrent le roi David et deux femmes assises sur des lions.

Si nous passons maintenant aux sculptures romanes du Nord de l'Espagne, il est une première allégation que l'on élimine aussitôt : la prétendue filiation de Moissac et de Silos. L'art de Moissac — une comparaison photographique suffit à le montrer — est plus archaïque. Santo Domingo avait refusé au roi de Navarre le trésor de la célèbre abbaye de San Millán. Le souverain l'exila, et le saint entreprit la restauration de Silos, où il mourut en 1073. Le cloître présente deux étages dont les chapiteaux, d'une inspiration orientale aussi poétique qu'incontestable, sont d'une puissante originalité; l'étage inférieur possède en outre plusieurs bas-reliefs dont celui du Christ et des pèlerins d'Emmaüs. On a beaucoup discuté sur les dates de cet ensemble. Il est vrai qu'on peut y distinguer l'œuvre de plusieurs époques et de plusieurs ateliers. Faut-il faire remonter certaines parties, comme le suggéreraient les textes, au XIe siècle et au temps de Santo Domingo ? Il est tentant et raisonnable d'établir un lien entre les ivoires de l'atelier célèbre de San Millán, que Santo Domingo a connus, et quelques sculptures de Silos. Il est sûr qu'à San Millán, monastère imprégné plus ou moins directement par un art d'origine orientale, Santo Domingo a pu apprécier des motifs qui refleuriront à Silos. La discussion entre Arthur Kingsley Porter et M. Deschamps sur l'inscription relative à l'ensevelissement de Santo Domingo dans le cloître — ses restes furent peu après transférés dans l'église — laisse le lecteur inquiet, hésitant... On souhaite rattacher une partie des sculptures de Silos au XIe siècle, avant la mort de Santo Domingo, mais l'analyse stylistique paraît l'interdire. Faut-il attribuer ce décalage à l'action d'un artiste génial et à l'impulsion d'un grand abbé ? Il paraît sage de dégager deux conclusions : les sculptures du cloître de Moissac, moins évoluées, ne semblent pas dériver de Silos — les sculptures de Silos témoignent d'une originalité et d'une perfection étonnantes. Quant à la date des chapiteaux et des bas-reliefs de la magnifique abbaye castillane, on peut défendre leur étalement sur le XIe et le XIIe siècle, mais on doit tenir compte de la pénétration de l'analyse de M. Paul Deschamps qui leur assigne le XIIe siècle et croit même que les bas-reliefs de l'Arbre de Jessé et de l'Annonciation doivent être reculés jusqu'au XIIIe siècle.

* * *

Il nous faut maintenant étudier la chronologie et le style des sculptures de San Isidoro de León et des cathédrales de Jaca et de Compostelle, dont les ressemblances, fortuites ou voulues, avec celles du Languedoc paraissent incontestables. Cette étude amène à résoudre le problème et à l'éclairer d'une manière très nuancée grâce au livre de M. Georges Gaillard, *Les débuts de la sculpture romane espagnole* (1938) et à des articles récents du même historien qui constituent des apports de première importance.

Saint-Isidore de León fut élevé sur l'emplacement d'une église du xe siècle, placée sous le vocable de saint Jean-Baptiste et de saint Pélage. Après un raid d'Al-Mansour, Alphonse V (999-1027) releva les ruines, édifia un monastère et confia aux religieux la sépulture des rois de León. La reine Sancha, fille d'Alphonse V, et son mari, Ferdinand, roi de Castille, reconstruisirent l'église pour laquelle ils se firent envoyer, de Séville, des reliques du grand archevêque saint Isidore. Celui-ci devint le patron du nouvel édifice, dont la construction commença au plus tôt en 1054 et dont la dédicace eut lieu en 1063. En 1065, le roi mourait. La reine acheva l'entreprise et disparut à son tour en 1067.

L'église de San Isidoro ainsi édifiée était de type asturien et de dimensions restreintes. Il en subsiste essentiellement le narthex, qui est devenu — et était vraisemblablement dès l'origine — la chapelle funéraire royale, appelée Chapelle des Rois ou Panthéon. Son architecture est nouvelle à l'époque dans la région, et son inspiration peut être cherchée en France, vraisemblablement à Saint-Philibert de Tournus, à Saint-Hilaire de Poitiers, à Saint-Benoît sur Loire. Elle supporte à l'étage une tribune communiquant avec l'église par une baie et appelée Cámara de Doña Sancha. De très beaux chapiteaux ornent les piliers du rez-de-chaussée et de la baie; ce sont « sans doute les plus anciennes des sculptures romanes espagnoles », de traditions asturienne et mozarabe, qu'il faut dater, comme l'édifice même, des environs de 1063. Ils sont à décor végétal, corinthien ou dérivé du corinthien, à figures, à rinceaux avec des têtes aux angles, ou encore historiés. Les éléments de ce décor se trouvaient sur les chapiteaux des églises mozarabes du xe siècle. Ils se sont développés, ils ont évolué à León même. Une comparaison élargit cependant notre vision. Dans la Cámara de Doña Sancha, une orante entre deux dragons est presque identique à celle qui figure sur un chapiteau de Saint-Sernin de Toulouse, dans la tribune de l'angle sud-ouest du transept; la sculpture de

León date d'avant 1067, la tribune de Toulouse du début du XII^e^ siècle; l'analyse stylistique confirme les données de la chronologie, et le chapiteau de Toulouse « apparaît comme une forme bien plus avancée du modèle que nous avons vu naître à León ».

L'église de Ferdinand et de Sancha ne mesurait environ que dix mètres de large sur quinze de long. On la jugea bientôt trop petite. Son style, différent de celui de la Chapelle des Rois, fut considéré comme archaïque. Aussi on décida d'édifier une seconde église qui réalisât une harmonie heureuse avec le Panthéon, de construction antérieure, mais d'esprit précoce.

L'infante Urraca entreprit la construction de cette seconde église, plus vaste, à la fin du XI^e^ siècle. Elle mourut dès 1101. La consécration eut lieu en 1149; l'architecte était alors Petrus Deustamben, qui fut enseveli dans l'édifice.

On peut distinguer plusieurs campagnes de construction. San Isidoro, élevé entre la fin du XI^e^ siècle et 1149, date de la consécration — et aussi, probablement, de l'achèvement du gros œuvre — ne fut pas réalisé exactement selon le plan initial. Les sculptures se répartissent en deux groupes : les chapiteaux, dont l'ensemble se situe dans la première moitié du XII^e^ siècle, mais dont quelques-uns remontent à la fin du XI^e^; les portails, où sont remployés d'importants morceaux anciens, mais dont l'ensemble doit remonter au deuxième quart du XII^e^ siècle. Le décor, de manière générale, continue les traditions des chapiteaux de la Chapelle des Rois et permet de suivre, à León même, la manière de trois ateliers travaillant à peu près simultanément, l'un au décor de l'abside, un autre à celui de la nef, le troisième à celui des portails et échangeant sans cesse les motifs et les procédés. Remarquable est leur sens des volumes, du relief ferme, du modelé très simple.

Des rapprochements peuvent-ils être opérés entre ces sculptures et les ivoires et les orfèvreries travaillés au XI^e^ siècle à León ? Parmi les objets subsistants, se trouvent, à San Isidoro, le reliquaire à plaques d'ivoire de saint Jean-Baptiste et de saint Pélage, commandé en 1059 par Ferdinand et Sancha, et celui de saint Isidore, de 1063, en argent repoussé avec des figures en haut-relief. A León encore, mais au musée provincial, est exposé le crucifix d'ivoire provenant du monastère de Carrizo. Au musée archéologique de Madrid sont conservés le coffret des Béatitudes, décoré de figures sculptées sur des plaques en ivoire, et le crucifix, en ivoire encore, qui porte le nom des donateurs : Ferdinandus Rex, Sancia Regina[1]. De l'étude de ces œuvres, il est difficile de tirer des rapprochements péremptoires. Du moins, suffisent-elles à prouver que León était un centre d'art et que l'éclosion des magnifiques sculptures de la Chapelle des Rois et de San Isidoro eut lieu dans un milieu préparé à les apprécier.

Faut-il rattacher le portail de l'Agneau de San Isidoro, avec ses figures de saints assis de face, qui se sont « emparées des trois dimensions de l'espace », à Saint-Sernin de Toulouse ? On peut en douter. Le portail méridional, ou del Perdón, représente au tympan la Descente de croix, les Saintes Femmes au tombeau et l'Ascension; cette dernière scène peut établir un lien, au moins par le thème, avec la porte Miégeville.

Existe-t-il des liens entre les sculptures de San Isidoro et de la cathédrale de Jaca ? Ce dernier édifice, commencé avant 1063 par Ramire I$^{er}$, n'était pas achevé à la fin du siècle. La sculpture, sans doute entreprise quelques années après 1063, ne fut exécutée que lentement. On dut commencer par l'extérieur de l'abside, on poursuivit par les chapiteaux de la nef, par ceux du portail occidental, par ceux enfin qui, à l'époque moderne, ont été utilisés pour décorer le

1. On répartit généralement les ivoires de cette époque en deux groupes, correspondant chacun à un centre de production, celui de León et celui de San Millán de la Cogolla. Au premier appartiennent le crucifix du roi Ferdinand et de la reine Sancha, le reliquaire de saint Jean-Baptiste et de saint Pélage, le coffret des Béatitudes, le crucifix de Carrizo, dont il vient d'être question, et aussi une reliure conservée au Louvre et représentant le Christ Pantocrator avec les symboles des évangélistes, saint Pierre, saint Paul, deux archanges et deux séraphins, et une plaque du Metropolitan Museum de New York ayant pour sujet le « Noli me tangere ». Le second se composait essentiellement du coffret de San Millán et du coffret de San Felix qui se trouvaient à San Millán de la Cogolla, mais dont les plaques sont dispersées depuis l'invasion napoléonienne; « l'arca de San Millán » est partagée notamment entre le musée archéologique de Madrid et le monastère même de San Millán, qui a fait remonter, en deux coffrets modernes, les plaques qui lui restent de ces deux « arcas ».

Les bras de croix mozarabes du Louvre et du musée archéologique de Madrid montrent également l'importance de la sculpture sur ivoire en Espagne.

Rappelons qu'à Oviedo, l'orfèvrerie a produit des chefs-d'œuvre que conserve encore la Cámara santa de la cathédrale : Croix des Anges (808), Croix de la Victoire - auxquelles il faut joindre en pensée celle que donna Alphonse III à l'église de Compostelle en 874 et qui a disparu de la cathédrale de Saint-Jacques en 1906 - l' « Arca santa » en argent avec des figures repoussées, donnée en 1075 par Alphonse VI, et le coffret aux calcédoines des environs de 950.

portique sud. A l'extérieur du chevet, les modillons, les métopes et les chapiteaux témoignent d'un style homogène et aisé, qui exprime avec bonheur « la beauté plastique du corps humain ». Remarquables sont aussi les chapiteaux de la nef, à figures, à animaux, à feuillages. Le portail ouest, qui se date des alentours de 1100, montre au tympan un chrisme, c'est-à-dire le monogramme de Jésus-Christ, entre deux lions; ses chapiteaux sont très semblables à ceux de la nef. A la porte sud, les chapiteaux représentent Balaam et le sacrifice d'Abraham; ce dernier est sans doute le plus étonnant grâce à la haute figure d'Isaac debout et nu, à la plénitude du relief, à l'intensité des visages, à l'impétuosité des mouvements. Moins heureux sont ceux que l'on a placés au portique méridional.

Entre les sculptures de San Isidoro, qui se trouvent être les plus anciennes, et celles de Jaca, les relations sont étroites. Les caractères communs consistent dans le traitement original de la figure humaine et du nu. A León, les sculpteurs ont bénéficié des traditions mozarabes des tailleurs de pierre, ils ont aussi profité de l'expérience et des modèles de la miniature, de l'orfèvrerie et de l'ivoire. A Jaca, le pèlerinage a sans doute, dans les deux sens, exercé une influence. La Chapelle des Rois de León est antérieure aux débuts de la cathédrale de Jaca, mais celle-ci a précédé la seconde église de San Isidoro; il y a eu, « entre ces deux monuments pourtant fort éloignés l'un de l'autre, » des rapports évidents, des « échanges multiples et répetés ». C'est à leurs ateliers qu'il faut rattacher les sculptures de Santa María d'Iguacel, au nord de Jaca, et de San Salvador à Nogal de las Huertas, près de Palencia, celles aussi de Santa Cruz de la Seros près de San Juan de la Peña — le tympan est du même type que celui du portail ouest de Jaca — et même la série de certains tympans aragonais ornés du chrisme entre des animaux comme à San Pedro de Huesca. Les sculptures de San Martín, l'église de l'ancien couvent bénédictin, à Frómista, près de Palencia, et celles de Santa María de Loarre, entre Jaca et Huesca, doivent être étudiées dans le rayonnement des ateliers de San Isidoro et de Jaca.

Des trois portails sculptés que décrit à la cathédrale de Compostelle le *Guide du pèlerin de Saint-Jacques*, il ne subsiste aujourd'hui que la puerta de las Platerías. On trouvera, dans la dernière partie de cet ouvrage, des citations de la description; nous ne voulons ici que préciser certains points qui, d'une façon générale, concernent les sculptures du plus important monument de l'art roman en

17. Saint Jacques et Hermogène. Bibliothèque de Châteauroux.

18. Transport du corps de saint Jacques. Fresque.
Église Notre-Dame du Bourg, Rabastens.

Espagne. C'est entre 1078 et 1088, semble-t-il, qu'on a élevé et intérieurement décoré la partie courbe du déambulatoire et ses chapelles; la décoration extérieure paraît sensiblement postérieure. La puerta de las Platerías a dû être construite et sculptée une première fois vers 1105, puis réparée après la révolte de 1117, ce qui expliquerait le désordre relatif des sculptures. Les chapiteaux du déambulatoire et des chapelles rayonnantes, des tribunes et du transept permettent des rapprochements avec León et Saint-Sernin. A l'extérieur du chevet, les modillons à copeaux sont d'origine française, particulièrement auvergnate. A la porte des Orfèvres, les modillons présentent l'accomplissement d'un modèle qui a été élaboré à Jaca et à León. Dans les parties hautes, saint Jacques entre les cyprès, d'une inoubliable noblesse, est très proche de celui de la porte Miégeville. Quant au Porche de la Gloire du Maître Mathieu, il relève évidemment de l'art du pèlerinage, mais non pas des rapports de celui-ci avec les origines de la sculpture romane. Il fut exécuté à une époque déjà avancée de la seconde moitié du XII^e^ siècle et il faut se garder de le considérer comme une simple imitation des porches sculptés en France; il se définit, au contraire, par l'hispanisme marqué de son style[1].

La longue étude qui précède montre combien il était illusoire de chercher à tout prix à découvrir la primauté d'une région sur une autre. Les rapprochements qu'on peut faire entre les sculptures de San Isidoro, de Jaca, de Compostelle et de Saint-Sernin se rapportent surtout aux ornements, notamment ceux qui dérivent de la feuille d'acanthe. Certains contacts se sont produits, mais il y eut surtout une évolution parallèle, dont le point de départ se trouvait à León dans les chapiteaux mozarabes et la technique de la sculpture des arts décoratifs, à Toulouse dans les modèles laissés par Rome ou l'époque wisigothique. Une source commune et des relations épisodiques expliquent pareillement les analogies que présentent plusieurs monstres et animaux. Pour la statuaire, pour la représentation de la figure humaine, on se trouve également en présence de deux évolutions parallèles, indépendantes, assorties de contacts et d'influences réciproques sans doute, mais secondaires. Des figures de Compostelle — la femme au lion, le saint Jacques de la puerta de las Platerías

1. Voir la description et l'étude du Porche de la Gloire dans la troisième partie, pp. 207-208.

— ont pu être imitées à Saint-Sernin; d'autres, comme le roi David, ont pu, par contre, être influencées par l'art du Languedoc et de Saint-Sernin.

Les conclusions se dégagent aisément et montrent fort clairement que les problèmes de la sculpture se dénouent différemment de ceux de l'architecture.

Le développement de la sculpture en Languedoc et en Espagne du Nord a été simultané et généralement indépendant. « La renaissance de la sculpture à la fin du XI$^{e}$ siècle », écrit M. Georges Gaillard, « ne s'est pas produite, comme on paraît l'avoir supposé souvent, en un seul endroit déterminé, le Languedoc, León ou la Bourgogne, mais au contraire en divers points à la fois. C'est en même temps que, sous l'impulsion d'un courant artistique général, dans des conditions analogues et avec l'aide de modèles communs, les sculpteurs se sont mis à la tâche dans tous les pays de France, d'Espagne et d'Italie, où, tout au cours du XI$^{e}$ siècle, l'art était en train de naître. »

La sculpture romane de l'Espagne du Nord témoigne d'une relative homogénéité. Celle-ci est due à des contacts répétés entre les centres créateurs de León, Jaca et Compostelle, mais aussi, vraisemblablement, à l'action d'ateliers voyageurs et d'artistes itinérants. Cette unité ne signifie pas seulement qualités, mais aussi commune déficience. Il faut admirer le sens du nu, le sentiment des volumes; par contre, on constate une certaine impuissance à bien ordonner un portail ou un tympan; le décor sculpté de ceux-ci, à l'époque romane ou gothique, en Espagne, donne souvent l'impression d'un simple placage.

Ainsi doit-on abandonner la vision trop simple d'une sculpture apportée de France en Espagne ou d'Espagne en France, mais présentant, au long des routes de Compostelle, un caractère unique. En France même, les plaques de marbre de Saint-Sernin et de Moissac relèvent d'un style différent[1]. En Espagne, les caractères de certains ivoires s'opposent à ceux de la première sculpture de León. C'est que, dans le domaine de la création, les influences ne constituent qu'une première étape; à partir d'elles, l'artiste s'élève à l'originalité. Courants et contre-courants étaient incessants au long des routes de pèlerinage et favorisaient l'éclosion d'œuvres personnelles et variées.

1. Voir plus haut, page 131.

# 11 A PROPOS DES DÉBUTS DE L'ÉMAILLERIE CHAMPLEVÉE

... reverenda imago, ex aureo et lapidibus [impressa... »

JEAN DE MARMOUTIER,
*Historia Gaufredi comitis Andegavorum.*

LES origines de l'émaillerie champlevée ont été l'objet de discussions analogues à celles qui ont été brièvement relatées à propos de l'architecture et de la sculpture. On a revendiqué la primauté pour les régions de la Meuse, du Rhin, pour Limoges, pour l'Espagne. Les savants français, souvent hypnotisés par l'amour-propre national ou local, ont été impressionnés par l'importance de la production et la diffusion commerciale de l'œuvre de Limoges au XIII^e siècle et, remontant le temps non sans imprudence, ont avec une générosité illimitée accordé à cette ville le bénéfice de tous les émaux champlevés qu'ils rencontraient.

C'est à Ernest Rupin qu'est dû le premier et monumental travail consacré à l'émaillerie limousine. Même si l'on ne partage pas les idées de l'auteur, qui sont aujourd'hui forcément dépassées — son *Œuvre de Limoges* est de 1890 —, on ne peut qu'admirer l'étendue de son information. Otto von Falke étudia spécialement la région rhénane et mosane, qui sort de notre domaine, puisque nous désirons simplement essayer de voir clair dans le problème France-Espagne et les débuts de l'émaillerie champlevée dans ses rapports avec le pèlerinage de Compostelle. Après Rupin, un savant consciencieux et méthodique, Jean-J. Marquet de Vasselot, consacra d'importantes études à l'œuvre de Limoges. La discussion n'était pas encore entrée dans sa phase aiguë, mais W. L. Hildburgh, récemment disparu, avec son *Spanish mediaeval enamels* (1936), entreprit de ruiner, de démanteler, comme l'a écrit récemment M^me Marie-Madeleine S. Gauthier, la « forteresse limousine ». Hildburgh voulut démontrer que dans cette affaire l'Espagne avait la priorité, qu'il fallait lui rendre une énorme partie de la production attribuée à Limoges, que Limoges était redevable à l'Espagne, et non l'Espagne à Limoges... Dans cette théorie est sans cesse présent un reproche analogue à celui qu'adressait A. Kingsley Porter aux archéologues de notre pays, mais dirigé cette fois contre les historiens français de l'émail limousin : ils ont fait œuvre non pas seulement de savants, mais de propagandistes amoureux de leur patrie, comme si la France du XIXe et du XXe siècle devait obligatoirement être magnifiée par le plus ou moins grand nombre d'églises, de sculptures et de reliquaires élevés ou exécutés par ses enfants du XIe au XIIIe siècle ! Il faut convenir, en toute honnêteté d'esprit, que le reproche est partiellement fondé, mais on doit immédiatement ajouter que les idées de Porter et de Hildburgh, en ce qu'elles présentent de raisonnable, sont déconsidérées par une passion aveugle et par une absence regrettable de critique historique.

Le problème se ramène à l'examen serein — nous étions sur le point d'écrire à l'examen amusé — de ses données. Et celles-ci peuvent s'établir dans l'ordre suivant : qu'est-ce que l'émaillerie cloisonnée et champlevée ? Que sait-on de cette dernière technique en Espagne lors de l'époque contestée ? Qu'en sait-on pour la France à la même époque ? Quels liens unissent l'émaillerie au pèlerinage ?

Byzance a porté à sa perfection la technique et l'art de l'émail cloisonné. E. Molinier en a parfaitement expliqué les procédés. « On prend une feuille de métal dont on relève les bords verticalement sur tout son pourtour de façon à composer une sorte de caisse. Sur le fond de cette feuille de métal, on trace ensuite au poinçon ou avec un instrument pointu quelconque une ligne continue ou pointillée qui constitue le dessin qu'on veut reproduire en émail. Puis on découpe à l'aide de cisailles, dans une autre feuille de métal, de petites bandes dont la largeur correspond à la profondeur de la caisse. Ces bandes, courbées ou repliées à l'aide de pinces, suivant les contours du dessin, sont ensuite appliquées sur le fond où ce dessin a été tracé. On les y fixe à l'aide de gomme et de résine. On obtient ainsi un dessin exécuté au moyen de *cloisons* » — c'est le mot essentiel, qui a donné son nom à ce genre de technique — « perpendiculaires à la plaque de fond. C'est entre ces cloisons qu'on dépose ensuite les émaux de différentes couleurs, non point en poudre, mais détrempés dans de l'eau à laquelle on peut ajouter un peu de gomme. Les émaux une fois secs, on porte la pièce dans le four chauffé à une température suffisante pour les parfondre complètement. » A cause du phénomène de retrait de l'émail à la grande chaleur, plusieurs cuissons sont nécessaires, un peu d'émail nouveau étant ajouté avant chacune d'elles. Lorsqu'un sujet devait être reproduit à plusieurs exemplaires, les Byzantins se servaient « de formes de bois ou de métal, sorte de coins gravés en relief, suivant les contours extérieurs des personnages, sur lesquels on emboutissait les plaques d'or ou d'argent... »

« Les plaques d'or ou d'argent » : des mots qu'il faut retenir, car à Byzance la richesse du support est caractéristique de l'émail cloisonné et rend celui-ci translucide. La beauté de l'œuvre d'art obtenue est incomparable. Les émaux cloisonnés byzantins envoyés en Occident — on sait combien furent importants et féconds les rapports artistiques entre l'Orient et l'Occident durant tout le Moyen Age — ne purent manquer d'exercer leur séduction sur les habitants de notre pays. Mais en produire d'identiques demandait beaucoup de temps, de patience, de savoir-faire et surtout de l'or et de l'argent, métaux précieux et rares.

Une série d'œuvres émaillées semble dessiner l'évolution qui, en France, a mené de l'émail cloisonné byzantin sur or et argent à l'émail champlevé sur cuivre. Le trésor de Conques conserve plusieurs objets d'art fabriqués presque sûrement sur place, d'une importance capitale pour notre sujet. La châsse de Pépin d'Aquitaine, du IXe siècle, présente deux sortes d'émaux qui peuvent avoir été exécutés à l'abbaye même : ceux des ailes des oiseaux sont cloisonnés; au fond des niches et entre celles-ci, en guise de chapiteaux, sont fixés des émaux champlevés sur or. Sur l'A de Charlemagne, l'un des chatons, à la partie circulaire du haut du reliquaire, s'orne d'une croix d'émail blanc translucide sur fond vert. Un autel portatif montre sur fond d'or des cloisons de cuivre. Une rosace, conservée au musée de Guéret, consiste en un disque émaillé : les cloisons sont de cuivre sur fond de fer. Au Louvre, deux petites pièces représentant un saint et deux oiseaux affrontés (cat. nos 14-15) sont également composées de cloisons de cuivre sur fond de fer. Les musées de Poitiers possèdent une petite plaque qui représente « un nœud gordien », sorte de rosace à quatre feuilles, encore à cloisons de cuivre sur fond de fer, et un émail moitié cloisonné, moitié champlevé, tout en cuivre. Enfin un chaton d'émail cloisonné sur cuivre, aux cloisons épaisses, orne la châsse de Moissat-Bas. Cette suite d'œuvres, qui nous a menés jusqu'à la fin du XI^e siècle, semble retracer une évolution qui, partie de l'imitation du cloisonné byzantin sur or et argent, a abouti au champlevé en France.

Mais quelle est donc la technique du champlevé ? Le métal, qui est le cuivre, doit être d'une épaisseur assez considérable. On le creuse, explique Molinier, « au burin et à l'échoppe suivant le dessin qu'on désire reproduire en émail, en ayant soin d'*épargner* — c'est-à-dire de laisser intactes — toutes les parties du champ qui ne doivent pas être émaillées. » Le procédé, on le voit, est parfaitement simple et économique.

Parmi les œuvres que nous venons de citer et qui constituent les jalons d'une évolution technique, peut-on détacher quelques-unes et les attribuer à un atelier, à une région quelconques ? Il est plus que vraisemblable, presque certain, que les émaux de Conques ont été exécutés à l'abbaye même. Mais rien jusqu'à présent ne nous permet de prononcer le nom de Limoges.

Quels renseignements vont maintenant nous offrir les émaux du XII^e siècle ?

A Conques, le coffre contenant les reliques de sainte Foy est orné de disques d'émail champlevé d'inspiration orientale; leur champlevé imite encore le cloisonné; deux inscriptions : « Scrina concharum monstrant opvs undiq(ue) clarvm » et « Hoc ornamentvm Bone sit Facii monimentvm », chantent sans doute la renommée des ouvrages de Conques et la générosité de Boniface, vraisemblablement l'abbé qui gouverna l'abbaye dans le premier quart du XII^e siècle. Au Louvre, un médaillon, montrant un oiseau, et une petite plaque, représentant peut-être sainte Foy (cat. n^os 84 et 86), sont très proches des émaux précédents. Ceux du Metropolitan Museum, avec des oiseaux, le sont également. Il est difficile de croire, après l'étude détaillée qu'en a faite M. Hubert Landais lors de l'exposition des « Chefs-d'œuvre romans des musées de province », au Louvre, en 1958, que la plaque de Geoffroy Plantagenêt, autrefois à la cathédrale et maintenant au musée du Mans, puisse être limousine; cette plaque admirable, qu'on peut dater entre 1151 et 1160 environ — et que Jean de Marmoutier, lui appliquant un éloge mérité, à des degrés divers, par bien d'autres émaux, décrit comme « l'image révérée du comte, honorablement imprimée en or et en pierreries », c'est-à-dire en émaux — doit plutôt être rapprochée de l'art des miniatures de l'Ouest; la technique même révèle peut-être des influences rhénanes ou mosanes. Par contre, en plus d'un texte valable pour les années 1165-1170, on peut faire état en faveur de Limoges d'une très belle croix du Louvre, de la fin du XII^e siècle, portant l'inscription : « Iohannis Garnerivs Lemovicensis Ne Fesis Fratris Mei... »

L'étude des émaux champlevés de la France seule permet donc d'arriver à une conclusion fort claire : les ateliers monastiques comme celui de Conques, auxquels il faut ajouter celui de Grandmont, dont le musée de Cluny possède deux plaques, paraissent avoir joué un rôle capital dans la naissance de l'émail champlevé. Ce n'est apparemment que de la seconde moitié du XII^e siècle, et tard durant celle-ci, que datent les premières œuvres limousines. Au XIII^e siècle, par contre, Limoges exercera une primauté incontestée dont témoigne le calice qu'Alpais a signé à Limoges et que possède le Louvre.

En face de cette esquisse d'une évolution en France même, que nous présente l'Espagne ?

Il convient de rappeler, en premier lieu, les liens étroits qui unissent le Languedoc et le Rouergue avec le Nord de l'Espagne. Conques même, en 1002, recevait un certain nombre d'œuvres d'art d'origine hispanique, et il est curieux de noter que plusieurs émaux du trésor de ce monastère peuvent être datés des années suivantes. Diego Gelmírez, pendant le premier quart du XII^e siècle, commanda un reliquaire dont la technique semble bien avoir été celle de l'émaillerie champlevée. Surtout on remarque un groupe d'objets homogènes, d'origine et de style, celui de Santo Domingo de Silos, qu'on peut dater, assez largement, de la deuxième moitié du XII^e siècle, et qui proviennent de l'abbaye ou s'y trouvent encore. Il comprend essentiellement l'ancien « frontal » de l'église, qui représente le Christ et les apôtres et dénote une forte influence byzantine (musée de Burgos), un second « frontal », d'une technique un peu différente (à Silos) et les émaux qui, décorés d'oiseaux, ornent les côtés d'un coffret d'ivoire arabe exécuté antérieurement (musée de Burgos). Ce groupe est caractérisé par la vivacité des couleurs, la forte influence orientale et, dans le retable, par l'aspect hispanique des têtes en relief. Il s'agit vraisemblablement d'œuvres exécutées à Silos même, soit par des Espagnols formés à l'art de l'émaillerie française, soit par des Français dont la sensibilité s'était hispanisée. La plaque représentant le Christ entre l'Alpha et l'Oméga, passée de la collection Spitzer au musée de Cluny, est très proche de ce groupe; elle et son pendant, que M. Francis Salet a identifié à l'Institut Valencia de Don Juan à Madrid, doivent être pareillement considérés comme espagnols. Ces émaux de Silos posent en réalité un problème : est-ce que, par le canal des relations entre abbayes — notamment entre Conques et Silos —, les dernières découvertes techniques n'ont pas pu être partagées entre ateliers monastiques de part et d'autre des Pyrénées ?[1]

Postérieurement, au XIIIe siècle, les œuvres proprement limousines ont fort bien pu être importées en Espagne — c'est sans doute le cas du retable d'Orense, dont la cathédrale possède encore de beaux fragments — en même temps qu'étaient exécutés sur place des émaux de technique analogue.

De cette analyse rapide, qui ne nous a permis de rappeler que les pièces essentielles, il se dégage, croyons-nous, quelques indications précises. La première concerne Limoges. S'il est incontestable que cette ville porta à son apogée et à sa perfection industrielle l'art de l'émaillerie champlevée au XIIIe siècle, on ne peut affirmer, à l'heure actuelle, que cet art y soit né. D'autres indications concernent la primauté entre la France et l'Espagne. L'analyse de certaines œuvres de notre pays permet de suivre une évolution harmonieuse du cloisonné sur or et argent au champlevé sur cuivre. Par contre, l'Espagne a joui, par l'intermédiaire des Arabes, de possibilités d'une initiation technique plus poussée. Elle présente au chercheur un ensemble d'œuvres qu'en toute bonne foi il faut bien considérer comme profondément, comme authentiquement hispaniques. Le point final à nos interrogations ne pourra être posé et les réponses données qu'après l'achèvement de l'enquête minutieuse que poursuit depuis des années Mme Gauthier. A l'heure actuelle, nous croirions volontiers que, pour les origines du champlevé, on n'a pas assez mis en valeur le rôle des ateliers monastiques et les relations entre monastères. Il est probable que, comme dans le cas de la sculpture, il y eut développement simultané, mais avec des contacts plus fréquents

1. La « Virgen de la Vega », de la cathédrale de Salamanque, est probablement une œuvre espagnole de la fin du XIIe siècle. Sur le retable de San Miguel in excelsis, splendide ornement d'un sanctuaire isolé dans les montagnes de Navarre, voir l'étude de Mme Gauthier dans *Art de France*, 1963, p. 40-61.

19. Bénédiction d'un pèlerin avant son départ.
Bibliothèque de Besançon.

20. Les risques du voyage... Bibliothèque Nationale.

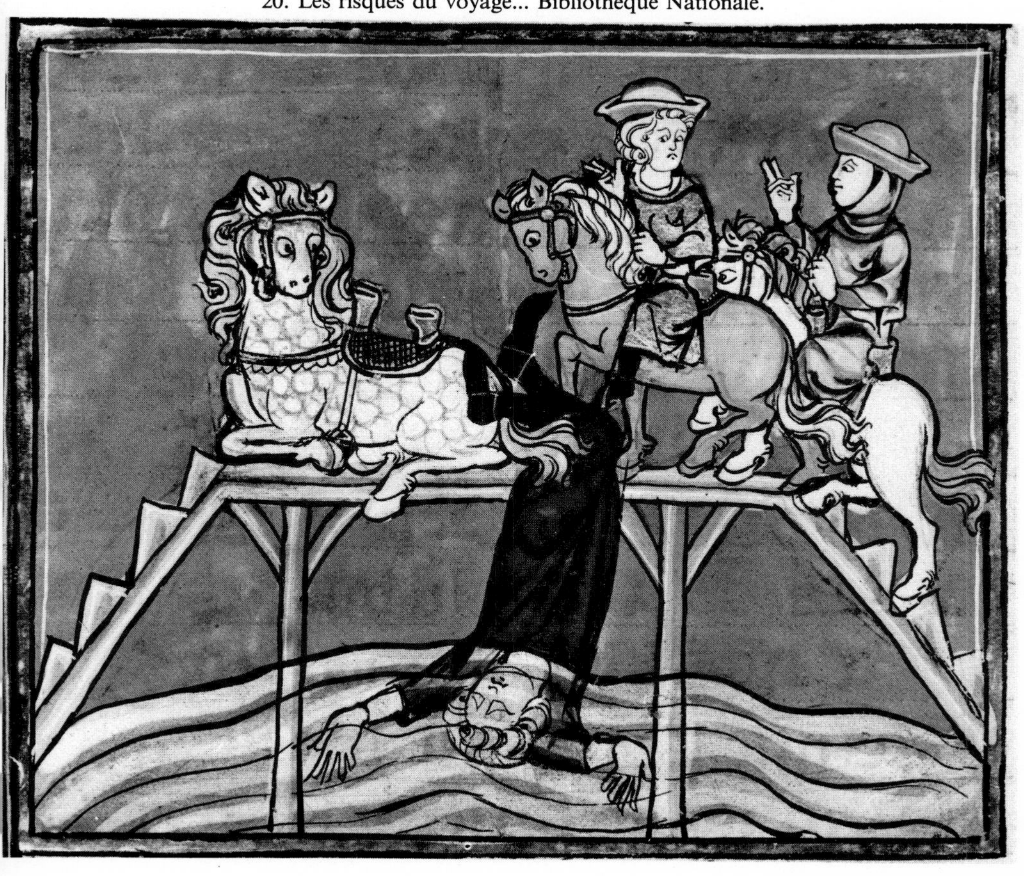

21. Chapeau d'un pèlerin bourguignon,
Jean Juillet, qui fit au XVIIIe siècle le voyage de Saint-Jacques de Compostelle.
Jambles, collection particulière.

22. Un Augustin lave les pieds d'un pèlerin.
León, ancien couvent des Augustins, bas-relief.

que dans cet autre domaine. Ces contacts, donc ces similitudes de style et de technique, s'expliquent raisonnablement par les relations permanentes entre abbayes de part et d'autre des Pyrénées, aussi bien dans le sens France-Espagne qu'Espagne-France. C'est une banalité de rappeler l'influence de Conques au sud des Pyrénées, mais l'on ne peut manquer d'être frappé par un double fait : Conques, monastère bénédictin, posséda un atelier d'où sont sortis plusieurs « incunables » français de l'émaillerie champlevée, Silos appartint aussi à l'ordre de Saint Benoît et dans son atelier furent presque sûrement exécutés les émaux dont nous avons parlé un peu plus haut.

Ces contacts entre monastères de France et d'Espagne nous ramènent à notre sujet, dont nous ne nous étions qu'apparemment éloignés. Ils prouvent, dans ce domaine encore, combien furent étroits les liens entre les églises et les abbayes de part et d'autre des Pyrénées, quelles conséquences multiples entraîna le vaste dessein d'aide aux chrétientés de l'Espagne du Nord.

Une relation plus nette encore entre l'émaillerie et les « chemins de Saint-Jacques » a été mise en valeur par Mme Gauthier. La carte de la diffusion des émaux champlevés au Moyen Age montre « un jalonnement le long des routes de pèlerinage vers Saint-Jacques de Compostelle, avec une concentration marquée de pièces dans la Vieille Castille, et à travers la Navarre, le royaume de León et de Galice. » La voie ainsi jalonnée se superpose donc à peu près au « camino », dont nous avons constaté l'importance pour les échanges de toutes sortes entre la France et l'Espagne.

* * *

Des deux parties qui précèdent, il ressort que le rôle des routes de Compostelle fut énorme, car il n'est guère de direction où le pèlerinage n'ait exercé une influence quelconque. Mais il est non moins certain que la « peregrinación » de Compostelle fut seulement un des aspects du mouvement qui unissait la Chrétienté aux royaumes du Nord de l'Espagne. Et il ne faut pas oublier que les voyages de Rome et des Lieux Saints eurent, eux aussi, une importance considérable.

Dans le domaine artistique, là où les monuments et les œuvres continuent d'exercer leur séduction incomparable, on constate, à l'époque romane, l'élaboration d'un type d'église lié non pas aux routes, mais à la fonction du pèlerinage, et des relations, délicates à définir, entre des centres de sculpture ou d'émaillerie, dont le développement fut simultané. On pourrait, dans les siècles suivants, continuer l'étude du cheminement des formes et des idées qu'ont échangées l'Espagne et la France. Rappelons les cathédrales gothiques avec leurs portails sculptés comme celles de Burgos et de León, et bien d'autres églises moins connues...

Mais ce cheminement relève-t-il directement de l'étude des routes de Compostelle ? On peut en douter, car il faut se garder de l'erreur de perspective qui fait prendre une des ailes de la maison pour la maison entière. Ce cheminement devrait être replacé dans un tableau d'ensemble où serait examinée la somme des échanges entre la France et l'Espagne. Sans doute verrait-on alors que causes et effets se trouvant liés intimement, les routes de Compostelle figurent à la fois parmi ceux-ci et parmi celles-là.

Le temps est-il venu de dresser pour le Moyen Age ce bilan culturel ? L'ampleur même de l'entreprise, les glissements inévitables de pensée vers l'erreur qu'elle risquerait d'entraîner, la nécessité d'élever le jugement sans oublier la précision du détail et de la nuance, tout effraie et séduit à la fois celui qui tenterait de s'attaquer à un pareil ouvrage. Les chemins empruntés par les idées et les formes se révèlent parfois déconcertants. Sans doute on peut rappeler l'exemple du tympan de Moissac et des Commentaires de l'Apocalypse; les éléments orientaux des églises de l'Ouest, du Puy et du Velay frappent un regard même non prévenu; il semble acquis que le modillon à copeaux, originaire de l'Espagne du Sud, n'a été connu dans celle du Nord que par l'intermédiaire de la France; enfin les voûtes nervées hispano-musulmanes ont influencé les architectes de l'Espagne chrétienne et pu contribuer en France à la naissance de la croisée d'ogives... Mais les arcs festonnés ou polylobés, si fréquents dans les églises de l'Ouest de notre pays, passent pour être d'origine arabe, et une étude approfondie, consacrée à ceux du Limousin, montre que dans cette région leur originalité ne doit rien à la péninsule.

Espagne mauresque, Espagne mozarabe, France préromane et romane, autant de civilisations mouvantes pour l'historien... Les chemins culturels parcourent souvent des lignes brisées là où nous imaginions que les routes étaient droites... Et peut-être, finalement, faut-il faire nôtre le mélange d'admiration et de scepticisme qu'exprime Bossuet dans le *Sermon sur la mort* : « Je ne suis pas », s'écriait-il, « de ceux qui font grand état des connaissances humaines ; et je confesse néanmoins que je ne puis contempler sans admiration ces merveilleuses découvertes qu'a faites la science pour pénétrer la nature, ni tant de belles inventions que l'art a trouvées pour l'accommoder a notre usage. »

III

# *NOTES DE VOYAGE*[1]

1. Ces notes ne constituent pas une description complète des régions et des villes traversées. Elles cherchent seulement à retrouver et à évoquer l'atmosphère des principaux monuments liés aux chemins de Saint-Jacques.

# 12 SAINT-BENOIT SUR LOIRE

Max Jacob, dépassant d'un bond l'esthétisme qui nous est devenu comme instinctif, nous rend un grand service en attirant notre attention sur la véritable grandeur de Saint-Benoît, qui est d'un autre ordre, et d'une autre clarté.

*Clarté de Saint-Benoît,*
Cahiers de l'Atelier du Cœur-Meurtry.

AU-DESSUS des paysages du Val de Loire, tamisés de vert et de tendresse et comme bruissants de bonheur calme, se dresse la forte silhouette de l'église de Saint-Benoît. Nous apercevons la tour-porche, le clocher central et les toits bleus, d'un bleu plus grave et plus profond que celui du ciel. Ici s'éleva l'abbaye puissante qui fut un foyer d'art et de culture et abrite les restes du patriarche des moines d'Occident. Dans ce gros village, a vécu le poète Max Jacob; il y trouva la paix de l'esprit et en fut arraché pour une mort imméritée pendant l'occupation allemande. Il convient qu'en ces premiers jours de l'itinéraire capricieux qui nous mènera à Compostelle, l'arrêt se fasse d'abord ici, car nous rencontrons non seulement l'église, émouvante autant par sa beauté que par le rappel du pèlerinage, mais le souvenir de l'écrivain qui mena vers la lumière une douloureuse quête intérieure. La campagne, le pays de Fleury — tel est le nom ancien de Saint-Benoît sur Loire — peuvent-ils renfermer, sous leur placidité heureuse, une réponse à nos interrogations ? Oui, si l'on en croit Max Jacob : « Saint-Benoît sur Loire », écrivait-il, « n'est pas un paysage pittoresque, et je me souviens que lorsque j'y demeurais, mes visiteurs s'étonnaient que j'aie choisi une plaine aussi dépourvue d'agréments pour y vivre : une plaine à perte de vue, coupée de maisons, de bouquets d'arbres, une plaine à moissons et à légumes. Je répondais qu'il y a autre chose que la ligne dans la beauté, que la couleur et la lumière dans les paysages : il y a l'esprit. Or l'esprit règne au-dessus de Saint-Benoît. On le sent dès les premières maisons de la ville, on ne le sent pas au delà. Peut-être n'y a-t-il que les prédestinés qui puissent sentir cet esprit-là ?... Les endroits de la terre qui sont comme une église sont très rares. Je ne parle pas de la basilique, superbe et suggestive : chacun sait que l'on s'accoutume aux beaux monuments jusqu'à cesser de les voir. » Quoi qu'en ait dit le poète, la campagne est déjà cette paix, la paix bénédictine que l'église dispense. Dans l'après-midi où, printanier, repose le village, nous traversons les rues. Sous les apparences de l'engourdissement d'une petite ville française, pareille à beaucoup d'autres, le regard découvre une clarté qui ne parle qu'à l'âme et pour elle se fait subtile. Peut-être parce que des générations de moines ont travaillé dans la foi et la beauté, on croit entendre une musique spirituelle dans la plus humble des rues de Saint-Benoît.

Nous obliquons vers la Loire et, à l'extrémité d'une place plantée d'arbres dont les feuillages masquent en partie le monument, voici la tour-porche de l'église, massive et cependant équilibrée, scandée d'arcs en plein cintre et découvrant en profondeur ses colonnes et ses chapiteaux aux admirables sculptures.

La tour-porche... Saint-Benoît... Fleury... Combien de siècles et de vies d'hommes ?

Selon Camille Jullian, ici se trouvait l' « omphalos », l'ombilic de la Gaule, le lieu sacré où les druides tenaient leur réunion annuelle. Léodebod, abbé de Saint-Aignan près d'Orléans, avait en vain essayé d'introduire dans son monastère la règle bénédictine; il fonda un nouveau couvent à Fleury en 651, et le premier abbé en fut Rigomaire. Saint Mommole, successeur de celui-ci, apprit avec douleur qu'au Mont-Cassin, déserté et ravagé, les corps de saint Benoît et de sa sœur Scholastique étaient abandonnés; il envoya un de ses moines, Aigulfe, avec mission de les rapporter; le religieux réussit, en effet, en 672, à transférer les restes du fondateur des bénédictins à Fleury, qui devint dès lors Saint-Benoît de Fleury. Les reliques attirent au couvent des foules nombreuses et les enfants, selon l'habitude constante du Moyen Age, y reçoivent l'instruction. Ces écoles connaissent une grande renommée grâce à des abbés remarquables, Théodulfe et surtout Abbon. Celui-ci, entré très jeune au monastère, avait voyagé, s'était rendu en Angleterre; en 988, il est placé à la tête de Saint-Benoît; c'est, dit Mabillon, « la personnification de la célèbre école de Fleury au x^e^ siècle »; Hervé, l' « archichef » de Saint-Martin de Tours y fut élève. L'abbé Gauzlin, fils naturel d'Hugues Capet, monte à son tour sur le siège abbatial en 1004, et commence la tour-porche. L'abbé Guillaume (1067-1080) entreprend en 1067 la construction de l'église romane dédiée à sainte Marie. La crypte et le chœur actuels sont achevés et consacrés en 1108. Le 26 octobre 1218, la nef étant achevée et voûtée, on procède à la dédicace de l'abbatiale. La guerre de Cent Ans, puis les troubles religieux du XVIe siècle causent au monastère des dégâts extrêmement graves, non seulement matériels mais spirituels; le cardinal de Châtillon, Odet de Coligny, abbé de Vézelay et de Fleury, passe à la Réforme... Les troupes de Condé pillent le couvent, le trésor est volé, la bibliothèque vendue et dispersée aboutira en partie entre les mains de Christine de Suède, et enfin au Vatican... En 1621, Richelieu devient abbé commendataire. Il introduit les Mauristes à Saint-Benoît, ceux-ci rendent son éclat au monastère pendant le XVIIe siècle et une partie du XVIIIe siècle. Dans le chœur est élevé en 1660 le fastueux retable du mausolée de saint Benoît. D'importants travaux érudits sont accomplis notamment par Dom Luc d'Achery († 1685), par le prieur Dom François Chazal († 1729). De nouveaux bâtiments monastiques, d'une belle ordonnance architecturale, sont élevés à partir de 1712. Mais le XVIIIe siècle, en s'avançant, est pour les ordres religieux une époque de décadence et, en 1790, il ne reste plus à Fleury que quelques moines. Le monastère est vendu, les bâtiments conventuels démolis, heureusement l'église abbatiale est sauvée et sert désormais au culte paroissial. Restaurée à partir de 1840, elle est desservie depuis 1864 par des bénédictins de La-Pierre-Qui-Vire. Ceux-ci, chassés par la loi de Séparation de 1900, sont revenus depuis lors et ont entrepris la construction d'un monastère.

On se prend à rêver avant de pénétrer dans l'ombre multipliée des colonnes et des chapiteaux de la tour. C'est que du couvent le plus ancien, ou plus exactement des couvents des VIIe-X[e] siècles, il reste des vestiges remarquables, pour la plupart peu accessibles au visiteur ordinaire, mais doués d'un pouvoir étonnant de mystère. Une châsse de cuivre repoussé, donnée d'après l'inscription qu'elle porte par une certaine Mumma, pourrait se dater du VIIe siècle (entre 651 et 672-674); le décor nous retient comme une énigme dont nous avons perdu la clef : ces personnages alignés, dans lesquels Emile Mâle a vu des anges, ce double étage d'entrelacs, qui peut-être évoquent l'éternité et, sur le côté, cette orante dont le dessin passe du carré au cercle, c'est-à-dire, semble-t-il, du terrestre au céleste. Humble objet que les âges ont respecté, mais dont le nôtre a bien du mal à pénétrer le sens : tout ce décor ne soulignerait-il pas le caractère sacré des reliques de la châsse, ne pourrait-il pas nous inviter à accéder au monde céleste par la prière ?

C'est du même monde mystérieux que semble détachée, comme le fragment intact d'un aérolithe disparu, une tête sculptée que l'on date du milieu du xe siècle et qui représenterait le chef normand Raynaldus. A celui-ci, pilleur de l'abbaye, saint Benoît s'était donné la peine d'apparaître et d'annoncer sa fin imminente; en effet, il mourut bientôt à Rouen. Aujourd'hui le visage de Raynaldus nous contemple, remonté dans le mur occidental du transept au nord. Les chapiteaux de la coupole de l'église, qui sans doute avaient été un remploi dans l'édifice actuel de sculptures plus anciennes, ont été déposés en 1883-1885; ils se trouvent désormais dans le réfectoire du monastère. De sujets difficiles à identifier — des sortes de séraphins, un miracle de saint Benoît qui ressuscite deux religieuses, par exemple — ils relèvent de ce qu'on appelle « un art barbare »; si l'on conserve cette dénomination, il faut évidemment la vider de tout sens péjoratif, car leur rudesse n'est que l'apparence d'une puissance singulière, d'une force presque envoûtante...

Ces témoins des premiers âges de Fleury, des moines du couvent ont pu les qualifier justement d'épaves « surgies de la nuit des temps ». Dans leur « âpre grandeur » s'unissent les souvenirs celtiques, la découverte plastique, l'intention théologique.

Mais nous rêvons trop peut-être, en nous penchant sur ces abîmes de passé, dont ne demeurent que des parcelles de cuivre et de pierre, pareilles à des muets dont les vivants doivent arracher les mots qu'ils ne savent plus dire ?... Non, nous n'avons pas rêvé assez encore, et du songe des siècles barbares, nous passons à un autre songe, intact devant nos yeux, mais fascinant de massive beauté, à « cette formidable futaie de pierre » selon l'expression d'Henri Focillon.

Une formidable « futaie de pierre », il n'existe pas d'expression qui définisse plus précisément la tour-porche et exprime en même temps plus heureusement sa poésie architecturale. C'est déjà une prouesse extraordinaire que d'avoir élevé cette construction en pierres de taille : il fallut les faire venir de loin, le pays ne possédant pas les carrières appropriées. L'étude du plan montre la différence entre le rez-de-chaussée et l'étage — nous ne voulons pas parler de la hauteur, mais de la courbe légère et savante que suivent, du nord au sud, les travées centrales de la partie basse, d'où provient l'impression particulière de renfermé, de secret. Au-dessus, au contraire, la régularité se trouvant sans défaut, certains piliers ne sont pas à l'aplomb de ceux qui doivent les soutenir. Parmi les chapiteaux, les uns sont spécialement ornementaux, la figure humaine paraissant fréquemment à l'intérieur du décor végétal, les autres consacrés à des scènes sacrées, extraites par exemple de l'Apocalypse. Au rez-de-chaussée, on a distingué deux ateliers. L'un, qui comprend le chapiteau signé « Vmbertvs me fecit », affectionne l'acanthe, le traitement large, le thème de la chasse ou du combat. Le second témoigne d'un style, plus linéaire, d'une recherche ardue de l'équilibre dans la composition. Mais, devant les œuvres, le visiteur est frappé d'une réussite égale : nulle part il n'est dérogé à la fonction architecturale, et cependant la sculpture, de la difficulté même, tire une puissance dramatique ou poétique hors de pair. Dans le mur nord, des pierres rapportées montrent des animaux et — création d'une émotion singulière — le supplice de saint Étienne et son triomphe. De cette tour-porche qui semble ne servir à rien, qui sans doute fut conçue pour être isolée, puis servit d'élément de défense — grâce à un second étage aujourd'hui disparu — que penser ? Qu'elle est inutile ? Sûrement pas. Voyons en elle plutôt un château unique et plein de sens spirituel : fermée sur elle-même, sur sa forêt de colonnes, sur le peuplement végétal ou humain de ses chapiteaux, elle ouvre pourtant sur la campagne, c'est-à-dire sur l'œuvre de Dieu; elle est visitée par le vent de la Loire, qui peut symboliser l'inspiration divine; c'est une forteresse de l'âme que sainte Thérèse aurait aimée.

Pénétrons dans l'église. D'une manière générale, le chœur et le double transept remontent au XIe siècle, la nef et ses collatéraux aux XIIe-XIIIe siècles. Le regard distingue nettement les différences d'époque, mais il les néglige, car au-delà du vaisseau principal, au-delà des stalles du XVe, il survole le tombeau de Philippe Ier et la mosaïque de marbres antiques, apportée d'Italie et donnée par le chancelier Duprat, il se dirige directement vers ce qui est le plus noble, le plus serein, le plus harmonieux : le chœur. Celui-ci se compose d'une colonnade dont la majesté évoque les souvenirs romains, d'un faux triforium à arcades en plein cintre, et d'une rangée de fenêtres; il comprend deux sanctuaires, l'un, le plus grand, du côté de la nef, consacré à sainte Marie, l'autre à saint Benoît, situé en arrière vers l'est et surélevé au-dessus de la crypte. Non seulement l'élévation, l'allure d'ensemble de l'édifice respirent une perfection rare, mais son plan dégage une impression particulière d'harmonie. Sa physionomie générale est classique: chapelles rayonnantes desservies par un déambulatoire, transept, nef centrale et collatéraux; mais des éléments particuliers s'y remarquent : un second transept plus petit que l'autre, un chœur allongé, l'absence de chapelle axiale dans le déambulatoire; la coupole centrale était encadrée autrefois par deux clochers supplémentaires dont il reste les salles de base... A l'extérieur, au nord, un portail situé à la hauteur de la quatrième travée mérite une visite. Il date des premières années du XIIIe siècle. Au tympan, figure le Christ enseignant entouré des évangélistes; dans les voussures, des anges et des apôtres; aux piédroits, les patriarches ou les prophètes de l'Ancien Testament; au linteau, des épisodes de la vie de saint Benoît. Le pilier central de la crypte dans laquelle nous descendons maintenant a été évidé pour contenir la châsse du saint, fondateur des bénédictins; l'allure générale de la salle, très restaurée, semble cependant avoir été respectée. Quant à la chapelle appelée à tort de Saint-Mommole, elle doit remonter aux IXe-Xe siècles.

Il reste à découvrir encore les chapiteaux de l'abbatiale, peuplement végétal ou répertoire d'histoire sacrée, livre étonnant qui plane au-dessus de nos têtes, dont le déchiffrement exige de longs moments. Plusieurs chapiteaux sont l'œuvre, croit-on, d'un certain Hugues de Sainte-Marie dont la signature a pu être reconstituée. Dans l'église comme dans la tour-porche, du reste, la facture de plusieurs ateliers est aisément discernable.

Le mérite inappréciable de Fleury n'est pas seulement de livrer à notre délectation artistique les beautés de l'époque romane, il est de nous élever au-dessus d'elles, de nous faire passer de l'esthétique à la spiritualité, de nous rappeler « un autre ordre » et « une autre clarté », selon l'expression des moines d'aujourd'hui. Et lorsque, abandonnant l'église, nous nous retrouvons devan tla campagne du Val de Loire, nous pouvons découvrir le chant secret que son apparente placidité murmure au Seigneur et que, dès le IXe siècle, avait exprimé Théodulfe, abbé de Saint-Benoît :

Comme là-haut Te chante
L'armée céleste des anges,
Ainsi l'homme mortel
Avec la création célèbre Ta louange.

# 13 VÉZELAY

> Un jour le vol des anges s'est abattu sur la colline prédestinée pour la consacrer sans retour et lui dicter l'accomplissement de sa mission...
>
> FRANCIS SALET, *La Madeleine de Vézelay.*

IL est, entre Avallon et Clamecy, un des paysages les plus émouvants de France : immense et vert, parcouru de collines et de monts, habité d'une vie intérieure, transfiguré par l'éclat du jour et la transparence de la nuit; une éminence, entre toutes, attire le regard; on aura deviné déjà qu'il s'agit de Vézelay, dominé par l'église de la Madeleine.

Girard de Roussillon, régent de Provence, y fonde en 858 ou 859 un monastère pour femmes, mais celui-ci est ruiné par les Normands en 873. Les moniales sont alors remplacées par des religieux. Un incendie détruit le nouvel édifice entre 907 et 926. Puis, écrit M. Francis Salet, « un jour le vol des anges s'est abattu sur la colline prédestinée pour la consacrer sans retour et lui dicter l'accomplissement de sa mission... » C'est que les reliques de sainte Marie-Madeleine, affirmait-on, se trouvaient à Vézelay. La croyance en leur présence n'apparaît qu'au milieu du XIe siècle. On racontait la merveilleuse histoire de la venue de Marie-Madeleine en Occident, de sa mort à Aix, de son ensevelissement par saint Maximin, du transfert des restes à Vézelay par le chevalier Adelelme. Plus tard encore, on donna un rôle à saint Lazare, à sainte Marthe. Les moines du prieuré provençal de Saint-Maximin, dépossédés de leur patron, protestèrent; aussi une variante de la légende leur abandonna celui-ci et expliqua que Girard de Roussillon s'entendit avec l'abbé Eudes pour envoyer le moine Badilon chercher le corps de sainte Madeleine et le ramener à Vézelay. Mais pourquoi s'attarder sur ces divergences ? Il est certain que les grâces spirituelles et la richesse matérielle allaient désormais pour de longues années, favoriser Vézelay.

L'histoire de l'abbaye ne fut pas seulement fertile en grâces et en miracles, elle est riche de sang et de luttes, haute en couleurs, à cause des rivalités entre les abbés, dépendant de Cluny et soutenus par l'Ordre, et les comtes de Nevers, désireux de placer le monastère sous leur autorité. Les habitants de la ville, soucieux d'indépendance, persuadés que les impôts exigés par l'abbé étaient excessifs, se révoltent contre son joug pesant. Les papes et le roi de France doivent intervenir... Cependant est commencée et se poursuit l'édification de l'église actuelle.

La vieille basilique carolingienne était devenue insuffisante pour les besoins du pèlerinage. L'abbé Artaud, qui dirigeait le monastère depuis 1096, entreprit de la remplacer. Il commença sans doute les travaux par le chœur et le transept, dont la dédicace eut lieu dès le 21 avril 1104. Mais en 1106, il est assassiné dans une révolte populaire. L'église resta vraisemblablement inachevée, et une partie de l'édifice ancien subsistait près des constructions nouvelles quand, le 21 juillet 1120, veille de la Sainte Marie-Madeleine, le feu prit dans l'abbatiale; le nombre des victimes fut immense, plus d'un millier, assura-t-on. L'abbé Renaud conserva le chœur et le transept romans et entreprit la nef que l'on voit encore aujourd'hui. Lorsqu'il quitta Vézelay en 1128, elle n'était pas achevée. Sous Ponce de Montboissier, qui gouverne l'abbaye de 1138 à 1161, le monastère et le pèlerinage connaissent leur apogée; c'est donc au début de son règne qu'il faut placer le texte du *Guide du pèlerin* cité précédemment[1], écho éloquent du succès du sanctuaire. L'église se trouvant à peu près terminée, on la prolongea, vers 1140-1150, par une avant-nef, exécutée rapidement.

Et, le 31 mars 1146, date peut-être la plus émouvante de l'histoire de Vézelay, le jour de Pâques, face à la foule des fidèles entassée sur le versant de la colline, saint Bernard prêche la Croisade et invite les chrétiens à reconquérir les Lieux Saints. Louis VII et Robert de Dreux prennent la croix. Ce sera encore à Vézelay que Philippe-Auguste et Richard Cœur de Lion décideront de se retrouver pour la troisième croisade en juillet 1190.

L'abbatiale était à peu près achevée vers 1160, mais Girard d'Arcy, qui dirigea le monastère de 1171 à 1198, fit abattre le transept

1. Pages 55-56.

et le chœur d'Artaud et les remplaça par une œuvre du style nouveau, le gothique, qui est hymne à la joie et invasion de clarté. Au XIII^e siècle une tour s'élève sur la façade et celle-ci est percée, en son centre, d'une grande fenêtre; une autre tour avait été construite sur le croisillon méridional.

Mais, soudainement, Vézelay semble chanceler. L'authenticité des reliques de la Madeleine est mise en cause. Déjà, en 1050, l'abbaye de Saint-Maximin avait prétendu être la seule à les conserver. En 1260, les doutes se font plus forts. En 1279, Charles de Salerne, qui devait devenir comte de Provence, ordonna l'ouverture des sarcophages de Saint-Maximin : un corps y est trouvé qu'on déclare être celui de la Madeleine. C'est la ruine pour Vézelay, que délaissent les grâces, les pèlerins, la richesse et qui conserve seulement, dans son paysage demeuré aussi beau qu'un état d'âme, l'inutile perfection de son abbatiale.

Les siècles passent alors avec leur cortège de dévastations et leur abandon. En 1537, les moines disparurent et quinze chanoines prirent leur place. Les bâtiments conventuels furent rasés à l'époque révolutionnaire. L'église sera sauvée par Mérimée et sa restauration confiée à un architecte dont les trente ans étaient promis à la célébrité : Eugène Viollet-le-Duc. Chargé des travaux en 1840, il les abandonnera en 1859, une fois l'édifice consolidé. C'est bien à tort qu'on attaquerait son ouvrage qui, souvent, prit les apparences d'une gageure tant l'entreprise était hasardeuse. Eût-il agi avec moins d'habileté et d'intelligence, on lui serait encore redevable, car sans lui Vézelay n'existerait plus. La restauration des sculptures, commencée en 1850 sous la direction de Pascal, fut moins heureuse que celle de l'architecture. Certains chapiteaux déposés ont été remplacés par des copies; à l'extérieur, le tympan et le linteau du portail central, qui avaient été mutilés et martelés en 1793, ont donné lieu à des créations artificielles difficilement défendables. Aujourd'hui, les touristes ont pris le relais des pèlerins médiévaux. On souhaiterait qu'au delà de la beauté formelle ils comprennent durablement et le paysage et le monument...

Dans le narthex, le tympan du portail principal (vers 1125-1140) offre la combinaison de deux scènes, la Mission des apôtres avant l'Ascension et la Descente du Saint-Esprit à la Pentecôte. Tout autour, dans les compartiments, sur le linteau et dans une large bordure de la voussure se pressent les peuples de la Terre, auxquels les apôtres vont annoncer la Nouvelle. Les voussures sont consacrées aux occupations des mois et aux signes du Zodiaque. Sur les chapiteaux on remarque notamment le sacrifice de Saül et le sacre de David... Au trumeau sont représentés saint Jean-Baptiste et deux apôtres au-dessus d'une colonne. Rarement le souffle de l'Esprit a été rendu avec un tel bonheur; on oublie, devant ce tympan, la perfection de son architecture, la maîtrise de la composition, la force suggestive de chaque sculpture; c'est à l'envoûtement de l'ensemble qu'on se trouve sensible d'abord.

Puis, le portail intérieur franchi, la majesté de la nef romane, la lumière du chœur gothique saisissent le visiteur. La diversité des sujets des chapiteaux (1120-1140) est extraordinaire : éducation d'Achille, maîtres et écoliers, les quatre fleuves du paradis, enlèvement de Ganymède, conversion de saint Eustache, les Vents, la lutte de Jacob et de l'ange, la légende de saint Benoît... Un autel dans le croisillon sud est peut-être le sarcophage primitif de la Madeleine. La crypte où il était placé, existait dès l'époque carolingienne, mais elle est maintenant gothique. Nous contemplons encore deux ensembles remarquables de sculptures romanes : au portail latéral nord, sont représentées les apparitions du Sauveur aux pèlerins d'Emmaüs et aux apôtres après la Résurrection et, au portail latéral sud, des scènes de la vie de la Vierge et de l'enfance du Christ. Puis nous retournons à l'irremplaçable beauté de Vézelay : l'accord de l'art et du paysage.

On comprend que cet accord ait profondément ému Barrès. Ici, la littérature exprime aisément la vibration intime du cœur. Devant cette terre que Dieu a donnée aux hommes et que ceux-ci ont façonnée, près de cette église dont l'histoire est de sang et d'or, dont la perfection a été sauvée par miracle, il semble que les mots même se résolvent en musique.

# 14 LE PUY

Les Sarrasins d'Occident... offrent des présents à Notre-Dame du Puy pour qu'elle les préserve, eux et leurs champs, de la foudre et des tempêtes.

*Speculum morale.*

A tous les jacquets, à tous les voyageurs quelle extraordinaire vision devait présenter la ville dans l'originalité de son site, la force de ses murailles, la saveur prometteuse de ses souvenirs orientaux ! La cité a changé considérablement depuis le Moyen Age, mais le paysage volcanique est resté identique dans son tourment grandiose, et deux églises, en dépit de leurs transformations, conservent tout leur intérêt : la cathédrale romane et, perché au sommet de son dyke, Saint-Michel d'Aiguilhe.

Par les rues tortueuses et mal pavées, nous évoquons le souvenir des processions de jadis, où se pressaient les dévots de la Vierge noire du Puy. Au terme d'une montée lente par la rue des Tables et le grand escalier, nous contemplons la cathédrale et il nous revient à la mémoire la subtile analyse de l'édifice que, dès 1923, publia Emile Mâle : son « étrange façade polychrome », disait-il, « éveille, avant toute réflexion, une confuse impression d'Orient. Mais dans le merveilleux cloître, un des plus beaux de l'Europe chrétienne, la sensation vague devient une idée précise : les arcades aux claveaux tour à tour noirs et blancs font penser aux arcs blancs et rouges de la mosquée de Cordoue; les couleurs diffèrent, mais l'impression de magnificence est la même. »

Il détaillait ensuite les souvenirs arabes qu'il découvrait dans la cathédrale et qui, pour lui, rappelaient sans conteste l'art prestigieux de Cordoue. Dans la façade, les arcs tréflés et polylobés sont simplement appliqués sur le mur à la manière d'un décor et, à la partie basse, les arcades des côtés dessinent des fers-à-cheval.

Pénétrons maintenant sous le porche. Deux portes en bois sculpté, que l'on croit remonter au XIIe siècle, présentent en faible relief des sujets de l'enfance et de la Passion du Christ; les personnages paraissent de simples silhouettes découpées sur le fond. On remarque même une bordure en caractères coufiques... A la jonction des deux battants de la porte nord, on lit : « Gauzfredus me fecit Petrus edi... » Si ce « Petrus » est un évêque du Puy, ce peut être Pierre III (1145-1155) ou Pierre IV (1159-1189). Mais que penser de ce Gauzfredus qui sut, dans sa sculpture, évoquer un art étranger ? Le transept méridional permet également plusieurs rapprochements. A l'extérieur les arcs superposés évoquent Cordoue. Le mur est orné, dans la partie haute, d'une mosaïque noire et blanche dont le dessin et l'effet sont analogues à ceux que produisent les faïences mauresques. Le clocher, enfin, isolé, présente des ouvertures tréflées comme les minarets.

Ces observations d'Emile Mâle dénotent une juste intuition de l'importance des éléments d'origine arabe ou mauresque à la cathédrale du Puy.

Elie Lambert a montré les problèmes analogues que posait l'architecture même de l'édifice et, s'appuyant sur une étude de M. Gabriel Brassart, indiqué comment la façade fut sensiblement remaniée; elle « a été en réalité construite, telle qu'on la voit aujourd'hui, seulement au XVIIe siècle; peut-être a-t-elle alors reproduit une autre façade plus ancienne qui se trouvait jusqu'à ce moment plus en arrière... » Un autre problème se pose à propos des coupoles sur trompe de la nef. Enfin — observation importante — « le chevet très singulier de l'église, dont il est incontestablement la partie la plus ancienne et la plus originale, rappelle très exactement par son plan celui des églises asturiennes dont il subsiste encore aujourd'hui une modeste réplique à Santullano de los Prados, et qui était à l'époque préromane celui des cathédrales primitives d'Oviedo et de Compostelle ». La remarque prend toute sa valeur quand on se souvient que le chevet du Puy fut, au siècle dernier, fâcheusement surélevé et reconstruit.

Lorsque, vers le milieu du XIIe siècle, on voulut agrandir la cathédrale, on le fit en avant de la montagne, au prix d'efforts énormes. L'escalier d'accès à la façade principale aboutissait jusqu'à la fin du XVIIIe siècle devant l'autel.

Peu d'églises, en France, sur les routes de pèlerinage, possèdent un pouvoir d'évocation semblable à la cathédrale du Puy. Elle invite avec une force persuasive à la méditation historique et religieuse. La Vierge vénérée — l'original a été détruit à la Révolution — se trouve au-dessus du maître-autel. Nous contemplons aussi la fresque des Arts libéraux, de la fin du XVe siècle, dans la chapelle des Reliques et, à la sacristie, la bible de l'évêque d'Orléans, Théodulfe (794-798). Il faut voir encore le cloître du XIIe siècle, aux admirables galeries, à la grille célèbre.

Sortant de la cathédrale par le porche du For, nous nous promenons dans la vieille ville, puis nous gagnons Saint-Michel d'Aiguilhe. Au terme de la dure montée qui conduit à l'église, quand nous avons enfin achevé de gravir l'escalier, nous nous étonnons devant la façade : le portail est tréflé avec des rinceaux sans relief, il est inscrit dans un cadre rectangulaire, une mosaïque blanche et rouge s'élève jusqu'aux parties hautes : là encore l'Orient est devant nous. Sur chaque face, on remarque les claveaux blancs et noirs et des arcs polylobés qu'encadre une mosaïque de pierres. L'inspiration mauresque, que l'éloignement rend synonyme de poésie et d'étrangeté, n'est pourtant qu'un des charmes de l'église. Un oratoire dédié à saint Michel avait été consacré le 18 juillet 962; il était de plan carré muni d'absidioles. Il a été augmenté au XIIe siècle d'une sorte de narthex et d'une galerie circulaire, qui précèdent l'ancienne construction. L'ensemble compose, avec la complexité de son plan aux perspectives fuyantes, le jeu des colonnes, la beauté des chapiteaux, les restes des peintures murales, un monument rare et attachant.

Oui, ce sont les rappels de l'Espagne qui rendent au voyageur de Compostelle la ville du Puy tellement irremplaçable. Est-ce que Godescalc ne fut pas un des premiers pèlerins ? Nous mettons ici nos pas dans des sentiers, parmi des monuments lourds d'histoire et de foi. Et il est bon que se soit présenté à nous ce début de synthèse de l'art chrétien et de l'art mauresque. Dans un trésor de monnaies arabes découvert en Espagne, on avait trouvé une pièce du Puy percée d'un trou, ce qui indiquait qu'elle avait été portée comme un bijou au collier d'une musulmane. Un texte de la fin du XIIIe siècle, le *Speculum morale*, assure une chose étonnante : « Les Sarrasins d'Occident... offrent des présents à Notre-Dame du Puy, pour qu'elle les préserve, eux et leurs champs, de la foudre et des tempêtes. » Ainsi nous rendons-nous compte des incessants échanges intellectuels et artistiques entre la Chrétienté et l'Islam, de la complexité toujours nouvelle de notre Moyen Age... Si Godescalc est allé en Espagne, des musulmans ont bien pu franchir les Pyrénées et connaître notre pays, et des Français se rendre dans la prestigieuse cité de Cordoue.

Rien n'est simple de ce qui concerne l'homme et sa culture, et les liens sont multiples entre des civilisations qu'on imagine hostiles, entre des hommes qui furent effectivement ennemis, mais s'empruntèrent les uns aux autres.

# 15 SAINTE-FOY DE CONQUES

La « Majesté » de sainte Foy est toujours à Conques, comme au temps de l'écolâtre Bernard...
ÉMILE MÂLE, *L'Art religieux du* XII$^{e}$ *siècle en France.*

La « Majesté », ou statue d'or de sainte Foy, qui remonte aux siècles ténébreux du haut Moyen Age et que conserve encore le trésor de Conques, a inspiré à Émile Mâle quelques-unes de ses plus belles pages. « Il y avait autour d'elle », écrit-il, « une auréole de miracles plus éclatante encore que le rayonnement de l'or. Un fléau dévastait-il les environs, un différend s'élevait-il entre deux villes, un baron disputait-il à l'abbaye un de ses domaines, aussitôt la statue de la sainte sortait du sanctuaire. Elle était portée par un cheval choisi, dont le pas était très doux. Autour d'elle, de jeunes clercs faisaient retentir des cymbales et résonner des cors d'ivoire. Elle s'avançait avec majesté, comme jadis la « Magna Mater », au temps où ces montagnes étaient païennes. Partout où elle passait elle rétablissait la concorde, faisait régner la paix; les miracles étaient si nombreux qu'à peine les moines avaient-ils le temps de les écrire. La sainte se plaisait surtout à délivrer les prisonniers; au portail de Conques, on la voit prosternée devant la main de Dieu : elle prie sans aucun doute pour les captifs, car des fers sont suspendus en ex-voto derrière elle. La statue de sainte Foy fut portée bien au delà des limites du Rouergue; on la vit en Auvergne et dans le pays albigeois. On lui dressait tous les soirs une tente, et sous la tente on élevait un berceau de verdure. »

La célébrité de Conques, de l'église, du trésor et de la « Majesté », en dépit ou peut-être même à cause de leur éloignement dans les montagnes du Rouergue, a connu depuis plusieurs années un véritable renouveau. Après avoir vu disparaître la cathédrale rose de Rodez, on s'engage dans une route étroite et capricieuse, et le gros village auquel on parvient paraît, du moins si l'on s'y rend en dehors des mois de juillet et d'août, absolument perdu au bout du monde. Mais ce « bout du monde » n'est pas pour nous déplaire, car il nous fait remonter très haut dans l'obscurité des temps et vivre quelques heures dans cette ancienne halte des jacquets, dans le rayonnement d'un des monuments les plus poétiques du Moyen Age.

D'après une charte de Louis le Débonnaire, en 819, l'origine de Conques serait un oratoire consacré au saint Sauveur. Détruit par les Sarrasins, il fut relevé par Pépin le Bref et Charlemagne, qui établirent également une demeure pour le solitaire Dadon et une communauté. Louis le Débonnaire, dans cette charte, assurait le monastère de sa protection et le plaçait sous la règle de saint Benoît. Pépin II, roi d'Aquitaine, lui donna, en 838, des domaines à Figeac dans le vallon du Célé. Cette donation allait être, indirectement, la cause de sa fortune. En effet, le nouveau couvent du Célé contrastait par la richesse des terres et la facilité des communications avec la pauvreté et la solitude de l'ancien, qui entra en décadence. Les moines imaginèrent alors d'attirer les fidèles par des reliques fameuses, procédé dont les siècles à venir allaient démontrer l'efficacité. Ils échouèrent une première fois dans leur tentative de s'approprier celles de saint Vincent de Saragosse. Ils réussirent ensuite à s'emparer de saint Vincent de Pompéjac, en Gascogne, mais cet honnête bienheureux local ne pouvait être qu'un médiocre rabatteur de foules. Le coup de maître fut l'exploit, auquel il a déjà été fait allusion, du moine Ariviscus qui, chargé par son supérieur Dacien, de dérober à Agen le corps de sainte Foy, martyrisée dans cette ville en 303, attendit plusieurs années et l'amena enfin à Conques le 14 janvier 866.

Désormais la fortune de l'abbaye était faite. Les miracles et les pèlerins se multiplièrent. Vers 980, un certain Guilbert, dont les yeux avaient été arrachés, retrouva la vue grâce à l'intercession de la martyre. La nouvelle en parvint jusqu'à Angers. Bernard, écolâtre de cette ville depuis 1010, fit trois voyages à Conques et écrivit le *Liber miraculorum sancte Fidis*. Le couvent connut une grande prospérité, fut en relations suivies avec l'Espagne. Entre 1041 et 1050, on commença l'église actuelle. Le trésor s'accrut et s'enrichit. Un atelier d'orfèvrerie assura, au monastère même, la fabrication d'objets sacrés et d'émaux qui, d'abord exécutés à l'imitation de

Byzance, constituèrent, on le sait, un jalon capital dans l'évolution qui mène à l'émaillerie champlevée de Limoges. De grands abbés gouvernèrent la communauté : Odolric (vers 1030-1065), Étienne II (1065-1087), Bégon III (1087-1107) et Boniface (1107-1119).

Au XIII$^{e}$ siècle, la puissance de l'abbaye demeure. Mais sa décadence est nette au XIV$^{e}$ et au XV$^{e}$ siècle. Le couvent souffre des guerres de religion. Pendant la Révolution, les habitants du pays sauvent le trésor en le cachant chez eux. Mais les bâtiments monastiques et le cloître disparaissent pour leur plus grande part. En juin 1837, Prosper Mérimée découvrit Conques, le fit classer, restaurer. Les tours de la façade, en leurs parties hautes, furent refaites (1874-1879). Tout récemment l'Inspection des Monuments Historiques a réorganisé les ruines du couvent et du cloître, et présenté de manière nouvelle les objets du trésor, soumis au préalable à une restauration minutieuse.

* * *

Étagé sur la hauteur, le gros bourg de Conques permet d'admirer l'abbatiale soit en la dominant — et on est alors particulièrement sensible à la beauté de l'ensemble de l'édifice et du chevet — soit en la découvrant au terme d'une promenade à travers les rues. Au visiteur qui parvient à la petite place que ferme, au fond, la façade principale, le tympan paraît immédiatement comme une des œuvres les plus importantes de la sculpture romane (vers 1130-1135). Il s'apparente à la fois aux églises d'Auvergne, à l'art du Languedoc, aux grands ensembles de Vézelay, Autun, Moissac, Beaulieu et Compostelle. Pourtant il possède une originalité profonde, que l'on décèle très vite. Le Jugement dernier est représenté avec un mélange étonnant d'équilibre et de verve. Le Christ-juge, en Majesté, figure au centre; à ses pieds, on remarque deux anges thuriféraires; au-dessus de lui, deux autres anges soutiennent la Croix. A la droite du Christ, occupant par conséquent la partie gauche, le Paradis est serein, bien composé. Au-dessous du Sauveur, dans l'écoinçon entre les linteaux en batière et le tympan proprement dit, est sculpté le réveil des morts; à notre gauche, sainte Foy est aussi représentée avec son église. A notre droite, c'est-à-dire à la gauche du Christ, c'est le grouillement des supplices de l'Enfer, dans le ton moins de la *Divine Comédie* que de nos fabliaux... Les malheureux sont soumis à toutes sortes de tortures; les deux amants ont le cou pris à la même corde, l'avare est pendu à un arbre... Ces scènes, qu'expliquent et que commentent de nombreuses citations latines, sont traitées avec une poésie savoureuse qui est proprement irremplaçable.

On rêve du temps où ce « Jugement dernier » était peint et doré. Pour les pèlerins enfin parvenus à Conques, au cœur d'une région sauvage, quel éblouissement !

A l'intérieur de l'église, émouvante et mystérieuse, nous contemplons longuement les sculptures de l'Annonciation, d'Isaïe et de saint Jean-Baptiste, et celles des chapiteaux, archaïques parfois ou déjà plus évoluées.

Les neuf grilles qui clôturent le chœur, des environs de 1200, légères et puissantes à la fois, présentent un réseau étonnant de spirales, de volutes, de têtes de dragons.

Sortant de l'abbatiale, nous examinons les enfeux situés à l'extérieur de la nef, puis nous allons visiter le Trésor, installé dans les vestiges des bâtiments abbatiaux. Cet ensemble d'objets d'art est sans doute unique en France pour la qualité des pièces, parmi lesquelles beaucoup remontent au haut Moyen Age, pour leur nombre, pour leur origine, puisqu'elles ont été, en très grande partie, exécutées et conservées sur place depuis lors.

La « Majesté » de sainte Foy se présente, dans une salle spéciale, au fond d'une sorte de galerie occupée par le reste du trésor. Elle est « assise sur son trône, étincelle d'or et de pierreries; elle porte une couronne fermée d'une forme très antique; de longues boucles d'oreilles pendent sur ses épaules; de chaque main elle tient délicatement, entre deux doigts, deux petits tubes où l'on mettait des fleurs; de beaux camées antiques sont incrustés, çà et là, dans le métal de sa robe » (ÉMILE MÂLE). La statue, dont l'étrange beauté est moins celle d'une martyre que d'une idole avide d'hommages, peut se dater des environs de l'an 985. Mais elle comporte un certain nombre d'éléments de dates diverses. La tête, vraisemblablement antique, serait du IVe ou du Ve siècle. Du XIIIe est le triptyque, placé sur la poitrine; du XIVe, la ceinture de perles et d'émail translucide, qui fut peut-être exécutée à Paris dans les ateliers de Guillaume Julien; du XVe, le grand joyau d'agrafe qui orne le col de la statue.

Le reliquaire de Pépin d'Aquitaine est l'œuvre la plus ancienne de cette réunion extraordinaire, puisqu'on le fait remonter au fils de Louis le Débonnaire, roi d'Aquitaine de 817 à 838. Il se compose d'un coffret rectangulaire surmonté d'un toit à rampants; il est orné d'une crucifixion et d'admirables oiseaux aux ailes émaillées; des petites fenêtres permettaient aux fidèles de voir les reliques. Selon la technique en usage à l'époque, l'âme de bois est plaquée de feuilles d'or.

Un autel portatif, d'après l'inscription qu'il porte, a été donné par Bégon et consacré en 1100 par Ponce, moine de Conques et évêque de Barbastro. Il se compose d'une plaque de porphyre rouge et présente sur la tranche, sous des arcades cintrées, le Christ, la Vierge et des saints. Un second autel portatif, en albâtre oriental, est chargé de dix émaux cloisonnés, représentant eux aussi le Christ, la Vierge et différents saints, notamment sainte Foy.

Le reliquaire de Bégon, ou lanterne de saint Vincent, en forme de tourelle, celui de Pascal II, un autre reliquaire en forme d'A et appelé A de Charlemagne, les disques émaillés du coffre de sainte Foy qui, contenant les reliques de celle-ci, fut découvert en 1875 dans la muraille de maçonnerie élevée pour consolider l'abside après l'incendie de 1561 — autant d'objets de haute époque, dont il est émouvant de penser que vraisemblablement fabriqués ou transformés ici même, ils s'y trouvent encore.

En plus de leur beauté propre, ces orfèvreries comportent un autre enseignement, d'ordre historique celui-là : le remploi, au Moyen Age, d'intailles, de camées antiques, et même d'objets médiévaux que l'on détruisait ou dépeçait pour enrichir certains autres ou simplement pour en fabriquer de nouveaux. La récente restauration du trésor a expliqué l'apparente énigme que constituaient, sur plusieurs orfèvreries, des morceaux hétérogènes : ils venaient en réalité d'objets sacrifiés et réutilisés. De la « Majesté », on a extrait les fragments d'un plat d'évangéliaire en vermeil, du XII^e^ siècle, qui a été reconstitué et présenté à part, et une plaque des VIII^e^-IX^e^ siècles, également en vermeil; cette plaque, retirée du dos de sainte Foy et représentant une tête de Christ, a été réunie à des fragments retrouvés sur d'autres pièces : l'ensemble devait faire partie d'un antependium et constitue désormais un objet d'art d'une qualité et d'une rareté exceptionnelles. Du reliquaire de Pépin, on a pareillement retiré deux plaques d'or; l'une, composant une Crucifixion, est exposée à part, l'autre a été replacée comme avant la restauration.

Les orfèvreries des XIII^e^ et XIV^e^ siècles, en dépit de leur mérite, de leur charme ou de leur saveur, paraissent manquer du mystère qui rend si attachantes celles de la haute époque. Ce n'est plus à Conques, mais dans la région, qu'ont été exécutés la ravissante statuette d'argent de sainte Foy, portant l'épée et le gril qui servirent à son supplice, et la palme de son martyre, et la grande croix processionnelle qui présente le Christ entre la Vierge et saint Jean et, au revers, sainte Foy et les évangélistes : elles sont l'œuvre de l'atelier de Pierre Frechrieu et Huc Lenfan, à Villefranche-de-Rouergue; la statuette se date de 1493-1497, la croix de 1498-1512.

Entre la « Majesté », fascinante et sauvage, étincelante d'or et de pierreries, synthèse émouvante de siècles, et la statuette d'argent, adorable de grâce virginale, de recueillement, on dirait même de timidité, on peut rêver à loisir sur l'évolution de l'iconographie, ce qui est peu, sur l'évolution des esprits, ce qui est davantage, et essayer de comprendre l'âme du Moyen Age.

Au jacquet d'aujourd'hui, Conques offre peut-être, sur le territoire français, la halte la plus significative, à cause des liens de l'abbaye avec l'Espagne et le pèlerinage, à cause de son attrait propre auquel des visites répétées rendent chaque fois plus sensible le voyageur...

# 16 VERS TOULOUSE ET LES PYRÉNÉES

> Derrière le porche de Moissac s'ouvre un cloître qui est avec ses grands arbres, ses fleurs, ses ombres transparentes, le plus poétique qu'il y ait aujourd'hui en France.
>
> ÉMILE MÂLE,
> *L'Art religieux du XII^e siècle en France.*

Nous dirigeant maintenant de Conques vers Toulouse et les Pyrénées, nous adoptons un itinéraire capricieux qui ne se conforme à aucun de ceux proposés par le *Guide* du XIIe siècle, mais correspond à notre désir de visiter les monuments les plus célèbres et les plus étroitement apparentés au pèlerinage de Compostelle.

Le portail, sculpté vers 1130-1140, de l'église de l'ancienne abbaye bénédictine de Beaulieu-sur-Corrèze prépare déjà à l'incomparable splendeur de celui de Moissac, dont il procède. Une impression de terreur se dégage du majestueux tympan qui représente le Jugement dernier; devant la croix que soutiennent des anges, le Christ étend les bras et montre ses plaies. Au trumeau, sont allongés des prophètes. Les sculptures des piédroits ont été mutilées par les Huguenots, puis usées par les siècles; elles étaient consacrées à la Gourmandise, à l'Avarice, à la Luxure, à la Tentation du Christ, à Daniel dans la fosse aux lions, nourri par Habacuc.

Nous reprenons la route vers Rocamadour. Selon la tradition, le publicain Zachée, qui avait reçu le Christ dans sa maison, gagna la Gaule, avec saint Martial, débarqua à Soulac, à l'embouchure de la Gironde et, confondu plus tard avec Amadour, fonda dans une falaise des bords de l'Arzou un oratoire qui fut à l'origine de Rocamadour. C'est aujourd'hui, dans une gorge étroite, dans une nature pittoresque et sauvage, dans un site à la fois mouvementé et majestueux, un des bourgs les plus étonnants de France — mais l'étonnement que ressent le voyageur relève malheureusement d'un ordre assez différent de l'admiration qu'il souhaiterait éprouver.

Resserrées contre les rochers, alignées le long d'une rue unique, les maisons ont perdu beaucoup de leur saveur ancienne au cours de transformations malheureuses. Nous parcourons la cité à la recherche des différents sanctuaires du pèlerinage. Ainsi voyons-nous la crypte et les reliques de saint Amadour et l'église Saint-Sauveur, du XIIe siècle; la chapelle qui abrite la statue de Notre-Dame de Rocamadour; celle qui est placée sous le vocable de saint Michel; le tombeau de saint Amadour, sorte de puits où les visiteurs continuent de jeter, selon leurs ressources, des billets ou de menues pièces — et nous trouvons aussi une épée qui passe pour être la copie de Durandal... A Rocamadour, les pèlerins peuvent vénérer à la fois la Vierge, un saint ermite et le souvenir de Roland.

Cette visite, qui devrait être très émouvante, ne laisse pourtant pas de surprendre en raison du mauvais goût qui, durant un itinéraire capricieux, s'étale trop souvent; escaliers, chapelles, boutiques pieuses, magasins se juxtaposent ou s'emmêlent au détriment du pittoresque et de la piété véritable.

Mais serions-nous trop sévères ? Au long d'un interminable escalier, une vieille paysanne s'élève à genoux, marche après marche, vers la Vierge de Rocamadour. D'un geste mécanique, mais soigneux, elle soulève à chaque degré sa petite valise élimée. Et il aura suffi de la foi simple d'une pauvre femme pour rendre à ce bourg célèbre non point sans doute sa beauté primitive, mais du moins un minimum de sens religieux.

Il convient maintenant de s'engager dans la route sinueuse et poétique qui mène vers Souillac. Les fragments du portail roman de l'église, contemporain de celui de Beaulieu, témoignent pareillement du rayonnement de Moissac. Remontés au revers de la façade du XVIIe siècle, ils comportent des morceaux d'une rare beauté. L'histoire du diacre Théophile, qui vendit son âme au diable, mais fut sauvé par la Vierge, est racontée avec beaucoup de vie. Le prophète Isaïe hante longtemps notre mémoire : saisi par les transes de l'extase, la barbe entraînée dans un désordre savant, il est emporté dans un délire sacré.

A Cahors, le tympan du portail nord de la cathédrale représente au centre le Christ en gloire entre des anges et, sur les côtés, dans des compartiments, l'histoire de saint Étienne; sur le linteau se trouvent la Vierge et des apôtres. L'ensemble, qu'on date de 1150 environ, se rattache encore à l'art de Moissac, mais témoigne déjà de l'influence de l'Ile-de-France.

Ainsi préparés par Beaulieu, par Souillac, par Cahors, nous pouvons aborder les chefs-d'œuvre que sont le cloître et le portail de l'ancienne abbaye de Moissac.

Un centre d'art incomparable, étroitement lié à l'évolution de la sculpture toulousaine, tel apparaît Saint-Pierre de Moissac à l'historien; un haut lieu dont la beauté et la puissance d'évocation sont inépuisables, tel il apparaît à l'écrivain.

Durand qui, de 1048 à 1072, en fut le premier abbé clunisien, releva de ses ruines le monastère et entreprit de grands travaux. Il devint, en outre, en 1059, évêque de Toulouse à peu près au moment où commençait l'entreprise de Saint-Sernin qui fut, du reste, quelque temps sous la dépendance de Moissac. Son successeur, Ansquitil, qui gouverna l'abbaye de 1085 à 1115, poursuivit les ouvrages de son prédécesseur. C'est à lui que l'on doit le cloître et sa décoration sculptée. Celle-ci s'étale de la fin du XI^e siècle à 1110 environ, comme le prouvent, d'une part, une inscription gravée sur le pilier du centre de la galerie ouest, d'autre part, la chronique d'Aymeric de Peyrac. A la fin du XIII^e siècle, le cloître endommagé par les guerres fut restauré, mais on utilisa toute la décoration romane sculptée. Le porche de l'église a une histoire un peu plus compliquée. M. Marcel Aubert la résume ainsi : « Le tympan et ses piédroits placés d'abord à la porte ouest du clocher-porche de l'église vers 1100-1120, au temps de l'abbé Ansquitil, mort en 1115, furent démontés, à peine achevés, lorsqu'on décida de fortifier la façade, et remontés au sud, de 1120 à 1125. On ajouta un linteau de marbre à rosaces et un trumeau, et l'on abrita le nouveau portail sous un porche, dont les piédroits furent décorés de sculptures, vers 1125-1130. Le tout devait être terminé avant 1131, date de la mort de l'abbé Roger, dont la statue se voit au mur extérieur du porche. »

C'est à Emile Mâle — est-ce même la peine de le rappeler, tant ce rapprochement a acquis de célébrité en histoire de l'art ? — que l'on doit l'explication iconographique du tympan et du cloître, inspirés des miniatures d'un manuscrit.

Beatus, cet abbé de Liébana, qui avait mis en vedette l'idée de la prédication de Santiago en Espagne, est aussi l'auteur d'un *Commentaire sur l'Apocalypse*. Adopté par l'Eglise d'Espagne, le texte a été recopié dans de nombreux manuscrits et richement enluminé. Il fut apprécié aussi au nord des Pyrénées et y connut un grand succès. C'est ainsi qu'en France, un manuscrit du *Commentaire sur l'Apocalypse* a été écrit et décoré dans le scriptorium de l'abbaye de Saint-Sever sous l'abbé Grégoire Montaner (1028-1070). Le peintre en est peut-être le Stephanus Garsia qui a signé sur une colonne du folio 6. Le décor, quoique assez différent des manuscrits espagnols de Beatus, reste apparenté à la péninsule « par les motifs inspirés de l'art arabe, la richesse et l'éclat des coloris, l'animation des personnages, l'ampleur des compositions. » Le programme iconographique du cloître, en dépit de son apparent désordre, et la conception du tympan de Moissac ont été inspirés par un manuscrit proche du *Commentaire* de Beatus de Saint-Sever.

Nous pénétrons d'abord dans le cloître dont les sculptures, chronologiquement, sont les plus anciennes. Nous admirons successivement les dix grandes plaques de marbre et les quatre-vingt-huit chapiteaux. Les premières représentent : l'abbé Durand, au centre de la galerie est, devant la salle capitulaire, et, sur les piliers d'angle, saint Pierre et saint Paul, saint Jacques et saint Jean, saint André et saint Philippe, saint Barthélemy et saint Mathieu, enfin saint Simon à l'extérieur du pilier central de la galerie orientale. On les rapproche traditionnellement des plaques de Saint-Sernin, dont elles diffèrent cependant par la technique et le style, plus graphique ici, plus abstrait, sans qu'y perde pour autant la puissance d'expression. Celle de l'abbé Durand, « très monumentale », « reste plate et garde — volontairement peut-être — l'apparence d'une pierre tombale ». M. Georges Gaillard, à qui nous empruntons ces lignes, précise : « En face des reliefs de Saint-Sernin, qui imitent les modèles de la statuaire antique dans une technique rudimentaire et s'efforcent de reproduire exactement la forme des figures, sans réussir à les animer, les artistes de Moissac, au contraire, transposent la troisième dimension dans un relief écrasé et un modelé aplati, traduisent les formes naturelles dans une géométrie conventionnelle, mais suggestive et dotent leurs créations d'une expression puissante et d'une vie nouvelle. On peut voir dans les reliefs du déambulatoire de Saint-Sernin des survivances n'appartenant pas encore au style roman, dont les premières créations typiques dans la région sont les reliefs des piliers de Moissac. »

Les chapiteaux, d'un style très différent de celui des plaques, développent une variété infinie de thèmes et d'expressions. Proches de ceux du chœur et des tribunes de Saint-Sernin, et aussi des sculptures qui ornent la tranche du maître-autel primitif du grand sanctuaire toulousain, ils nous convient à la découverte d'une partie fort importante de l'iconographie médiévale : scènes empruntées à la Bible, à l'Evangile et aux vies de saints régionaux, feuillages, bêtes et monstres, parfois d'influence orientale...

Les sculptures du cloître, comme tant de chefs-d'œuvre de l'art, se prêtent à la description, à l'analyse, au commentaire; mais, ceux-ci achevés, ils semblent échapper, comme par jeu, à l'insuffisance de l'esprit humain et transportent dans le domaine de la joie esthétique. A celle-ci se mêle l'indicible paix d'une atmosphère demeurée religieuse après une longue suite de siècles. « Derrière le porche de Moissac », a écrit Emile Mâle, « s'ouvre un cloître qui est, avec ses grands arbres, ses fleurs, ses ombres transparentes, le plus poétique qu'il y ait aujourd'hui en France. »

Au tympan est représentée l'apparition de l'Apocalypse telle que la décrit, ou plutôt la prédit l'apôtre. Dans une grande auréole, la tête coiffée d'une tiare orientale, l'Eternel trône entouré des symboles des évangélistes de la vision d'Ezéchiel et des archanges de celle d'Isaïe. Le reste de l'espace est occupé par les vingt-quatre vieillards de l'Apocalypse, dont les têtes convergent vers Lui; identiques par la direction de leur regard et l'intensité d'une contemplation spirituelle autant que visuelle, ils diffèrent étonnamment de gestes et d'attitudes. Ce tympan, inspiré, comme on sait, du même manuscrit que le cloître, s'offre, dépouillé de sa polychromie, dans la seule beauté de la pierre, donc de toute autre manière qu'il se présentait aux pèlerins au Moyen Age. Mais les siècles, en lui dérobant tout ce que, superficiellement, il avait de pittoresque, ont substitué à la peinture la séduction fascinante, l'envoûtement unique d'une sculpture réduite à elle-même. On peut dire, sans exagération, que la puissance de conception et d'exécution de celle-ci s'exercent à présent avec une irrésistible force. Il est vain d'instituer, entre les tympans de Vézelay, d'Autun, de Conques, de Moissac, de Compostelle un concours d'excellence. Le mérite et l'originalité de chacun sont irréductibles; le voyageur — pèlerin ou seulement amateur d'art — se montrera, selon son tempérament, plus ou moins sensible, en chacun d'eux, à tel attrait particulier dont la valeur sera contestée par d'autres; il émettra un jugement qui ne pourra être transformé en opinion universelle. La parfaite ordonnance, la classique pureté de Vézelay, sa respiration éminemment spirituelle, la verve d'une partie au moins de Conques, le souffle qui parcourt Compostelle et semble entraîner les sculptures hors de leur cadre architectural, oui, toutes ces « qualités » sont incomparables. Le tympan de Moissac est habité par une puissance surhumaine. « Sa sereine terreur » — nous pardonnera-t-on cette bizarre alliance de mots ? — exprime ici la forme apocalyptique de la Justice. Sa grandeur est unique : il occupe dans le domaine de l'art roman, la place d'Eschyle et de Sophocle dans celui de la tragédie; il rappelle aux voyageurs soucieux, comme nous, au delà de l'art, de l'affolant « autre chose », que celui-ci sera la remise en ordre définitive en même temps que l'explication de la Création.

Sur les jambages, saint Pierre et Isaïe s'associent à la vision principale et dessinent des arabesques d'un raffinement rare. Sur le trumeau, on voit des lionnes croisées — le motif est d'origine sassanide ou assyrienne — et, allongés comme des atlantes, Jérémie et saint Paul. Plus libérée est la facture, plus anecdotique est le style des sculptures des piédroits. Celles-ci représentent, à droite : l'Annonciation, la Visitation, l'Adoration des mages, la Présentation au temple et la Fuite en Égypte; à gauche : l'Avarice, la Luxure, la parabole de Lazare et du mauvais riche.

L'esprit plein encore de l'harmonie souveraine du cloître et du tympan de Moissac, nous nous dirigeons vers Toulouse.

Au sortir de l'atmosphère poétique et légèrement mélancolique de l'ancienne abbaye, quel contraste offre — en dépit de la distance — la vivante, la bruyante Toulouse ! Ce ne sont que rues encombrées, harmonies de rose et de vieux rouge des briques, vieux hôtels, jardins charmants, odeurs fortes, musées magnifiques, églises admirables, le tout lié indissolublement et contribuant sans doute à créer cette savoureuse ambiance toulousaine dont l'esprit, peut-être, n'a pas tellement changé depuis nos lointains prédécesseurs, les jacquets. Il n'est pas question pour nous qui, au long de notre itinéraire, glanons surtout les souvenirs des pèlerins, de décrire en détail les principaux édifices de la ville. Mais comment ne pas rappeler les principaux ? L'église des Jacobins, des XIIIe et XIVe siècles, avec ses deux nefs et son clocher typique, et les restes du cloître, la salle capitulaire, la chapelle Saint-Antonin; Notre-Dame de la Daurade malheureusement très remaniée; Notre-Dame de la Dalbade, bel exemple de gothique méridional... La cathédrale Saint-Etienne, restée inachevée, construite selon des axes différents dans le chœur et la nef, gagne en originalité ce qu'elle perd en unité.

Le musée des Augustins a recueilli les vestiges admirables de la sculpture médiévale toulousaine. Le relief des deux femmes au lionceau et au bélier provenant de Saint-Sernin y est conservé, on le sait. On y trouve aussi des sculptures provenant des cloîtres de la cathédrale et de la Daurade. Le premier, construit et décoré de 1110 à 1115 environ, était terminé avant 1117; parmi la série des apôtres, saint Thomas et saint André sont signés de Gilabert et leur art est proche de celui des deux femmes de Saint-Sernin; les chapiteaux des chapelles du cloître montrent une vigueur et une élégance, un sens du mouvement et du pittoresque très attachants. L'abbaye de la Daurade ayant été donnée à saint Hugues, abbé de Cluny, par l'évêque Durand en 1067, des moines de Moissac — dont Durand était aussi abbé — y furent envoyés; le cloître et les bâtiments réguliers furent reconstruits, tâche qui en 1092 se trouvait en très bonne voie. Les galeries du cloître ont été démolies en 1761, puis en 1812, mais les chapiteaux furent sauvés. Les plus anciens sont contemporains de ceux de Moissac et en rappellent le style. Ceux de 1120-1130, postérieurs, présentent des personnages trapus, débordants de vie. Plusieurs de ces chapiteaux s'inspirent d'une Bible peinte à Avila au XI^e siècle et conservée à la Bibliothèque nationale de Madrid.

Les apôtres de la Chapelle de Rieux, du XIV^e siècle, se classent parmi les sculptures les plus étonnantes de ce musée qui en offre tant à l'admiration du visiteur; nous avons eu déjà l'occasion de citer le saint Jacques, d'une surprenante beauté[1].

C'est naturellement à Saint-Sernin que nous trouvons les souvenirs les plus évocateurs du pèlerinage de Compostelle. Il était bien exact de dire que seule la cathédrale de Compostelle lui pouvait être comparée en puissance et en majesté... Les grandes dates de sa construction et de sa sculpture ont été indiquées précédemment. Notre visite consistera surtout à préciser certains points de nos connaissances. La table du maître-autel primitif est signée de Bernard Gilduin, à qui on a aussi attribué les sept plaques du pourtour du chœur; c'est sans doute au même atelier qu'il faut encore attribuer

1. Plus haut, pages 111-112.

les chapiteaux des tribunes du transept, représentant le Christ en majesté dans une mandorle que soutiennent deux anges, des animaux fantastiques symbolisant la punition du péché, et un groupe d'anges et d'apôtres. Les chapiteaux sculptés aux ébrasements de la porte des Comtes montrent la parabole de Lazare et du mauvais riche, la femme et l'homme luxurieux, l'avare avec un sac pendu au cou... A la porte Miégeville, terminée avant 1118, on remarque encore de nouveaux progrès, non pas peut-être dans le pouvoir évocateur ou pittoresque de la sculpture, mais dans ses rapports avec l'architecture; la sculpture s'incorpore désormais à celle-ci sans que la composition perde sa liberté et son mouvement. Et notre regard se dirige vers le saint Jacques entre les cyprès, il nous annonce l'autre saint Jacques qui lui est si semblable, celui de la « puerta de las Platerías » de Compostelle.

C'est dans le chœur, en arrière de l'autel, que se trouve, sous un baldaquin, le tombeau de saint Saturnin (dont Sernin est une contraction); un coffre de bois enferme le sarcophage soutenu par quatre taureaux de bronze doré; au-dessus, la statue du saint est portée au ciel par des anges, et un autre autel avec le chef du martyr est situé en arrière. Cet ensemble de la décoration du chœur est baroque et a été exécuté de 1718 à 1759. Marc Arcis, architecte et sculpteur, fut le directeur de l'œuvre; il reçut l'aide de son fils Jean-Marc et des sculpteurs Pierre Lucas et Etienne Rosat.

Il faut passer devant les plaques fameuses remontées dans le déambulatoire pour descendre à la crypte, ou plutôt aux deux cryptes, l'une au-dessous de l'abside, dont le sol n'est inférieur que de quelques marches à celui du déambulatoire, l'autre, plus vaste, qui s'allonge sous le déambulatoire, sous le collatéral oriental des croisillons et à l'ouest entre les deux piles de la croisée. Dans un décor très riche sont encore conservées d'abondantes reliques. Leur présence nous rappelle que l'église de Saint-Sernin osa prétendre, contre Compostelle, qu'elle possédait le corps de l'apôtre. Le trésor fut jadis très célèbre pour la qualité et la quantité de ses pièces. Il a perdu quelques-uns de ses plus beaux objets : le camée d'Auguste est maintenant conservé au Cabinet de Vienne, le « cor de Roland », bel ivoire carolingien, et la châsse limousine de saint Exupère, du XIIIe siècle, figurent parmi les collections du musée Paul-Dupuy de Toulouse, l'évangéliaire de Charlemagne parmi celles de la la Bibliothèque nationale de Paris... Mais on peut encore voir le reliquaire de saint Saturnin, en argent, du XIII^e siècle, celui de la Sainte Croix, en émail limousin, du XIII^e siècle également, et la crosse dite de saint Louis d'Anjou; celui-ci fut évêque de Toulouse pendant quelques mois en 1296-1297 et il semble que la crosse soit antérieure à cette date, mais le saint évêque a pu posséder une crosse qui existait déjà avant lui.

Désormais c'est vers les Pyrénées que se dirige notre route. A Saint-Gaudens, l'église fortifiée, dont les parties essentielles dataient du XII^e siècle, a été très endommagée en 1596 et restaurée à partir de 1853; elle présente certaines analogies avec Conques et Saint-Sernin.

Une campagne exquise entoure l'église de Valcabrère qui fut construite au XI^e siècle, mais pour laquelle on utilisa des fondations antérieures et des morceaux antiques ou médiévaux. Elle fut remaniée dans la deuxième moitié du XII^e siècle. L'autel, consacré en 1200, fut dédié à saint Etienne et aux saints Just et Pasteur — la dévotion envers ceux-ci était passée d'Espagne en Languedoc. Le portail sculpté remonte également à la fin du XII^e siècle; le tympan montre le Christ entre deux anges thuriféraires et les évangélistes; aux piédroits, de chaque côté, se dressent des statues : elles représentent les saints auxquels l'autel est dédié, Etienne, Just et Pasteur, et sainte Hélène, qui porte la croix autour du cou (l'église possédait justement une relique de la Vraie Croix); l'art de ces statues montre le rayonnement de la sculpture de l'Ile-de-France.

Des arbres et des cyprès, devant la montagne proche, jettent dans l'air une note poétique, et du cimetière voisin ne vient pas la tristesse, mais se dégage seulement une indicible paix.

Valcabrère faisait jadis partie de la cité gallo-romaine de « Lugdunum Convenarum », qui comprenait aussi l'actuel Saint-Bertrand de Comminges. Des fouilles ont montré l'importance de cette ville. On a retrouvé des vestiges du théâtre et du forum avec un monument triomphal à Trajan, élevé sous le règne de celui-ci ou sous Hadrien, des vestiges aussi de thermes, d'une basilique civile, d'une basilique chrétienne contiguë au cimetière de Saint-Bertrand... La ville fut détruite en 585 lors de la lutte de Gontran, roi de Bourgogne, contre un certain Gondewold.

Il fallut, pour qu'elle se relevât, attendre la venue de Bertrand de l'Isle-Jourdain. Celui-ci, devenu évêque de la cité, la ressuscita de ses ruines vers la fin du XII^e siècle. Il commença la construction de la cathédrale actuelle et, après sa mort, survenue en 1123, fut canonisé et laissa son nom à la ville, qui devint Saint-Bertrand de Comminges. En 1304, Bertrand de Got, un de ses successeurs, devenu archevêque de Bordeaux, entreprit la reconstruction sur un plan plus vaste. Dès 1305, Bertrand montait sur le trône de saint Pierre sous le nom de Clément V, mais les travaux furent poursuivis, et ils ne s'achevèrent qu'en 1350 sous l'épiscopat d'Hugues de Châtillon. En fait, on distingue dans l'édifice le clocher-porche et les travées voisines, qui remontent à l'époque romane, et le chœur, gothique, qui leur est postérieur. Le tympan représente une Adoration des mages; saint Bertrand y figure vraisemblablement; aussi a-t-on pu placer la date de son exécution entre 1123, date de la mort de l'évêque, et 1179, année de sa canonisation. A l'intérieur, les stalles composent un ensemble magnifique exécuté sur l'ordre de l'évêque Jean de Mauléon en 1535, et consacré à l'histoire de la Rédemption; elles sont proches à la fois des créations toulousaines, du chœur d'Auch et des « sillerías » espagnoles. Le mausolée monumental de saint Bertrand, de 1432, a été modifié postérieurement. Dans une chapelle a été placé le tombeau d'Hugues de Châtillon, dont une partie au moins est du XV^e^ siècle.

On sort de l'église en direction du cloître et, en y pénétrant, on est frappé d'éblouissement, non pas à cause de la lumière seulement, mais à cause d'une présence, celle des Pyrénées toutes proches. Une pente, verte de bois et de prés, semble venir vers nous, comme la traîne d'une statue gigantesque, comme le manteau d'un saint Jacques mystérieux qui, là-haut, vers les sommets, veille sur les cols fréquentés par les pèlerins et nous invite à les franchir.

Le soir tombe sur Saint-Bertrand de Comminges et les Pyrénées, et la clarté mystérieuse de la nuit est celle-là même qu'au pied des montagnes ont connue les jacquets...

# 17 DU SOMPORT A PUENTE LA REINA

Trois colonnes nécessaires entre toutes au soutien de ses pauvres ont été établies par Dieu en ce monde...

Le *Guide du pèlerin de Saint-Jacques.*

Après les montagnes tendres et vertes des environs d'Oloron, la route se fait progressivement plus dure dans un paysage magnifique. Mais la montée et l'arrivée au col du Somport (Summo portu) paraissent relativement faciles. L'horizon s'étend en demi-cercle, devant et derrière nous : vaste, vraiment grandiose, malheureusement dépouillé en grande partie de ses bois. D'immenses rochers rouges nous entourent — seul l'apôtre pouvait protéger le voyageur contre cette bataille muette de la nature ensanglantée. Il semble qu'aient disparu les souvenirs du pèlerinage. Des vestiges de l'hôpital de Sainte-Christine subsistent cependant, mais il faut être prévenu pour découvrir ces moellons, ces traces de murs difficilement visibles, sur le versant espagnol du col, tout près encore de la frontière.

Le *Guide du pèlerin* consacre les neuf lignes de son chapitre IV aux « trois grands hospices du monde ». On lit : « Trois colonnes nécessaires entre toutes au soutien de ses pauvres ont été établies par Dieu en ce monde : l'hospice de Jérusalem, l'hospice du Mont-Joux — c'est-à-dire le Grand Saint-Bernard — et l'hospice de Sainte-Christine sur le Somport. Ces hospices ont été installés à des emplacements où ils étaient nécessaires; ce sont des lieux sacrés, des maisons de Dieu pour le réconfort des saints pèlerins, le repos des indigents, la consolation des malades, le salut des morts, l'aide aux vivants. Ceux qui auront édifié ces saintes maisons posséderont, sans nul doute, quels qu'ils soient, le royaume de Dieu. »

L'origine de l'hôpital de Sainte-Christine est jusqu'ici demeurée obscure. Selon une tradition pleine de poésie, deux chevaliers, émus du grand nombre de voyageurs qui trouvaient la mort en voulant traverser le col, résolurent de fonder à leur intention un oratoire et une auberge. Comme ils cherchaient l'emplacement approprié, une colombe portant une croix d'or vint un matin se poser sur un buis du pic, elle s'enfuyait au fur et à mesure qu'ils tentaient de l'approcher, elle lâcha enfin la croix dans un endroit qui parut propice à l'érection de l'église. Les armes de l'hôpital rappelaient cette origine merveilleuse : une colombe blanche avec la croix d'or sur le pic. Mais, en réalité, il semble qu'il ait d'abord existé au Somport un hospice particulier. L'établissement devint prieuré, reçut les faveurs des rois d'Aragon et des princes du Béarn, posséda de nombreuses maisons en Espagne et en France. La décadence commença malheureusement dès 1374, lorsque fut décidée une manière nouvelle de distribuer les rentes du couvent, et se précipita lors des guerres de religion; Sainte-Christine perdit toutes ses possessions du Béarn, pays de l'hérétique Henri de Navarre. Philippe II, du reste, favorisait à ses dépens l'hôpital de Roncevaux.

Nous descendons par un paysage pittoresque vers les monts de la Peña Collarada, resplendissants de neige. Il vaut mieux se taire sur Canfranc, qu'enlaidit une gare monumentale, longue comme un tunnel et noircie de toute la tristesse des monts.

Jaca était, avant la reconquête de Huesca (1096), la capitale du petit royaume d'Aragon. La ville posséda très anciennement une église et un quartier de Santiago. Louis VII s'arrêta ici lors de son retour de Compostelle en 1154. Le principal intérêt de la cité est sa cathédrale romane. Si la coupole est d'un caractère nettement hispanique, les supports alternés de la nef et les trois absides font penser à certaines églises de notre Sud-Ouest et du Languedoc. Rappelons que les chapiteaux, à l'extérieur du chevet ou dans la nef, et le décor sculpté de certains portails constituent des éléments importants de la sculpture romane espagnole; le tympan du portail occidental, des environs de 1100, représente un chrisme entre deux lions.

Au sud-ouest de la ville, l'abbaye de San Juan de la Peña n'a, en principe, aucun lien avec les « chemins de Saint-Jacques ». Mais on peut supposer, non sans raison, que certains jacquets faisaient un détour pour s'y rendre, et elle rappelle que le pèlerinage s'inscrivit dans le grand dessein d'aide aux royaumes chrétiens du Nord de l'Espagne au même titre que la réforme des monastères, dont San Juan de la Peña, par l'Ordre de Cluny. La route de Jaca à Huesca nous emmène à travers de vastes paysages de bois arides. Un embranchement s'offre à Bernués, et l'on prend la voie secondaire qui, en dix kilomètres, monte à San Juan de la Peña. Splendide est le spectacle des montagnes déroulées ou soustraites à nos yeux : au loin, les Pyrénées, chaîne dentelée et gracieuse en même temps que puissante, forment un écran aux teintes roses; les monts plus proches, en dépit des forêts qui dévalent les versants, paraissent arides et sauvages. Le ciel, dont aucun nuage n'amortit l'éclat pesant, pâlit à force d'outrer le bleu dans le flamboiement de l'après-midi. Un détour de la route accentue le contraste, sous la lumière accablante, de ces Pyrénées roses et, alentour, des montagnes vertes ou des larges aridités de pierraille. Des paysans travaillent çà et là, invisibles dans les champs, et leur présence, seulement suggérée par le bruit musical des voix et le cri rauque des animaux, trouble à peine la majesté du paysage.

Enfin parvenus au sommet, sur le mont Pano, à 1175 mètres, nous trouvons les ruines du monastère baroque de San Juan de la Peña, détruit en 1809 par les troupes de Suchet; ces bâtiments — parmi lesquels la façade de l'église constitue la partie la plus intéressante — doivent être peu à peu reconstruits. Le véritable intérêt de l'excursion est ailleurs. Il faut, par un mauvais chemin de quatre kilomètres en pente abrupte et capricieuse, sous le couvert des feuilles d'arbres, descendre à l'ancien couvent, riche d'histoire médiévale. Il est situé en contre-bas, à l'abri d'une avancée gigantesque de rocher. Le gardien, presque confondu dans son sommeil avec la pierre, se terre dans un coin. Il vient nous assurer que son monument est très visité en dépit des difficultés d'accès. Parle-t-il ainsi pour embellir son propre rôle, se donner de l'importance ? On souhaiterait que rares soient les heureux parvenus à ce monument original et émouvant, mais on tiendrait à figurer alors parmi ces heureux. L'ancien couvent clunisien a été endommagé par les incendies et le temps, et la montagne laisse mal deviner, à l'extérieur, l'importance de ce qui en subsiste. L'ancienne sacristie est le panthéon des premiers rois d'Aragon, refait sous Charles III par le comte d'Aranda. L'église s'engage à moitié dans la roche et c'est la pierre qui, au-dessus d'une bonne partie de la nef, sert de voûte. Le cloître a été remonté; en dépit de l'agrément du lieu, bruissant de feuillages et de silence, on est un peu choqué du caractère moderne de certaines reconstitutions; du moins plusieurs chapiteaux témoignent-ils d'un art très noble. La chapelle flamboyante de Saint-Victorien possède un portail ogival fleuri. Dans la salle capitulaire située à l'étage inférieur, les arcs, lançant leur jeu géométrique dans l'incertaine clarté, échangent un mystérieux dialogue dont les mots sont de pierre.

Santa Cruz de la Seros ne se trouve, à vol d'oiseau, qu'à une faible distance du vieux monastère de San Juan de la Peña, mais il faut, pour s'y rendre en voiture, accomplir un véritable périple. L'église du couvent doté en 1095 par la comtesse Dona Sancha, fille de Ramire Ier d'Aragon, récompense de la peine par la saveur de son architecture. Une partie importante de l'édifice, notamment le chevet et la tour, semblent remonter au milieu du XIIe siècle. Plus anciens, la nef et le portail de la façade peuvent se dater du début du même siècle. Le tympan est sans doute celui de la construction que permit la donation de 1095; il est voisin de celui de la cathédrale de Jaca, représentant comme lui un chrisme entre deux animaux, mais, d'un art plus primitif, il lui est vraisemblablement antérieur[1].

Notre itinéraire de jacquet nous conduit maintenant vers le monastère de San Salvador de Leyre. Le chemin ancien passait au pied de celui-ci, dans son territoire. Un embranchement, particulièrement cahoteux, y monte aujourd'hui. La vue est magnifique sur la vallée très vaste où coule le río Aragón, et l'air se révèle empreint de spiritualité, peut-être parce que les antiques souvenirs sont ici ravivés par la présence de moines bénédictins qui ont relevé l'abbaye et font retentir dans le sanctuaire la beauté du chant grégorien. Si la crypte de l'église est d'une rudesse archaïque, le chevet à trois absides peu profondes, seul terminé au XIe siècle, présente la coupe caractéristique d'une église poitevine, dont les trois nefs s'élèvent à une hauteur égale. Le porche possède de belles sculptures romanes.

A quelque distance, au sud, Javier invite le voyageur à visiter le château de la famille de saint François-Xavier, restauré avec un goût contestable.

Sangüesa se trouve sur le « camino ». Déjà allègre et coquette, la petite ville soigne encore plus sa parure les jours de fête : les oriflammes et les papiers de toutes couleurs multiplient alors dans les

1. Non loin de Santa Cruz de la Seros, le « camino » passe par Puente de la Reina (Astorito), qu'il ne faut pas confondre avec Puente la Reina, où se réunissaient les routes du Somport et de Roncevaux et que nous allons bientôt décrire.

rues la joie éclatante de l'été. L'église de Santa María la Real possède un magnifique portail sculpté dont les statues rappellent celles de nos cathédrales d'Ile-de-France; à l'intérieur, est vénérée Notre-Dame de Rocamadour, premier exemple d'une dévotion qui se retrouve souvent le long du « chemin français ». Une autre église, celle de Santiago, pittoresque avec sa tour crénelée, nous retient devant son porche; une statue polychrome de saint Jacques, debout, occupe le tympan; deux pèlerins à genoux l'entourent.

Pareils aux jacquets qui souvent s'écartaient de la voie droite, n'hésitons pas, par une curiosité presque profane, à nous éloigner de notre route officielle. Vers le sud, Olite possède une place ravissante et recueillie où s'unissent les galeries du palais des rois de Navarre et celles de Santa María la Real; une série de statues décorent magnifiquement le portail et ses alentours. Modeste mais charmante, l'église San Pedro, du XII^e^ siècle, présente un beau porche sculpté. Plus au sud encore, la campagne assoupie semble respirer dans la paix de Dieu : ce ne sont que teintes tendres, horizons bleutés, montagnes étagées. Nous arrivons au monastère de Santa María de La Oliva. Berceau, en Espagne, de l'Ordre de Cîteaux, il fut construit pour une grande part dans la deuxième moitié du XII^e^ siècle : l'église juxtapose le roman et le gothique naissant. Le cloître, du XV^e^ siècle, déborde de cette poésie religieuse propre à certains couvents dont la nature, l'art et la piété ont unifié l'atmosphère dans une inaltérable sérénité. Et cette sérénité se retrouve alentour dans les champs et les pierres. Mais c'est trop s'attarder peut-être : nous ne sommes pas des voyageurs ordinaires, il faut retrouver le « camino », Eunate et sa chapelle.

Isolée en bordure de la route de Puente la Reina à Las Campanas, celle-ci laisse un souvenir inoubliable par l'originalité de son architecture énigmatique et l'harmonie de la campagne environnante : allégresse des chants d'oiseaux, posés sur les arbres ou traversant l'air léger, bruissement imperceptible de milliers de feuilles, murmure infini d'une Création heureuse. L'édifice mystérieux qui s'élève devant nous est une chapelle funéraire. Cette « élégante construction romane, bâtie sur plan octogonal et couverte de voûtes nervées archaïques, a été entourée, plusieurs siècles après son achèvement, d'un portique de même forme où, après avoir utilisé sur trois faces les restes d'un cloître roman, on construisit à neuf les cinq autres faces dans un style tout différent » (M. ÉLIE LAMBERT). La date de ce portique a cependant été discutée car, dès 1520, des descriptions montrent Eunate dans son état actuel. Plus aventurée, en tout cas, paraît l'opinion déjà ancienne de Lámperez : il aurait existé auparavant un cloître extérieur, dont il ne subsisterait plus que la partie la plus proche de l'église; cette disposition, d'après saint Jérôme, était celle-là même du tombeau du Christ.

Reprenant notre chemin, nous gagnons Puente la Reina. La route actuelle fait le tour de la vieille ville et franchit le río Arga sur un pont moderne. En arrivant, à gauche, nous pouvons voir les restes de l'hôpital du Crucifijo et sa chapelle romane. A droite, la cité, bâtie selon un plan régulier, pleine d'atmosphère, de boue et d'odeurs fortes, contient l'église de Santiago, dont le portail date de la fin du XIIe siècle. La ville possédait plusieurs hospices, dont certains étaient tenus sans doute par des particuliers. A la sortie de l'agglomération, près de l'église San Pedro, se trouve le pont qu'utilisèrent pendant des siècles les pèlerins — encore porté par ses arcs aux piles percées d'ouvertures, barrant le paysage de sa noble silhouette.

Il faut le traverser en entier et, en revenant sur ses pas, se rappeler une vieille et poétique légende. De temps en temps, un oiseau d'une espèce étrangère à la région paraissait dans les environs de Puente la Reina, il descendait vers le fleuve, il s'y mouillait les ailes, puis il montait en volant vers l'image de la Vierge qui dépassait le garde-fou, et il la nettoyait sans s'occuper de la foule amassée pour le voir, ni du bruit que celle-ci faisait en jacassant : il achevait sa tâche comme s'il était seul. Au bout de quelques heures, il reprenait son vol, il disparaissait dans les airs et nul, pendant des années, ne le revoyait plus. Son arrivée était interprétée comme un présage de prospérité, et le peuple s'en réjouissait.

# 18 DE RONCEVAUX A PUENTE LA REINA

> Ensuite en descendant de la cime, on trouve l'hospice et l'église, dans laquelle se trouve le rocher que Roland, ce héros surhumain, fendit d'un triple coup de son épée du haut jusqu'en bas, par le milieu.
>
> Le *Guide du pèlerin de Saint Jacques.*

LE voyageur qui a franchi le port de Cize dans son paysage majestueux et découvre un peu en contre-bas, sur le versant espagnol, l'hôpital de Roncevaux, est désagréablement impressionné : des bâtiments d'une triste couleur grise, comme suintants de pluie toute l'année, disposés sans ordre apparent et parfois délabrés... Est-ce là le site illustre de Roncevaux ? Les souvenirs des légendes épiques s'évanouissent devant la maussade réalité. On aurait tort cependant de garder de l'hôpital et de ses alentours une image rebutante. Leur visite détaillée, leur étude sérieuse permettent de retrouver les traces des pèlerins et celles, non pas de Charlemagne et de Roland, mais de leur légende.

Qu'on se souvienne des détails abondants fournis par le *Guide du pèlerin*[1]. Il faut, selon celui-ci, distinguer nettement : la montagne — c'est-à-dire le col —; dans la descente, du côté espagnol, l'hôpital et l'église avec le rocher rendu célèbre par Roland; enfin, dans le haut plateau où selon la tradition, se joua la bataille, le bourg de Roncevaux qui est aujourd'hui Burguete.

L'hôpital de Roland — tel était le nom de l'établissement décrit par le *Guide* — a été transformé profondément à l'époque gothique, à la Renaissance et au XVIIe siècle. Philippe II, à la fin du XVIe siècle, le réforma de manière radicale et fit élever les bâtiments dont l'austérité confine à la mélancolie. Pourtant, du XIIe siècle il subsiste la

1. Voir plus haut, pages 64-65.

chapelle du rocher de Roland, chapelle qui était en construction lors de la rédaction du *Guide*. Située un peu à l'écart des bâtiments, vers le sud, elle est placée sous le vocable du Saint-Esprit et est décrite en ces termes par M. Elie Lambert : « un étrange monument carré dans les murs duquel on distingue des arcs en plein cintre maintenant aveuglés ». Précision capitale : « Entre ce corps central et les murs extérieurs, le sol est recouvert d'un plancher où des trappes numérotées s'ouvrent sur les sépultures où l'on enterre maintenant les morts du village. » Il s'agit donc, comme à Eunate, entre Jaca et Puente la Reina, d'une chapelle funéraire. Le portique, ici, a disparu et il manque au petit sanctuaire de Roncevaux le charme que donne à Eunate cette construction extérieure.

Près de cette chapelle du Saint-Esprit, le XIII^e siècle a élevé celle de Saint-Jacques. Mais c'est un peu plus au nord que se trouve l'ensemble de l'hôpital. Cet amas de constructions conserve un plan parfaitement visible : au centre la collégiale Notre-Dame, au nord les bâtiments destinés aux pèlerins, au sud ceux des religieux. L'ancien cloître a été rebâti, après avoir été mutilé, de 1615 à 1623, et dans la salle capitulaire, transformée en chapelle de Saint-Augustin, a été installée, en 1912, la statue funéraire de Sanche le Fort. On a quelque peine à imaginer que cet ensemble hospitalier se soit attiré des éloges démesurés : « Les maisons des malades sont éclairées le jour par la lumière divine, la nuit par des lampes qui brillent comme la lumière du matin... Les malades reposent dans des lits moelleux et bien parés. Aucun ne s'en va qui n'ait été soigné gratuitement et avant d'avoir recouvré la santé. Ils trouvent là des salles lavées par des eaux courantes; on y prépare sur-le-champ des bains à ceux qui en demandent pour se purifier des impuretés corporelles. »

La collégiale Notre-Dame a été fâcheusement transformée, et, lors d'une restauration accomplie ces dernières années, a été placé un maître-autel, dont les prétentions antiquisantes sont contestables. Pourtant un examen détaillé prouve que cette église « était, au début du XIII^e siècle, une des meilleures et plus pures productions d'une forme d'art gothique français qui se retrouve dans tout un ensemble de monuments élevés alors en Vieille-Castille, en particulier à Cuenca, à Sigüenza, à Santa María de Huerta et à Las Huelgas de Burgos par le roi Alphonse VIII, l'archevêque Rodrigue de Tolède et quelques évêques ou prélats de leur entourage ».

Les chanoines de Saint-Augustin montrent avec une gentillesse inlassable les richesses d'art qui témoignent encore de la gloire et de la puissance de leur maison. Au-dessus du maître-autel est placée la statue de la Vierge tenant l'Enfant; c'est l'image miraculeuse qui, selon la légende, aurait été découverte vers le milieu du Xe siècle dans les environs de Roncevaux. Un soir, quand la nuit tombait, des bergers virent paraître un cerf, dans les cornes duquel brillaient deux étoiles. Ils le suivent et parviennent à une petite source, qui laisse échapper des accords mystérieux, tandis que le cerf disparaît. Mais le prodige se répète et les bergers avertissent l'évêque de Pampelune. Celui-ci refuse de les croire jusqu'à ce qu'au cours de la nuit un ange se montre à lui et lui enjoigne de fouiller le sol près de la source. A l'endroit indiqué est découverte la statue miraculeuse... C'est en réalité une œuvre toulousaine de la fin du XIIIe ou du début du XIVe siècle, en bois masqué par des plaques d'argent.

Dans le trésor, un certain nombre d'objets se rattachent à la légende de Roland et de Charlemagne. C'est sur « l'échiquier de Charlemagne » que l'Empereur aurait été en train de jouer lorsqu'on apprit la défaite de Roland; l'histoire de l'art y découvre, en fait, un reliquaire émaillé dont les multiples cases doivent contenir les reliques et qui fut fabriqué au XIVe siècle à Montpellier. On voit encore les « masses » de Roland et d'Olivier, les « pantoufles » de l'archevêque Turpin...

Une « Sainte Famille» est donnée par certains guides au peintre Morales. Un triptyque flamand du XVe siècle représente la Passion du Christ. Un crucifix du début du XVIe siècle montre le Sauveur entre la Vierge et saint Jean et deux tubes contenant des épines. La pièce la plus belle est sans doute la couverture de l'évangéliaire sur lequel les rois de Navarre prêtaient serment lors de leur sacre. Remontant à la fin du XIIIe ou au début du XIVe siècle, elle se compose de deux plaques d'argent repoussé et partiellement doré et représente le Christ en majesté entre les symboles des évangélistes et, au revers, la Crucifixion. C'est vraisemblablement une œuvre de la France méridionale ou de l'Espagne du Nord.

Et nous quittons Roncevaux en songeant à l'étonnante métamorphose qui transforma l'hôpital destiné aux jacquets en un haut lieu de la légende de Charlemagne et de Roland...

Nous y avions trouvé cependant des manifestations incontestables du rayonnement de l'art français. Des exemples analogues nous attendent à Pampelune. Cette ville devait être pour les pèlerins ce qu'elle est aujourd'hui pour nous : une première révélation de l'Espagne. Dirigeons-nous vers le quartier de la cathédrale. L'évêque Arnaud de Barbazan et les rois de Navarre, au début du XIVe et au XVe siècle, se sont adressés à des artistes français pour élever le cloître de la cathédrale et les bâtiments voisins, comme la salle capitulaire et la chapelle funéraire du prélat. Dans l'église même, le tombeau du roi Charles le Noble et de la reine Éléonore est l'œuvre du tournaisien Janin Lomme (1416) : sa sculpture délicate et la noblesse de son inspiration méritent amplement la réputation qui lui a été faite, et il nous faut, ici, prolonger la méditation de l'art et de l'histoire.

Il semble que dans la ville, agitée et bruyante, pittoresque et prenante, flotte encore, comme un nuage impalpable, le souvenir des jacquets. L'esprit de l'hospitalité chrétienne régnait dans la cité. Sancho Ramírez avait décidé, en 1087, qu'une partie des chargements de bois qui y entreraient serait réservée à l'hôpital des pèlerins. Celui-ci, créé près de la cathédrale, agrandi, transformé par la suite, dura jusqu'au XIXe siècle, offrant à chaque génération l'accueil traditionnel dû aux jacquets qui avaient passé les monts et, sur le chemin de Santiago, commençaient la lente découverte de l'itinéraire espagnol.

Dans les paroisses des quartiers « extramuros », habités, on le sait, par de nombreux « francos », il y avait à la fois des auberges privées et les hôpitaux des églises et des confréries. Les documents nous renseignent à leur sujet avec une suffisante précision à partir du XIIIe siècle : celui de Santa Catalina, en face de l'église de Saint-Sernin, dont le portail s'orne d'un beau saint Jacques pèlerin, celui de l'église San Lorenzo, celui aussi de San Miguel. Ainsi se mêlent dans notre mémoire, quand nous quittons Pampelune, les ombres des pieux voyageurs accueillis dans la ville et le prestige des sculptures de la cathédrale.

# 19 DE PUENTE LA REINA A BURGOS ET LEON

| | |
|---|---|
| Beatissime Iacobe | Bienheureux Jacques, |
| Lux et honor Hispaniae | Lumière et honneur de l'Espagne, |
| Venerande Patrone | Vénérable Patron, |
| Custodi nos in pace ! | Garde-nous en paix ! |

*Inscription de l'Hospital del Rey à Burgos.*

L'ÉVOCATION des pèlerins de jadis, l'émotion que dégagent, même mutilés, les monuments rencontrés et la musique aussi, tantôt âpre, tantôt souriante, mais jamais indifférente, des paysages entrevus, tels sont les éléments de l'atmosphère dont s'accompagne notre marche en direction de l'ouest, vers Burgos et vers León. Peu à peu nous concilions de nous-mêmes, sans effort, les éléments divers qui rythment nos journées. Admirer l'art et la nature, réfléchir aux conditions historiques, revivre la vie des pèlerins, s'interroger ne constituent plus pour nous des opérations menées séparément dans l'esprit. Elles se transforment en un puissant appel à suivre une vocation parallèle à celle des jacquets. Ne l'entendons-nous pas qui, désormais, nous éclate aux oreilles de l'âme, cette trompette à laquelle Anne Vercors répondit par l'abandon des siens et de ses biens et par le voyage de Jérusalem ? La traversée de l'Espagne, restée fidèle à son âme depuis des siècles, met l'étranger face à lui-même et, au delà d'un pittoresque facile, le restitue dans la nudité de son être. De nos jours, aller à Santiago ne serait-ce pas se mettre en mesure de réfléchir sur soi ? Rarement les villes que nous visitons ont totalement défiguré le visage que l'Histoire leur avait façonné, et l'on souhaite, en pénétrant leur mystère, conserver à sa propre vie la fidélité que montra l'Espagne envers son âme, mystique et passionnée.

Si l'on excepte Logroño, capitale de la Rioja, moderne et sans caractère, il n'est guère de haltes qui n'offrent un titre à nous émouvoir. Le premier exemple en est Estella. Les compliments au Moyen Age sont unanimes sur cette petite ville. Pierre le Vénérable, abbé de Cluny, écrivait notamment à son sujet, en se rappelant que « estella » ou « estrella » veut dire « étoile » : « Il y a dans les terres d'Espagne un château noble et fameux; par sa situation propice et la fertilité des terres voisines, et par la population nombreuse qui l'habite, en tout cela il surpasse les châteaux qui l'entourent; aussi j'estime que ce n'est pas en vain qu'il s'appelle Estella. » Et c'était un adage au XVe siècle que de parler d' « Estella la bella ». La ville abondait jadis en hôpitaux, hôtelleries, auberges et en confréries chargées de protéger les pèlerins et les invalides. Dès son arrivée, le jacquet rencontrait un établissement destiné aux lépreux, San Lázaro. Celui-ci, selon un document de 1302, « est édifié sur le chemin français qu'empruntent en grand nombre les pèlerins et les bons chrétiens qui se rendent auprès de Monsieur saint Jacques et, parmi eux, on héberge beaucoup de lépreux ». Toutes les paroisses possédaient leur hôpital, généralement confié à une confrérie. La plaza de San Martín était le centre de l'activité du quartier des « francs ». C'est là que logeaient spécialement les jacquets, que s'ouvraient les boutiques et les étals, que se trouvaient les auberges, que s'élevaient les hôpitaux de San Pedro et de San Nicolás.

Aujourd'hui encore, dans la cité poussiéreuse, animée et vibrante, nous retrouvons l'Estella des pèlerins. Que la ville est allègre et poétique sous le soleil ! Voici l'église San Pedro de la Rua avec son beau portail polylobé, son chevet roman à trois absides, ses trois courtes nefs de la fin du XIVe siècle, et son cloître du début du XIIIe siècle... Voici celle du San Sepulcro, dont la façade respire une intense émotion; sur ses sculptures, du XIVe siècle, avec quelle joie tendre on découvre, dans le contre-bas d'une rue déchue, les Saintes femmes et l'Ange devant le tombeau qu'a quitté le Christ ressuscité ! Ce sont le flot des pèlerins et la prospérité que laissait leur passage qui expliquent, en grande partie, l'abondance et la beauté des églises. Il faudrait voir encore San Miguel et San Juan et, à des extrémités différentes de la ville, le sanctuaire de Notre-Dame de Rocamadour et celui de Notre-Dame du Puy... Nos compatriotes étaient ici presque chez eux, et il semble que l'air et le ciel soient empreints d'une douceur de France.

Nous continuons vers Irache, qui fut l'un des plus anciens monastères bénédictins de Navarre et posséda un hôpital. Dans l'église actuelle, non loin du bord de la route, le chevet est roman, la nef gothique, et Renaissance le cloître voisin. A Torres, se trouve une chapelle semblable à celle d'Eunate. A Viana, on rencontre de beaux palais et des églises; dans celle de Santa María, repose César Borgia. A Logroño, où nous franchissons l'Ebre, l'hôpital, par son nom, rappelait aux pèlerins Rocamadour. Après Navarrete, on file sur Nájera, dont le monastère de Santa María fut remis en 1079 par Alphonse VI aux moines de Cluny; il renferme encore de nombreux tombeaux des rois de Navarre. Vers le sud, San Millán de la Cogolla fait lever en nous une émotion privilégiée. L'église mozarabe de Suso (d'en haut) intéresse surtout les archéologues, mais celle de Yuso (d'en bas), entourée d'un immense monastère, éblouit par le déploiement fastueux de sa décoration baroque. Dans l'église, ce ne sont que retables dorés, statues polychromes, grilles massives, toute l'exubérance d'un art que notre génération comprend de mieux en mieux. Le simple nom de Santo Domingo de Calzada rappelle le saint constructeur de chaussées. A la cathédrale, il faut s'arrêter devant le retable de Damián Forment, puis reprendre la route à travers la campagne...

Mais un changement imperceptible se fait jour. Il semble que dans le ciel vibre une âme guerrière. La cité du Cid approche, la ville héroïque qui communique à tous ses hôtes un peu de sa fière ardeur.

« Burgos possède deux histoires parallèles, apparemment ignorantes l'une de l'autre. C'est d'un côté l'histoire de la capitale de la Castille, qui a connu le Cid dans ses moments de bonne et de mauvaise fortune, qui reçoit les ambassadeurs des princes étrangers. De l'autre, c'est une étape essentielle de la route de Compostelle, aux auberges nombreuses, aux grands hôpitaux, au commerce actif, comme l'explique sa situation à la jonction de deux grands chemins de pèlerinage, l'un venant de Puente la Reina-Nájera, l'autre de Bayonne-Miranda de Ebro. » Ces lignes de Don José-María Lacarra montrent bien le double caractère de Burgos. Le voyageur d'aujourd'hui est certainement sensible à l'atmosphère guerrière et raffinée de la ville, atmosphère élaborée par des siècles d'art et d'héroïsme. La cathédrale présente toute l'évolution du gothique. L'évêque Maurice en posa la première pierre en 1221 ou 1222, et le modèle choisi fut Saint-Etienne de Bourges. Les sculptures des portails — on peut encore admirer maintenant celles de la puerta del Sarmental et de la « puerta alta », à chaque bras du transept — rappellent par l'ordonnance et l'exécution celles de nos églises du XIII^e^ et du XIV^e^ siècle. Aux XV^e^ et XVI^e^ siècles, trois architectes d'origine allemande Jean, Simon et François de Cologne construisirent les flèches, la chapelle du Connétable de Castille, Don Pedro Hernández de Velasco, et la tour-lanterne. Trois des grandes scènes sculptées qui ornent le « trascoro » (la Montée au calvaire, la Crucifixion, la Descente de croix et la Mise au tombeau) sont l'œuvre d'un artiste originaire du diocèse de Langres, Philippe Vigarny; celui-ci selon la tradition était un pèlerin de Compostelle; de passage à Burgos en 1498, il reçut la commande de la première de ces grandes scènes et devint l'un des plus grands sculpteurs de l'Espagne de la Renaissance. L'arco de Santa María, les vieilles églises, les palais comme la Casa del Cordón constituent autant de monuments remarquables que purent, avant nous, contempler bien des jacquets. Un peu en dehors de l'agglomération, le monastère de Las Huelgas fondé en 1175 par Alphonse VIII fut un des premiers du royaume par son importance et sa richesse et par le prestige de son abbesse; le cloître roman, l'église et les bâtiments gothiques, les tombeaux sculptés, les tissus retrouvés dans les tombes, tout nous ramène aux temps lointains du pèlerinage. La chartreuse de Miraflores présente dans l'église un ensemble unique de sculptures. Gil de Siloé a exécuté les tombeaux de Jean II, de la reine son épouse et de l'infant Alonso, ciselés, fouillés comme des orfèvreries, multipliant les détails charmants. Au fond du chœur, l'altar mayor possède un retable aux scènes multiples, dues au même Gil de Siloé et à Diego de la Cruz.

Tant de haltes ferventes qui scandent notre visite de Burgos, nous ont préparés à retrouver l'esprit du pèlerinage dans quelques endroits privilégiés. Irons-nous à l'hôpital San Juan, à l'entrée de la ville, à l'est, près du río Arlanzón ? Il fut donné le 3 novembre 1091 à l'abbaye de la Chaise-Dieu. Il fut gouverné par saint Adelelme (San Lesmes). Il en reste aujourd'hui le cloître et la salle capitulaire de la Renaissance; il subsiste aussi la façade gothique de l'hospice, celle de l'ancienne église dans le style de Herrera et, en face, l'église gothique de San Lesmes avec une Annonciation au portail sud. Plus magnifique nous paraîtra sans doute, à la sortie de Burgos, à l'ouest, sur l'autre rive, tout près de las Huelgas, le vaste Hospital dal Rey. Fondé à la fin du XIIe siècle et placé sous la juridiction de l'abbesse du puissant couvent voisin, il était dirigé par un prieur assisté de douze frères et de six chapelains. Alphonse VIII l'avait doté avec une générosité telle qu'il pouvait recevoir à toute heure les pèlerins sans jamais leur refuser secours. L'archevêque Jiménez de Rada, auquel on doit ces détails, précise : « Il ne manque jamais de lit pour tous ceux qui veulent y passer la nuit; des femmes et des hommes de grand cœur prennent soin des malades jusqu'à leur mort ou jusqu'à leur rétablissement, si bien que l'hôpital reflète comme un miroir toutes les œuvres de miséricorde. »

Les parties aujourd'hui conservées sont postérieures à la fondation. Sous Charles-Quint fut opérée une transformation générale qui altéra considérablement le caractère des bâtiments. La Renaissance est devenue le style dominant de l'hôpital. La porte extérieure, ou puerta del Romero, est plateresque et montre saint Jacques assis entre les armes de Burgos, de Castille et de León, avec la date de 1526. Puis l'on pénètre dans un très beau patio. Le portique supporte un Santiago matamoros; au-dessus se lit l'inscription par laquelle les jacquets se mettaient, corps et âme, sous la protection de l'apôtre :

Beatissime Jacobe
Lux et honor Hispaniae
Venerande Patrone
Custodi nos in pace.

De la galerie Renaissance, nous passons à l'église, gothique à l'origine, mais transformée postérieurement. Les battants de la porte sont admirables; ils représentent à la partie supérieure les premiers Pères en pénitence et, en-dessous, un chevalier pénitent entre saint Jacques et saint Michel, et un groupe de jacquets en marche. Deux autres patios desservent les anciens bâtiments de la maison des pèlerins et de la pharmacie.

Dans ces lieux aujourd'hui déserts, que la beauté de l'art et le prestige du souvenir enchantent de mille nuances indicibles, à proximité de la campagne, on songe à la poésie mélancolique des monuments abandonnés. L'Hospital del Rey n'est pas en ruines, loin de là; pourtant à la mémoire du voyageur il fait remonter les belles paroles de Chateaubriand dans *Le Génie du Christianisme* : « Et pourquoi les ouvrages des hommes ne passeraient-ils pas, quand le soleil qui les éclaire doit lui-même tomber de sa voûte ? Celui qui le plaça dans les cieux est le seul souverain dont l'empire ne connaisse point de ruines. »

Il est une visite que les pèlerins de Saint-Jacques, à Burgos, ne manquaient pas de faire : aller vénérer le Christ fameux de l'église des Augustins qui, depuis 1835, se trouve à la cathédrale dans une chapelle spéciale, ouverte à l'extrémité sud-ouest de l'édifice. Dans la nuit qui est tombée sur la ville, nous nous dirigeons vers les flèches qui, au-dessus des maisons, signalent la cathédrale. Une cérémonie nocturne a lieu justement. Les illuminations, assez pauvres, des projecteurs, ne rendent pas l'église féerique; elle paraît seulement irréelle et vague, et comme envolée dans une brume de nuit bleutée et de cendre phosphorescente. A l'intérieur, au-dessous du cimborio, la pierre tombale du Cid se perd dans la pénombre, et la somptueuse escalera dorada du transept monte vers un au-delà mystérieux. A l'extrémité de sa chapelle, le Santísimo Cristo, venu de chez les Augustins il y a maintenant plus de cent ans, est cerné de fidèles, d'encens, de bougies et de prières. Manier, le tailleur de Picardie, a bien décrit ce Crucifié étonnant. On racontait aux pèlerins qu'il avait été sculpté par Nicodème, trouvé en mer enfermé dans une caisse, qu'un marchand de Burgos l'avait acquis dans les Flandres et, de retour dans son pays, offert aux Augustins. On leur disait qu'on le voyait suer et Manier écrit même qu'à ce Christ on faisait la barbe et on coupait les ongles.

Loin devant nous, au bout de la chapelle et de l'adoration des fidèles, on le distingue mal. Il a les cheveux et la barbe noirs, il est vêtu d'une sorte de pagne; la tête repose sur le bras droit; les cicatrices ensanglantées de coups et de blessures semblent apparentes encore.

Les siècles ont élagué, dans cette vénération, dans cette légendaire histoire, les détails trop choquants. Et il en reste ce soir, dans la cathédrale baignée de ferveur, une clarté spirituelle qui sans doute n'a pas changé depuis des siècles.

C'est presque à soixante kilomètres au sud-est de Burgos que se trouve le monastère de Santo Domingo de Silos. Assez éloigné du « camino », il mérite le détour pour la pureté de sa paix bénédictine et la beauté unique des sculptures du cloître. A travers la campagne de Castille, austère et magnifique, inondée d'une lumière unique, par des routes médiocres, on parvient dans le « pueblo » aux abords du couvent. L'église, remaniée, offre peu d'intérêt. Les moines — Silos a été restauré en 1880 par des bénédictins français — ouvrent, avec une libéralité souriante, les portes du cloître à deux étages aux visiteurs. L'ensemble de leurs sculptures, de la fin du XI^e siècle, du XII^e et peut-être du début du XIII^e, est inégalable pour l'originalité de son inspiration orientale. A l'étage inférieur, qui est sans doute le plus beau, il faudrait examiner un à un les chapiteaux décorés de lions, de dragons, d'animaux fantastiques. A chaque angle, des bas-reliefs sont groupés deux par deux : l'Annonciation et l'arbre de Jessé; la Descente de croix et la Mise au tombeau; le Christ en pèlerin, les disciples d'Emmaüs, et le doute de saint Thomas; l'Ascension et la descente du Saint-Esprit. De l'étage supérieur, dont les chapiteaux sont historiés ou ornés d'un décor semblable à celui des galeries basses, la vue est d'une douceur poignante sur l'ensemble du cloître. Les souvenirs de l'Italie, de l'Orient se mêlent, l'air est musique et la brise est sérénité. Sous le ciel du Moyen Age où ne volaient que les anges ou les bienheureux, les monastères bénédictins étaient autant d'oasis d'incomparable paix, comme l'est encore aujourd'hui Santo Domingo de Silos[1].

Il est temps maintenant de reprendre la route vers Sahagún et León. Cette partie centrale de l'itinéraire en Espagne est aujourd'hui, pour le pèlerin scrupuleux qui désire mettre ses pas dans ceux du jacquet médiéval, une des plus difficiles à réaliser. En effet, la création de Madrid en tant que capitale a amené une transformation du réseau de communications, qui rayonne désormais autour du centre géographique de la péninsule. L'ancien « camino » a souvent déchu au rang de route secondaire et mal entretenue et même, simplement, de chemin plus ou moins empierré. Prometteurs sont cependant les noms et les descriptions de bien des « pueblos » qui possèdent encore des monuments intéressants. Pour les visiter, le voyageur moderne qui ne se sent plus le goût de la bicyclette ou de la marche à pied, l'automobiliste qui hésite à engager sa voiture dans des ornières fatales, ne peuvent que s'établir dans certaines villes — Burgos, Palencia, León — et, à partir de celles-ci, gagner les sites les plus remarquables.

Si Charlemagne n'a pas réellement parcouru les cités que nous

1. Le monastère conserve, en plus du calice, de la patène et du tau de Santo Domingo, un frontal représentant le Christ et les apôtres, d'un art très semblable à celui du retable d'émail du musée de Burgos. On sait que ce retable et le coffret d'ivoire et d'émaux du musée de Burgos proviennent de Silos. Tous ces objets rappellent le rôle que joua peut-être Silos dans l'imitation de l'émail champlevé français, et dont il a été question précédemment (voir pages 143-144).

traversons, le merveilleux de sa légende n'est pas inutile à notre méditation. Devant nous, s'étend dans sa sereine immensité, la Castille mystérieuse et lourde de soleil. Quel guerrier résisterait à l'hostilité d'un pareil pays ? Il n'est pas fait pour la lutte des armées, mais pour un autre combat, celui de l'âme et de l'ange, dont celle-là sort terrassée par celui-ci. Devant ces sites, en effet, où la lumière laisse tomber sa pluie accablante, où le firmament, au-dessus de la terre noyée d'ombre, multiplie l'apparition des étoiles, on ne peut que répéter la phrase de Pascal : « Le silence éternel de ces espaces infinis m'effraie. »

Castrojeriz présente non seulement les ruines de son château, mais plusieurs églises attachantes. A la fois gros village et petite ville, elle mérite surtout de retenir le voyageur par la collégiale, romane et gothique, dont le grand retable baroque enferme un saint Jacques pèlerin, et par l'église San Juan, riche de retables, de tombeaux et de sculptures. A Frómista, Doña Mayor, veuve de Sancho el Mayor de Navarre, fonda un monastère dont la construction était en cours en 1066, lors de la rédaction de son testament. Il n'en reste aujourd'hui que l'église San Martín, qui est celle du couvent primitif, malheureusement trop restaurée. L'allure générale de l'édifice demeure cependant magnifique avec ses trois nefs et ses sculptures romanes, qu'il faut rapprocher de celles de la cathédrale de Jaca. Villalcázar de Sirga — ce grand hameau — ne doit connaître que de loin en loin les visites des étrangers. A peine arrivés, nous sommes assaillis par les enfants de l'école et poussés plutôt que conduits vers l'église. C'est une des plus belles qui s'offrent à nous sur l'itinéraire de Compostelle. L'art gothique a donné ici un sanctuaire d'une saveur et d'une beauté rares. On s'arrête devant le transept dont le haut porche présente d'étonnantes galeries de statues et un portail admirablement sculpté avec le Christ, les symboles des évangélistes et les apôtres. A l'intérieur, c'est un musée de sculpture gothique que nous découvrons : les tombeaux de l'infant Don Philippe, frère d'Alphonse X, et de son épouse, Doña Leonor de Castro; les statues de la Vierge et de l'ange de l'Annonciation, saint Pierre et saint Paul.

Une cité plus attirante encore nous attend, radieuse de souvenirs et touchante de beauté abandonnée. Carrión de los Condes, située sur la rive gauche du río Carrión, est l'agglomération la plus importante de la Tierra de Campos et l'on y trouve encore un remarquable ensemble de monuments, témoignage de l'importance de la ville comme étape du « camino » et comme centre commercial. L'église Santa María possède un portail roman orné de statues mystérieuses. Une tradition locale les interprète comme une allusion au tribut de cent pucelles dont les chrétiens furent délivrés par l'irruption de taureaux providentiels. Dans la calle de la Rua, l'église de Santiago présente un portail roman au-dessus duquel sont sculptés le Christ et les apôtres. Après avoir franchi la rivière, on gagne le monastère de San Zoílo. Les restes du saint, martyrisé sous l'Empire romain et vénéré à Cordoue, furent transportés à Carrión. Le monastère qui les accueillit devint célèbre et prit le nom du martyr. Il reste peu de choses des bâtiments romans dans les constructions actuelles. Le cloître, commencé en 1537 par Juan de Badajoz, appartient au style plateresque le plus élégant.

Plus loin encore, au nord-ouest, nous attend Sahagún, dont la renommée pour des Français est d'abord celle de son monastère. Celui-ci était un des plus fameux de l'Espagne du Nord, quand Alphonse VI demanda à l'Ordre de Cluny de le réformer. Saint Hugues, en 1079, envoya les moines Robert et Marcellin, et Sahagún devint la plus importante maison de « moines noirs » dans le royaume. Une cinquantaine de prieurés et d'abbayes dépendaient d'elle. Plusieurs sièges épiscopaux furent occupés par ses religieux. Pourtant la ville constitue pour nous une évocation typiquement hispanique à cause de ses rues empoussiérées, de sa vie quotidienne hors du temps, de ses églises aussi, dont les briques vieillies colorent la cité de leur tonalité rouge. Il faut voir les restes de l'église abbatiale et les tours de San Tirso et de San Lorenzo. Un peu comme à Tolède, l'union de la culture arabe et de la chrétienne, célébrée par Maurice Barrès, est sensible dans l'atmosphère, dans l'histoire et dans l'art. Etonnante conciliation qu'a su réussir l'Espagne.

Au terme de routes compliquées, nous atteignons San Miguel de Escalada. Cachés jusqu'au dernier moment par un repli de terrain, totalement isolés de toute habitation dans la campagne d'une beauté idyllique, les restes du couvent mozarabe du x^e^ siècle s'offrent à nous. Dans le silence fervent de la nature, dans le chant d'insectes et d'oiseaux invisibles, dans le bruissement de l'air que parcourent quelques souffles imperceptibles, nous passons sous les arcs de la galerie latérale et pénétrons dans l'église. Là se répète la musique des arcs et des colonnes, déjà esquissée au dehors. L'architecture unit dans un poème unique la splendeur du marbre, la rigueur de l'épure et la grâce des courbes. San Miguel de Escalada montre, de manière irremplaçable, comment l'art mozarabe mit au service du vrai Dieu des souvenirs imprégnés d'islamisme.

Et maintenant nous approchons de León. Toute une partie de la ville est moderne et tirée au cordeau. La cathédrale gothique, si française d'allure, est, sur trois côtés, dégagée à l'excès au lieu de jaillir des maisons environnantes. Elle relève d'un art voisin de Notre-Dame de Reims et présente un ensemble exceptionnel de portails sculptés, de vitraux, de stalles et de peintures ; parmi celles-ci, se place au premier rang le retable exécuté par Nicolas Francés au XVe siècle.

Il faut retrouver l'âme de l'ancienne capitale. Les portails romans, le chevet et les chapiteaux de San Isidoro rappellent les débuts et la réussite de la sculpture de pèlerinage en Espagne. Dans le Panthéon, au-dessous des voûtes de la fin du XIIe siècle et de leurs fresques, s'alignent les tombeaux des rois de León, malheureusement violés par les troupes françaises pendant la guerre d'Indépendance. Près du río Bernesca, en bordure d'une place très vaste, s'élèvent les bâtiments de San Marcos. L'hôpital, dont l'origine remonte à 1152 et qui était confié à l'Ordre de Santiago, montre de magnifiques constructions platerесques. Le cloître est d'une sereine, d'une majestueuse harmonie. Au musée, installé dans une partie du bâtiment, le crucifix de Carrizo témoigne de l'importance des sculpteurs d'ivoire de l'atelier de León. Tant de souvenirs font peu à peu apparaître à nos yeux l'antique étape de Santiago et lorsque nous quittons San Marcos, un bas-relief de la façade frappe nos yeux : « Santiago matamoros » — la lutte contre les Maures, évocation d'une partie essentielle de la légende de saint Jacques.

# 20 VERS LA GALICE ET SAINT-JACQUES DE COMPOSTELLE

| | |
|---|---|
| ¿ Estarán vivos ? Serán de pedra | Sont-ils vivants, sont-ils de pierre, |
| Aqués sembrantes tan verdadeiros, | Ces visages si véritables, |
| Aquélas tunicas maravillosas, | Ces tuniques merveilleuses, |
| Aquéles ollos de vida cheos ? | Ces regards pleins de vie ? |

ROSALIA CASTRO, *Follas Novas, N'a Catedral.*

LA route actuelle de León à Santiago diffère par endroits de l'itinéraire médiéval; elle atténue sensiblement la sauvagerie grandiose de certains paysages. Les pèlerins escaladaient des monts plus redoutables encore, traversaient des solitudes bien propres à inspirer l'effroi...

A la sortie de León, nous visitons la magnifique réalisation que constitue le sanctuaire de la Virgen del Camino, tenu par les Frères prêcheurs; terminé en 1961, relevant d'un art lumineux, rigoureux et pathétique, il enchâsse, si l'on peut dire, dans un écrin moderne, une Vierge de pitié et un retable anciens. Puis nous traversons le pays austère des Maragatos et gagnons Astorga. La cathédrale mérite une longue visite pour sa façade plateresque au portail orné de multiples sculptures et pour le retable étonnant de Becerra. Nous franchissons le puerto de Manzanal et dépassons Ponferrada. Au col de Piedrafita, on pénètre en Galice et c'est bientôt l'arrivée à Lugo. Là aussi, la cathédrale nous retient. Derrière sa façade classique, elle réserve le plaisir d'une nef romane et d'un Christ qui, dans son tympan, se rattache à notre art médiéval; nous admirons deux réussites harmonieuses de l'âge baroque : le cloître et la chapelle de Nuestra Señora de los Ojos grandes.

Puis la route reprend, fort mauvaise à vrai dire, jusqu'à Santiago; aussi le voyageur préfère-t-il, d'habitude, s'imposer un long détour par La Corogne. Dès qu'on veut rechercher les souvenirs du pèlerinage, le trajet révèle ses beautés secrètes : grands monastères comme Samos ou Sobrado de los Monjes, sanctuaires médiévaux comme Puertomarín. Mais que l'on ait obéi à l'itinéraire confortable et sûr, à la reconstitution du « camino », ou au caprice du touriste épris d'histoire et d'art, le chemin aboutit à la cité qui, pour nous, représente vraiment la ville sainte et désirée, la ville de l'étoile...

* * *

A nous qui arrivons à Compostelle en 196..., qu'il est donc difficile d'évoquer la cité médiévale ! La ville actuelle est charmante et retient l'attention, car l'unité de ses monuments et de ses maisons de granit gris la pare d'une séduction mélancolique. Mais les quartiers neufs ont proliféré autour du noyau ancien, et celui-ci même s'est modifié au cours des âges. Il faut aller par les rues étroites et bordées d'arcades, et gagner les abords du sanctuaire de l'apôtre.

Imaginons quelques instants que, retournant en plein Moyen Age, nous reconstituons en pensée, telle que la décrit le *Guide du pèlerin*, non telle qu'à présent elle s'offre à nous, la cité prestigieuse. « Entre deux fleuves dont l'un s'appelle le Sar et l'autre le Sarela, s'élève la ville de Compostelle; le Sar est à l'Orient, entre le mont de la Joie et la ville; le Sarela à l'Occident. » On comptait alors sept portes; à celle du nord-est aboutissait le « camino francés ». Il y avait dix églises, dont celles de San Martín Pinario, Sainte-Suzanne, Nuestra Señora de la Corticela, qui, plus ou moins modifiées, subsistent encore. Il existait surtout, et on retrouve, derrière les adjonctions des siècles, la cathédrale.

Un admirable décor urbain scandé de quatre places entoure aujourd'hui le monument qui non seulement est le but de notre voyage, mais doit lui donner tout son sens. A l'ouest, devant l'Obradoiro baroque, qu'entourent à gauche le palais épiscopal, en partie du XIIe siècle, et les bâtiments du cloître du XVIe siècle, s'étend l'immensité de la plaza mayor. En face de la cathédrale, s'allonge le palais Rajoy, d'une ampleur royale, d'une majesté classique et un peu froide. A gauche de celui-ci, le colegio de San Jerónimo, possède un portail des premières années du XVIe siècle, encore conçu, avec sa décoration de statues, dans l'esprit gothique. A droite, l'Hospital Real, élevé de 1501 à 1511 d'après des plans d'Enrique de Egas, est aujourd'hui un parador ou hôtellerie de luxe, installé avec un goût incontestable; mais la seule présence en ces lieux des voitures les plus somptueuses de tous les pays, des majordomes galonnés et des chasseurs surprend, si elle ne scandalise pas... Au sud de la cathédrale, la place est beaucoup plus petite; le portail des Orfèvres ou puerta de las Platerías, lui a donné son nom; une fontaine y joue doucement, et un magnifique bâtiment baroque, d'une prenante saveur galicienne, la Casa del Cabildo (1758), fait face aux sculptures romanes. Au delà du chevet de l'église, s'enfuit — vrai lac de pierre rousse — la plaza de la Quintana ou de los Literarios, que borde, face à la cathédrale, le couvent de San Pelayo de Antealtares. Au nord, enfin, devant la puerta de la Azabachería, la place du même nom présente une autre construction importante de l'âge baroque, le couvent de San Martín Pinario.

Oublions, s'il se peut, la ville contemporaine que l'humidité galicienne a patinée d'un gris de cendre allègre. Dans la poésie monumentale de la pierre et du ciel, faisons surgir la cathédrale décrite par le *Guide du pèlerin*[1]. Nous la reconstituons dans la jeunesse de son architecture, de ses tours, de ses trois portails sculptés, de son plan parfaitement logique et ordonné. Elle « comporte neuf nefs dans sa partie inférieure et six dans la partie haute et une tête plus grande que les autres où se trouve l'autel du Saint-Sauveur, une couronne, un corps et deux membres et huit autres petites têtes; dans chacune d'elles se trouve un autel. » — La « tête », c'est la chapelle du Saint-Sauveur, la « couronne » le déambulatoire, le « corps » la nef, les « deux membres » le transept, les « autres petites têtes » les chapelles du chevet... Passons sur certains détails de la description, mais citons ce cri d'admiration justifié : « Dans cette église, il n'y a aucune fissure, aucun défaut; elle est admirablement construite, grande, spacieuse, claire, de dimensions harmonieuses, bien proportionnée en longueur, largeur et hauteur, d'un appareil plus admirable qu'on ne peut l'exprimer, et même elle est construite à deux étages comme un palais royal. » Puis vient cette réflexion d'une naïveté charmante : « Celui qui parcourt les parties hautes, s'il y est monté triste, s'en va heureux et consolé, après avoir contemplé la beauté parfaite de cette église. » Le visiteur d'aujourd'hui partage assurément l'opinion du guide médiéval, d'autant plus que l'intérieur de la cathédrale a été conservé presque partout dans sa beauté primitive. C'est l'extérieur qui, sauf à la puerta de las Platerías, a été complètement transformé et doit être évoqué d'après la description du *Guide*.

1. Les citations du *Guide* sont extraites, comme précédemment, de la traduction de Mlle J. Vielliard.

Sur la place que l'on appelle maintenant plaza de la Azabachería, se trouvait la fontaine élevée, en 1122, comme en témoignait une inscription, par le trésorier Bernard : « Quand nous autres, gens de France, voulons pénétrer dans la basilique de l'apôtre, nous entrons par le côté nord. Devant la porte, se trouve au bord de la route, l'hospice des pèlerins pauvres de Saint-Jacques et, au-delà, débordant la route, s'étend un parvis auquel on accède en descendant neuf marches. Au bout des degrés de ce parvis se trouve une fontaine admirable qui n'a pas sa pareille dans le monde entier; cette fontaine repose sur un socle à trois degrés qui supporte une très belle vasque de pierre, ronde et creuse, qui a la forme d'une coupe ou d'une cuve et qui est si grande que quinze hommes, il me semble, pourraient s'y baigner à l'aise. Au milieu s'élève une colonne de bronze qui s'élargit à la base et comporte sept panneaux carrés, elle est d'une hauteur bien proportionnée. Au sommet se dressent quatre lions, de la gueule desquels jaillissent quatre jets d'eau pour l'usage des pèlerins de Saint-Jacques et des habitants. »

Derrière la fontaine, le parvis au pavement de pierre était un véritable marché, comme on a eu l'occasion de le dire : « C'est là qu'on vend aux pèlerins des petites coquilles de poissons qui sont les insignes de Saint-Jacques; on y vend aussi des outres de vin, des souliers, des besaces en peau de cerf, des bourses, des courroies, des ceintures et toutes sortes d'herbes médicinales et d'autres drogues et bien d'autres choses encore. » Du même côté, au nord, là où s'élève maintenant la puerta de la Azabachería, le *Guide* décrit le portail septentrional ou « porte de France » : « Il a deux entrées qui sont l'une et l'autre ornées de belles sculptures. Chaque entrée compte à l'extérieur six colonnes, les unes de marbre, les autres de pierre, trois à droite et trois à gauche, soit six à une entrée, six à l'autre, ce qui fait en tout douze colonnes. Au-dessus de la colonne qui est entre les deux portes à l'extérieur, sur le mur, le Seigneur est assis en majesté, donnant sa bénédiction de la main droite et tenant dans la gauche un livre. Tout autour de son trône et semblant le soutenir, on voit les quatre évangélistes. A droite, les sculptures représentent le Paradis où le Seigneur figure une autre fois reprochant à Adam et Ève leur péché; et à gauche, il s'y trouve encore sous une autre effigie, les chassant du paradis. » Et il y a encore alentour « des figures de saints, de bêtes, d'hommes, d'anges, de femmes, de fleurs et d'autres créatures ». De ce portail détruit, il subsiste cependant le bas-relief d'Adam et Ève chassés du Paradis terrestre, remonté à la puerta de las Platerías.

Cette « puerta », par contre, nous est parvenue à peu près dans l'état où l'a décrite le *Guide*, qui l'appelle portail méridional. Elle comporte deux entrées et quatre vantaux. Aucun texte ne peut mieux la commenter, en dépit des mutilations, des inexactitudes, des quelques changements, que ces lignes précieuses du *Liber Sancti Jacobi* : « A la porte de droite, extérieurement, on a sculpté sur le premier registre, au-dessus des vantaux, la Trahison du Christ de façon remarquable. Ici, Notre-Seigneur est attaché à la colonne par la main des Juifs; ici, il est flagellé; là, Pilate siège à son tribunal comme pour le juger. Au-dessus, sur un autre registre, la bienheureuse Marie, mère du Seigneur, est représentée avec son fils à Bethléem ainsi que les trois rois qui viennent visiter l'enfant et sa mère, lui offrant leur triple présent, puis l'étoile et l'ange les avertissant de ne pas retourner auprès d'Hérode. Sur les jambages de cette même porte dont ils semblent garder l'entrée, il y a deux apôtres, l'un à droite, l'autre à gauche. De même, à la porte de gauche, il y a sur les montants deux autres apôtres[1]; au premier registre au-dessus de l'entrée est sculptée la Tentation de Notre-Seigneur; il y a en effet devant le Christ d'affreux anges ressemblant à des monstres qui l'installent sur le faîte du temple; d'autres lui présentent des pierres, l'invitant à les changer en pain; d'autres lui montrent les royaumes de ce monde, feignant de vouloir les lui donner si, tombant à genoux devant eux, il les adore — ce qu'à Dieu ne plaise ! Mais d'autres anges purs, les bons anges, les uns derrière lui, les autres au-dessus, viennent l'encenser et le servir. »

La description se poursuit : « Quatre lions se trouvent à ce portail, un à droite et un à gauche de chaque entrée; entre ces deux entrées, au-dessus du trumeau, il y a deux autres lions farouches adossés l'un à l'autre. Onze colonnes flanquent ce portail : à l'entrée de droite, cinq à droite et à l'entrée de gauche, tout autant à gauche; quant à la onzième, elle se trouve entre les deux portes divisant les passages d'entrée. Ces colonnes sont les unes de marbre, les autres de pierre, admirablement sculptées de figures diverses : fleurs, hommes, oiseaux, animaux. Le marbre de ces colonnes est blanc.

1. Soit inexactitude du *Guide*, soit remaniement des sculptures, on ne voit maintenant que saint André, Moïse, un évêque et une femme avec un lion.

Et il ne faut pas oublier de mentionner la femme qui se trouve à côté de la Tentation du Christ : elle tient entre ses mains la tête immonde de son séducteur qui fut tranchée par son propre mari et que deux fois par jour sur l'ordre de celui-ci, elle doit embrasser. O quel terrible et admirable châtiment de la femme adultère, qu'il faut raconter à tous ! »

Enfin « à la partie supérieure, au-dessus des autres ouvertures, vers les galeries hautes de la basilique, une décoration admirable faite de marbre blanc resplendit magnifiquement. C'est là, en effet, que se tient Notre-Seigneur debout avec saint Pierre à sa gauche, tenant à la main les clefs, et le bienheureux Jacques à droite entre deux cyprès, et saint Jean, son frère, auprès de lui; enfin, à droite et à gauche, les autres apôtres. En haut et en bas, à droite et à gauche, tout le mur est magnifiquement décoré de fleurs, d'hommes, de saints, d'animaux, d'oiseaux, de poissons et d'autres sculptures que nous ne pouvons décrire en détail. Mais il faut noter les quatre anges qui se trouvent au-dessus des passages d'entrée, avec chacun une trompette pour annoncer le jour du Jugement. »

A l'ouest, là où s'élève maintenant le Porche de la Gloire, le *Guide* décrit le portail qu'il a remplacé, et dont l'existence fut brève. « Avec ses deux entrées, [il] surpasse par sa beauté, sa grandeur et le travail de sa décoration les autres portails. Il est plus grand et plus beau que les autres et travaillé de façon plus admirable; on y accède du dehors par beaucoup de marches; il est flanqué de colonnes de marbres divers et décoré de figures et d'ornements variés : hommes, femmes, animaux, oiseaux, saints, anges, fleurs et ornements de tous genres. Sa décoration est si riche que nous ne pouvons la décrire en détail. Signalons cependant, en haut, la Transfiguration de Notre-Seigneur, telle qu'elle eut lieu sur le Thabor et qui est sculptée avec un art magnifique. Notre-Seigneur est là, dans une nuée éblouissante, le visage resplendissant comme le soleil, les vêtements brillants comme la neige et le Père au-dessus lui parlant; et l'on voit Moïse et Élie qui apparurent en même temps que lui et s'entretiennent de sa destinée qui devait s'accomplir à Jérusalem. Là aussi est saint Jacques avec Pierre et Jean auxquels, avant tous autres, Notre-Seigneur manifesta sa Transfiguration[1]. »

1. Des fragments de ce portail ont été retrouvés dans les remblais du Porche de la Gloire et présentés en 1961 à Santiago lors de l'exposition d'art roman.

Puis le *Guide* parle des tours, qui n'étaient pas toutes construites. Il énumère les différents autels et les chapelles, ainsi dans le déambulatoire celle de sainte Foy, et celle du Saint Sauveur, plus tard appelée chapelle du roi de France. Il explique que « dans cette vénérable basilique, repose, selon la tradition, le corps révéré de saint Jacques au-dessous du maître-autel élevé magnifiquement en son honneur; il est renfermé dans une tombe de marbre qu'abrite un très beau sépulcre voûté. » Jamais le corps de l'apôtre, est-il précisé, ne put être déplacé. Sur le sépulcre se trouve d'abord « un autel modeste élevé, dit-on, par ses disciples », puis, au-dessus, un autre « grand et admirable ». Le parement de celui-ci, en or et en argent, exécuté sur l'ordre de Diego Gelmírez vers 1105, est également décrit; il représente Notre-Seigneur en Majesté entre les évangélistes, les vieillards de l'Apocalypse et les apôtres. Le baldaquin du maître-autel repose sur quatre colonnes, il est entièrement peint, à l'intérieur et à l'extérieur, de sujets de l'Histoire sacrée; des sculptures, en outre, décorent l'extérieur, et trois lampes d'argent, données par Alphonse VII, brûlent perpétuellement.

L'état exact que décrit le *Guide du pèlerin* ne dura que quelques années. Si on se rappelle que son texte doit dater de 1139 environ, on constate que dès la seconde moitié du XIIe siècle, le Porche de la Gloire et la crypte située en dessous, appelée à tort « catedral vieja », la vieille cathédrale, étaient en cours d'exécution sous la direction du Maître Mathieu. En 1168, celui-ci touchait une pension de cent maravédis d'or et travaillait à l'église de l'apôtre. Une inscription atteste que les linteaux du Pórtico de la Gloria furent posés le 1er avril 1188 par ce même maître, « qui dirigea les travaux depuis les fondations ». L'ensemble des sculptures exécuté alors, et certainement terminé avant la fin du siècle, obéit à un programme iconographique grandiose, tel que le Moyen Age les aimait. Il se répartit entre une grande porte centrale, divisée par un trumeau et munie d'un tympan, et deux portes latérales plus petites. La Synagogue, l'Eglise des Juifs, occupe celle de gauche; aux archivoltes, on voit le Sauveur bénissant et tenant le Livre de la vie éternelle, Adam et Ève et Abraham, Isaac, Jacob, Judas du côté d'Adam, Moïse, Aaron, David et Salomon du côté d'Ève; sur les côtés, au-dessus d'animaux fantastiques, les colonnes portent quatre statues de prophètes qui ont été diversement identifiés. La grand porte du centre est consacrée à l'Eglise du Christ. Celui-ci figure au centre du tympan, en rédempteur, assis entre deux anges thuriféraires et les quatre évangélistes; plus bas, d'autres anges portent les instruments de la Passion. A l'archivolte sont répartis les vingt-quatre vieillards de l'Apocalypse. A gauche et à droite, au-dessus d'animaux fantastiques, des piliers supportent, d'un côté, les prophètes de l'ancienne Loi, Jérémie, Daniel, Isaïe, Moïse, de l'autre, saint Pierre, saint Paul, saint Jacques et saint Jean, fondements de la religion catholique; les chapiteaux complètent cet ensemble iconographique. Au trumeau, le chapiteau représente la Trinité; au-dessous, saint Jacques le Majeur, assis, tient d'une main une haute canne et de l'autre un phylactère sur lequel est écrit : « Missit me Dominus », « C'est le Seigneur qui m'a envoyé »; à la partie inférieure, une colonne est sculptée d'un arbre de Jessé, et le socle comporte une statue agenouillée, appelée populairement le « Santos d'os croques » et figurant, selon la tradition, le maître Mathieu. La porte latérale de droite paraît dédiée à la vocation du monde païen, appelé au règne du Christ, selon *La Cité de Dieu*; les statues d'apôtres placées sur les colonnes et les figures des archivoltes sont d'identification difficile. La décoration sculptée se poursuivait autrefois en avant du Pórtico, mais les travaux de la façade actuelle n'en ont laissé subsister qu'une partie, notamment, en face de l'arc du centre, saint Jean-Baptiste et Esther[1].

De même que la cathédrale de Compostelle, en tant qu'église de pèlerinage, appartient à une famille qui a été élaborée dans notre pays, le Porche de la Gloire, quoiqu'il date du début du gothique, se situe dans la lignée des grands portails romans de Vézelay, Autun, Conques, Moissac. On a même longtemps pensé que le maître Mathieu était peut-être d'origine française, mais l'ensemble admirable qui lui est dû est nettement plus hispanisé que l'architecture de l'édifice en ses parties romanes. L'originalité de l'artiste a été clairement montrée par M. Georges Gaillard. Puisant à des sources et à des traditions variées, s'inspirant de l'Ancien et du Nouveau

1. Des statues enlevées au Porche de la Gloire lors de la construction de l'Obradoiro appartiennent au musée de Pontevedra et à une collection privée de Galice. Le maître Mathieu était aussi l'auteur du chœur en pierre de la cathédrale, dont des fragments ont été présentés à Santiago en 1961 lors de l'exposition d'art roman.

Testament, il a pourtant donné à son œuvre l'unité; il est l'héritier de la technique des sculpteurs de León; il a su combiner l'emploi du marbre et du granit et s'inspirer du portail roman qui précéda le Porche de la Gloire. Il possède l'amour des formes, un sens personnel des masses et du relief, le don du mouvement qui semble entraîner les statues et le décor hors de leur cadre. Ce « Porche » fameux relève donc moins directement de l'influence française que les sculptures de San Vicente d'Avila et son style est plus évolué que celui des statues de la Cámara santa d'Oviedo. Au total, il se place parmi les réussites inoubliables de l'art universel.

Aux XV<sup>e</sup> et XVI<sup>e</sup> siècles, trois archevêques de la famille de Fonseca contribuent grandement à l'embellissement de la cathédrale. Le plan du cloître fut donné par Juan de Alava; Rodrigo Gil de Hontañón le respecta en ce qui concerne l'intérieur, mais conçut les extérieurs selon ses propres idées, dans le goût de la Renaissance; les trois façades, à gauche de la puerta de las Platerías, sur la calle de Fonseca, sur la plaza mayor, même si elles ne furent que partiellement édifiées par lui, unissent très heureusement la majesté, la sévérité et l'élégance; les tours de la Corona, à l'angle de la plaza Mayor et de la calle de Fonseca, et del Tesoro, à l'angle de cette même rue et de la plaza de las Platerías, scandent avec bonheur la fuite des murs altiers.

L'âge baroque allait doter la Galice, et particulièrement Compostelle, de constructions d'une grande beauté dans lesquelles la force architecturale, grâce à l'emploi du granit, se combine harmonieusement avec l'invention décorative. De grands artistes, qui sont aussi des théoriciens, construisirent églises, cloîtres, couvents, palais. Ainsi, à la cathédrale de Compostelle, la tour de l'Horloge fut achevée vers 1680 par Domingo de Andrade — elle avait été commencée dès le XIV<sup>e</sup> siècle. En 1665, on termine la nouvelle coupole du « crucero »; à la même époque fut renouvelée la décoration du chœur. Sur la place de los Literarios, des bâtiments vinrent masquer complètement le chevet de l'édifice; une porte fut ouverte vers la dépendance où sont conservés les huit « gigantones », ces mannequins géants qui représentent les pèlerins de divers pays; une autre, la « puerta santa », que surmontent les statues de Santiago et de ses compagnons Athanase et Théodore, ne s'ouvre que pour les années saintes et jubilaires. A l'ouest fut élevée la façade principale, celle de l'Obradoiro. Après diverses modifications aux XVI<sup>e</sup> et XVII<sup>e</sup> siècles, elle a été élevée et menée presque jusqu'à son terme dans la première moitié du XVIIIe siècle par Fernando de Casas y Novoa. L'architecte, obligé de tenir compte de certaines parties déjà existantes, l'a conçue comme un arc de triomphe monumental, très élancé, qui, entre deux tours, accueille les pèlerins de toutes les parties du monde venus rendre hommage à l'apôtre; la statue de celui-ci domine la partie haute. Le chapitre décida l'exécution de la façade en 1738; elle n'était pas tout à fait achevée à la mort de Casas en 1749, mais touchait à sa fin. L'œuvre sculptée est due à Gregorio Fernández, Antonio Baamonde, Francisco Lens et Antonio Nogueira.

Dans la deuxième moitié du XVIIIe siècle, on reconstruisit la façade de la plaza de la Azabachería. Le projet primitif fut modifié par Ventura Rodríguez. Les travaux s'achevèrent en 1770, mais le résultat n'est pas aussi heureux que celui de l'Obradoiro; la nouvelle façade septentrionale ne laisse pas, aujourd'hui, de nous paraître hybride.

* * *

On ne se lasse pas de faire plusieurs fois le tour de la cathédrale à l'extérieur, comme si l'on voulait, avant d'y pénétrer, se remplir les yeux pour toujours de cette réussite extraordinaire de majesté monumentale et d'invention décorative. Les eaux coulent dans la fontaine de la plaza de las Platerías; l'ombre est douce sur les sculptures romanes du portail, autant que sur la Casa del Cabildo; le soleil joue sur le couronnement extérieur du cloître; les tours de l'Horloge et du Trésor paraissent la double évocation d'un campanile de Saint-Marc; les arcades de la rua del Villar s'enfuient selon une courbe capricieuse; l'air même est léger — il semble que dans cette place les souvenirs de tant de siècles se fondent dans une joie discrète, une musique de l'âme, dont certaines vibrations sont vénitiennes.

Tout change lorsqu'on se dirige vers la plaza de los Literarios. Face aux constructions baroques de la puerta de la Quintana, à l'élancement étagé du chevet, le sol se dérobe, comme happé par le mur haut et nu du couvent de San Pelayo, et brisé sur toute sa largeur par quelques marches.

Des quatre places qui entourent la cathédrale, celle de la Azabachería est la moins émouvante. Aussi, passant sous le palais épiscopal, nous descendons vers la plaza mayor. Oublions que l'Hospital Real est un palace, pensons seulement à son architecture, à la beauté de ses cours disposées en croix autour de la chapelle. Regardons, combien plus petit, mais si savoureux, si attachant, le Colegio San Jerónimo. Le palais Rajoy, plus impersonnel, ajoute à l'ensemble l'accent de la majesté classique. Puis retournons-nous. Un regard de côté vers la façade du cloître, ses hautes fenêtres ornées, sa galerie supérieure penchée sur l'arrivée séculaire des pèlerins et balayée par le vent de Galice. Et bientôt on ne voit plus que l'Obradoiro : élancé, aérien dans le ciel qu'il découpe, chargé et rechargé de sculptures, les entraînant dans son vol comme un peuplement de plantes et d'oiseaux, incomparable et surprenant, architecture et décor à la fois, arc de triomphe que le couchant traverse chaque soir pour enflammer de sa lumière le Porche de la Gloire.

Il est temps d'entrer... La beauté parfaite de la cathédrale ne peut décevoir la plus ardente attente. Dans la crypte située sous le chœur, à l'intérieur d'une châsse moderne, sont enfermées les reliques retrouvées au siècle dernier. Nous y descendons, mais pour nous recueillir, nous attendrons d'arriver devant le trumeau du Pórtico de la gloria. Dans la colonne qui supporte la statue de Santiago, dans l'Arbre de Jessé, des trous ont été creusés par les doigts des pèlerins parvenus au terme de leurs fatigues. Nous imitons leur geste et posons la main sur cette colonne, à laquelle aboutirent tant de voyageurs soutenus par la foi; puis notre regard se dirige vers les sculptures.

Le monde qu'a créé le Maître Mathieu revit à tout instant, éclatant ou mystérieux, noyé de soleil ou enveloppé d'ombre selon les heures. Un frémissement intense le parcourt. Comme la poétesse galicienne Rosalia Castro, on s'interroge :

> Sont-ils vivants, sont-ils de pierre,
> Ces visages si véritables,
> Ces tuniques merveilleuses,
> Ces regards pleins de vie ?

Oui, un frémissement intense parcourt ce monde sculpté et nous entraîne, par delà l'émotion esthétique, vers quelque chose qui est bien davantage.

La leçon que donne la cathédrale, la ville même de Compostelle la fournit pareillement. Dans la diversité des époques et des styles,

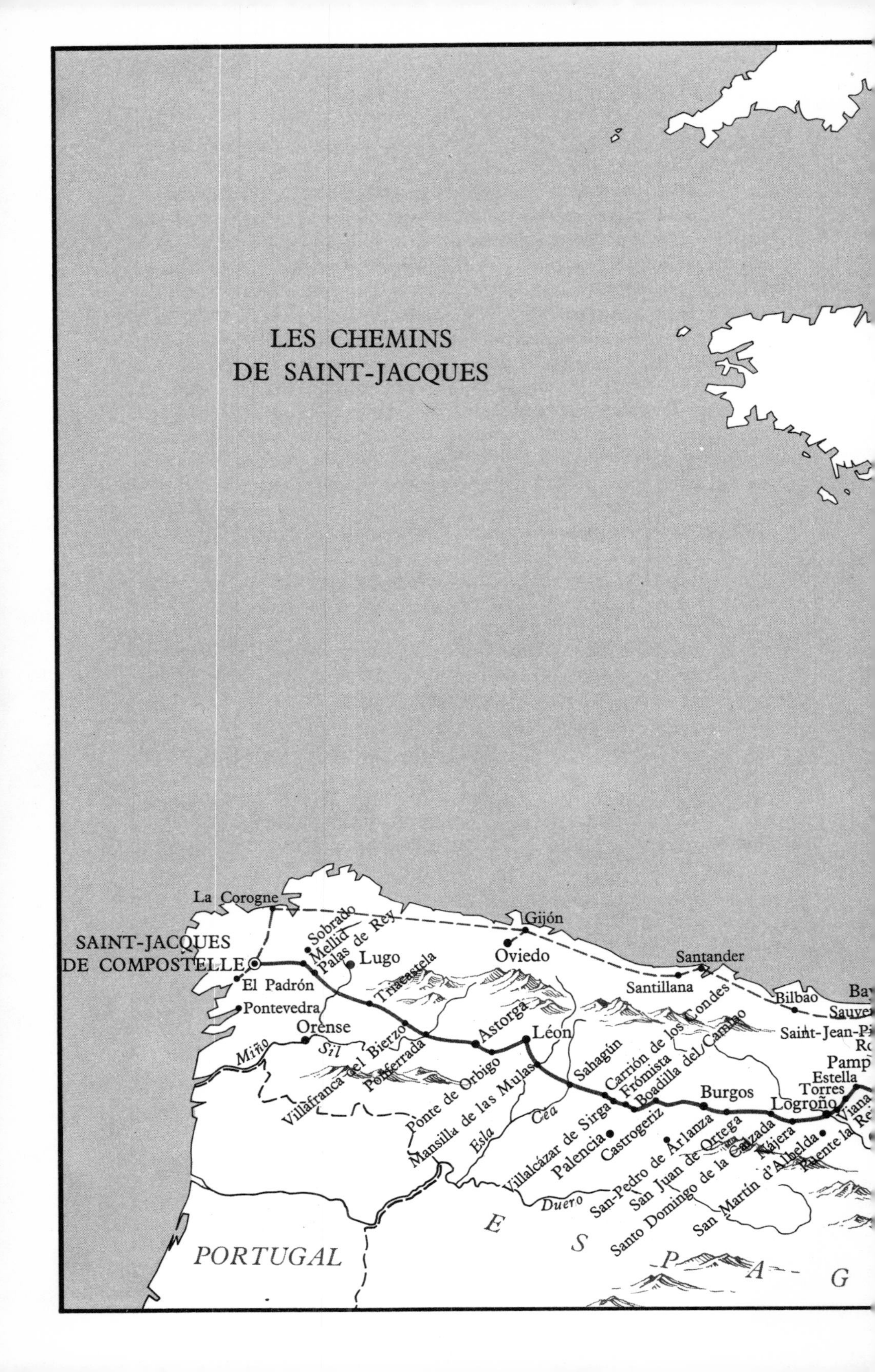
LES CHEMINS
DE SAINT-JACQUES
La Corogne
Gijón
SAINT-JACQUES
DE COMPOSTELLE
Sobrado
Mellid
Palas de Rey
Lugo
Oviedo
Santander
El Padrón
Triacastela
Santillana
Bilbao
Pontevedra
Astorga
Carrión de los Condes
Orense
Léon
Boadilla del Camino
Miño
Sil
Bierzo
Ponferrada
Sahagún
Frómista
Villafranca del Bierzo
Ponte de Orbigo
Mansilla de las Mulas
Burgos
Estella
Torres
Logroño
Viana
Cea
Esla
Villalcázar de Sirga
Palencia
Castrogeriz
San-Pedro de Arlanza
San Juan de Ortega
Santo Domingo de la Calzada
Nájera
San Martín d'Albelda
Duero
E
S
P
A
G
PORTUGAL

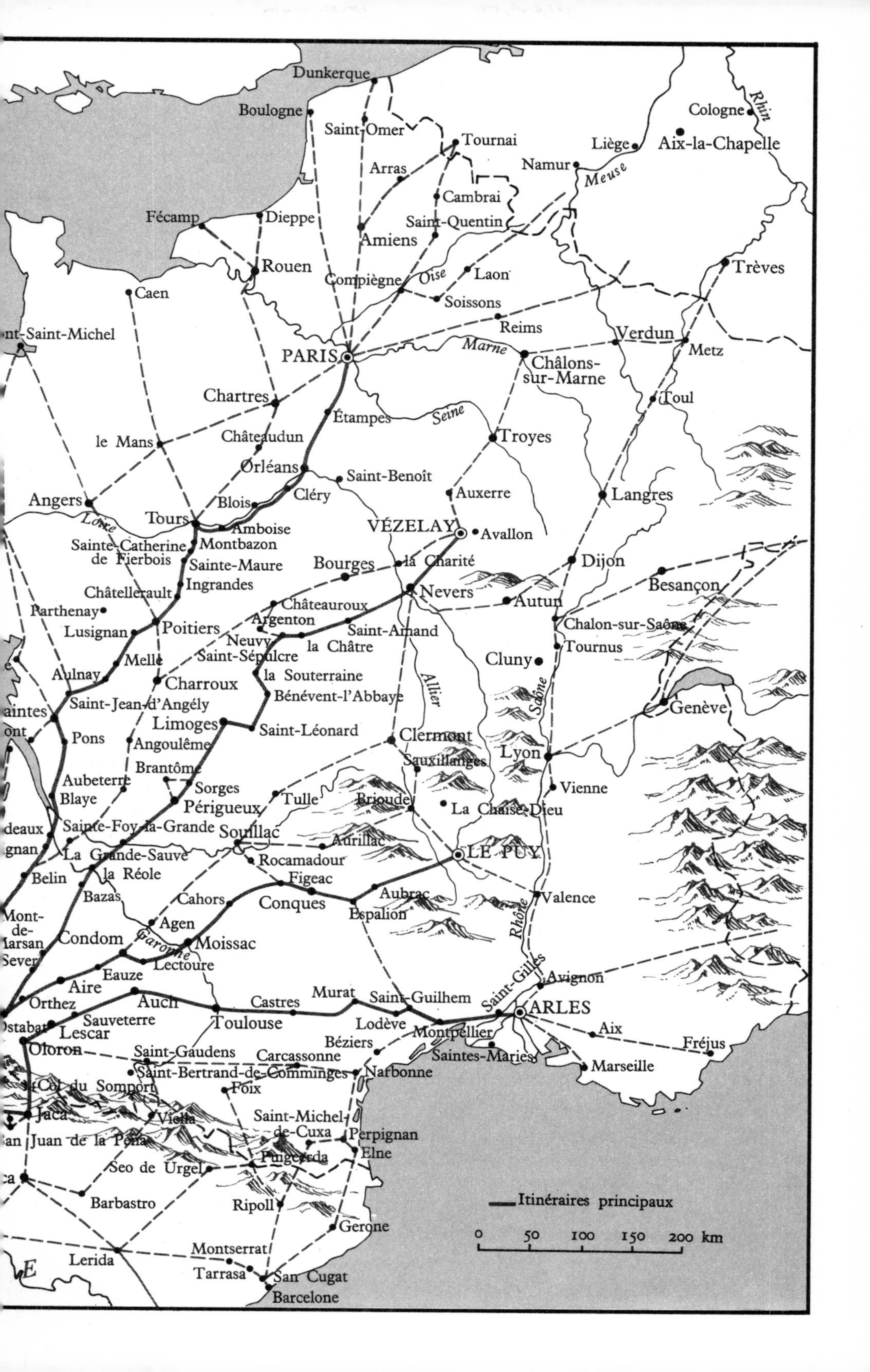

Dunkerque
Boulogne
Saint-Omer
Tournai
Cologne
Rhin
Liège
Aix-la-Chapelle
Namur
Meuse
Arras
Cambrai
Fécamp
Dieppe
Saint-Quentin
Amiens
Rouen
Compiègne
Oise
Laon
Trèves
Caen
Soissons
Reims
Verdun
Metz
PARIS
Marne
Châlons-sur-Marne
Chartres
Toul
Étampes
Seine
le Mans
Châteaudun
Troyes
Orléans
Saint-Benoît
Angers
Blois
Cléry
Auxerre
Langres
Loire
Tours
Amboise
VÉZELAY
Avallon
Sainte-Catherine de Fierbois
Montbazon
Sainte-Maure
Bourges
la Charité
Dijon
Châtellerault
Ingrandes
Nevers
Besançon
Parthenay
Châteauroux
Autun
Lusignan
Poitiers
Argenton
Saint-Amand
Chalon-sur-Saône
Neuvy Saint-Sépulcre
la Châtre
Tournus
Melle
Cluny
Aulnay
Charroux
la Souterraine
Allier
Saône
Saint-Jean-d'Angély
Bénévent-l'Abbaye
Genève
Limoges
Saint-Léonard
Pons
Angoulême
Clermont
Lyon
Brantôme
Sauxillanges
Aubeterre
Sorges
Vienne
Blaye
Périgueux
Tulle
Brioude
La Chaise-Dieu
Sainte-Foy-la-Grande
Souillac
Aurillac
La Grande-Sauve
Rocamadour
LE PUY
Belin
la Réole
Figeac
Bazas
Cahors
Conques
Aubrac
Valence
Espalion
Agen
Rhône
Condom
Garonne
Moissac
Lectoure
Saint-Gilles
Avignon
Eauze
Aire
Orthez
Auch
Castres
Murat
Saint-Guilhem
ARLES
Sauveterre
Lescar
Toulouse
Lodève
Montpellier
Aix
Oloron
Béziers
Fréjus
Saint-Gaudens
Carcassonne
Saintes-Maries
Marseille
Saint-Bertrand-de-Comminges
Narbonne
Col du Somport
Foix
Jaca
Viella
Saint-Michel-de-Cuxa
Perpignan
Juan de la Peña
Puigcerda
Elne
Seo de Urgel
Barbastro
Ripoll
Itinéraires principaux
Gerone
0 50 100 150 200 km
Montserrat
Lerida
Tarrasa
San Cugat
Barcelone

une unité se fait jour : la splendeur, la réussite continue du pèlerinage en des temps — au XVII^e, au XVIII^e siècle, par exemple — où on pourrait le croire en décadence. Ainsi s'explique la floraison de tant de monuments et d'œuvres d'art : églises médiévales de Santa María la Real de Sar, dont les piliers s'évasent avec une saveur toute campagnarde, de Santa María Salomé, à l'extérieur si humble, si rustique... Patio Renaissance du collège de Fonseca, embaumé de fleurs dans la corbeille de ses galeries parfaites... Retables baroques, comme celui de San Martín Pinario, surchargés de colonnes plus qu'ils ne sont portés par elles, croulant sous les ors et jaillissant cependant, grouillants de statues, envahis de vignes mystiques...

Et dans l'antique royaume de Galice, la leçon se répète. Le Porche de la Gloire fut imité à la cathédrale d'Orense au cœur d'un vieux quartier humide de pluie et de piété. L'influence française — celle de Saint-Denis — se retrouve dans le monastère ruiné de Carboeiro. Et les grands couvents, en tout ou en partie baroques, d'Osera, Celanova, Sobrado, prodiguent la noblesse, la majesté, l'invention heureuse.

Oui, l'enseignement que donnent les chefs-d'œuvre aux voyageurs demeure, dans les nuances diverses de leur éclairage, d'une étonnante unité. Celui de Saint-Benoît est aussi celui de Conques, celui de Santiago, celui de la Galice : le plaisir de l'art n'est que le signe ou l'expression d'une plus haute allégresse. Nous savons désormais — les « chemins de Saint-Jacques » peuvent l'apprendre à chacun de nous — que les facettes de nos joies, de nos inquiétudes, de nos aspirations éclatent d'une identique clarté, car on ne peut se satisfaire seulement de cathédrales, de sculptures, de paysages, ni de problèmes, il faut aspirer aux châteaux de l'âme.

# MISE AU POINT SUR LES PRINCIPAUX PROBLÈMES ARTISTIQUES 1966-1982

Depuis 1966, notre connaissance des problèmes artistiques a évolué. Il est souhaitable, ici, de faire le point à propos des principaux d'entre eux. Les apports majeurs, que nous résumons, sont dus à Marcel Durliat, que nous citerons souvent [1].

* * *

Les ressemblances architecturales entre les cinq grandes églises des chemins de Saint-Jacques — Saint-Martin de Tours, Saint-Martial de Limoges, Sainte-Foy de Conques, Saint-Sernin de Toulouse et la cathédrale de Compostelle — s'imposent, on s'en souvient, avec évidence. Le plan frappe par l'ampleur et la logique du développement, par l'harmonie qu'il offre avec l'élévation et par l'adaptation, apparemment toute naturelle, aux besoins du pèlerinage. Autour du chœur, du transept et de la nef se déploient le déambulatoire, les chapelles rayonnantes et les collatéraux et, au-dessus, les tribunes ; la nef, qui n'a pas de fenêtres hautes, est voûtée en berceau semi-circulaire sur doubleaux ; les collatéraux le sont à voûtes d'arêtes et les tribunes en quart de cercle ; ces tribunes ouvrent sur la nef par des fenêtres géminées, que couvrent des arcs en plein cintre.

Pourtant, le problème que pose la parenté entre les cinq édifices est ardu. Il ne faut jamais oublier que la fonction, et non le chemin, a créé les caractères de ce type et qu'il ne doit être séparé ni de l'évolution de l'art roman ni de celle de l'art gothique ni de l'élaboration de sanctuaires de pèlerinage, comme Saint-Rémi de Reims, situés en dehors du réseau des itinéraires de Compostelle. Établir la chronologie du début des travaux sur chacun des cinq grands chantiers oblige, pareillement, à une constante prudence. Lors des premières éditions de ce livre, une présentation de synthèse avait été esquissée, qui tenait compte des liens entre les cinq monuments, de leurs dates et des relations avec l'architecture contemporaine. Saint-Martin de Tours, croyait-on alors, avait offert, dès le temps du trésorier Hervé, entre 997-1003 et 1014, un chœur à déambulatoire et chapelles rayonnantes, réellement magnifique et déjà caractéristique des églises de pèlerinage. A Saint-Martial de Limoges, les commencements de la reconstruction de l'édifice définitif sont peut-être antérieurs à 1062 ; la consécration eut lieu en 1095 et l'on doit à l'abbé Adhémar (1063-1104) les voûtes de la nef, des ouvrages de peinture et décoration et les bâtiments principaux de l'abbaye. L'œuvre de Saint-Sernin, à partir de 1080, fut d'abord menée très rapidement et le maître-autel consacré en 1096. Puis Raymond Gayrard, aux alentours du changement de siècle, donna aux travaux une impulsion telle qu'en 1118 il avait été bâti le transept, y compris ses murs extérieurs, et les bas-côtés de la nef, avec leurs fenêtres ; l'ouvrage, par la suite, traîna, mais des parties essentielles avaient été élevées avant Raymond Gayrard et au temps de celui-ci. A Saint-Jacques, le début du chantier remonte à 1078 ; peut-être fut-il précédé de travaux préliminaires. La première étape s'acheva en 1088, quand Diego Peláez perdit son évêché. Deux ans plus tard, la seconde commença. Diego Gelmírez, le nouveau titulaire du siège, poussa activement le chantier. On place la fin du gros œuvre vers 1122 et la conclusion générale en 1128. Sainte-Foy de Conques, en raison de l'adoption successive du plan bénédictin, puis de celui des églises de pèlerinage, pose des difficultés propres et se situe à part. Mais de cet ensemble de données, il résultait, semblait-il, lors des premières éditions de ce livre, que dans les quatre autres grandes églises avaient été élaborés les caractères propres au groupe : le chœur avait été d'abord trouvé à Saint-Martin de Tours, les autres éléments mis au point dans un laps de temps relativement court. Français d'origine, international par les liens entre évêques, abbés et maîtres d'œuvre, ce type avait atteint sa perfection à la cathédrale de Saint-Jacques de Compostelle et il paraissait même que cette perfection avait, ensuite, en retour, inspiré la réfection de Saint-Martin de Tours.

La synthèse ainsi présentée en 1964 et 1966 doit être révisée depuis que Charles Lelong, de 1973 à 1975, a renouvelé l'histoire de Saint-Martin de Tours. Le chevet, si remarquable, à déambulatoire, que l'on croyait y trouver pour la première fois dans l'histoire de cette catégorie d'églises, n'est plus considéré comme celui de la construction d'Hervé ; il a été élevé, plus tard, à partir de 1096, après que le feu eut ravagé l'édifice bâti par le trésorier ; puis la nef fut édifiée « à l'image » de celle de Compostelle, comme l'avait jadis noté, à juste titre, l'auteur du *Guide du pèlerin*. La synthèse antérieure, privée de cet élément, doit être largement revue. L'abbaye de Conques continue d'exiger un traitement à part, en raison de son appartenance latérale, en quelque sorte, à la famille. Les parties antérieures du chevet traduisent des « archaïsmes », du milieu du XIe siècle ; quant aux parties hautes, elles se rattachent à une transformation notable, opérée vers 1100. Au sujet des autres édifices, il faut maintenant adopter la vision suivante : « Le véritable parti des églises dites à tort de l'école des routes de pèlerinage, ne s'est vraiment défini qu'autour de 1075, pour se réaliser dans le dernier quart du XIe et au début du XIIe siècle. Il est capital d'observer que sa mise en place s'effectue à peu près au même moment dans les cinq églises, car cette constatation permet de retrouver une réalité que les mots risquaient de dissimuler. Ce que recouvre le concept d'« école des routes de pèlerinage », c'est la mise au point, dans un court laps de temps, pour un très petit nombre d'églises riches en reliques, d'une des plus belles créations romanes. Cette formule apparaît au moment où, partout en Occident, la grande église romane prend corps avec des particularités qui tiennent à la fois à la force des traditions et au génie des architectes » (M. Durliat, 1977).

La puissance des influences, des souvenirs ou, du moins, des évocations arabes au Puy, en particulier à la cathédrale, est liée, de manière indissoluble, pour les pèlerins, les voyageurs ou les historiens à la connaissance de cette ville, point de départ de la « via podensis ». Émile Mâle a écrit, à ce sujet, des phrases suggestives et Ahmed Fikry publié, en 1934, un livre entier sur *L'Art roman du Puy et les influences islamiques.* Pourtant il faut, dans ce chapitre aussi, enregistrer qu'il y eut, précédemment, tendance à généraliser abusivement et que l'on chercha bien loin des comparaisons qui pouvaient être opérées à proximité. Car il est, au moins, un cas où le rapprochement avec l'architecture islamique ne peut plus se soutenir, c'est celui des coupoles de la cathédrale.

Ce fut à tort, en effet, que l'on cita couramment la célèbre église comme l'illustration d'« un parti architectural très rare, celui des édifices romans dont la nef, encadrée par des collatéraux, est entièrement couverte d'une file de coupoles sur trompes », car ces coupoles n'ont constitué que tardivement un élément d'unité caractéristique. Vers 1100, les quatre travées et le transept étaient voûtés en berceau ; un demi-siècle plus tard, deux coupoles furent construites au-dessus des travées qui étaient alors la première et la deuxième et sont aujourd'hui la troisième et la quatrième ; à la suite, on en bâtit deux autres, que l'on surmonta aussi de coupoles. Et « jusqu'à la fin du Moyen Age, la cathédrale du Puy demeura un édifice composite, dont toute la partie orientale — transept et extrémité de la nef — était couverte de voûtes en berceau, alors que les quatre premières travées du vaisseau central arboraient de hautes coupoles sur trompes hémisphériques. On n'entreprit de lui conférer une unité de style qu'au XVIe ou au début du XVIIe siècle, en construisant deux nouvelles coupoles dans les travées orientales de la nef. Encore procéda-t-on aux moindres frais et uniquement pour faire illusion, puisque ces coupoles étaient alors en bois, semble-t-il. La dernière fut refaite vers le milieu du XVIIIe siècle. » Mallay, l'architecte et le restaurateur de l'édifice à partir de 1842, prenant modèle sur celle de la croisée du transept et disposant, en outre, des éléments qu'il inventa, est l'auteur, dans l'Est de la nef, de la cinquième et de la sixième. Quant aux coupoles les plus anciennes, il ne faut pas en chercher l'origine dans le monde oriental, sassanide ou musulman, mais simplement dans un groupe d'églises lyonnaises, dont l'abbatiale Saint-Martin d'Ainay, dans la métropole des Gaules, offre encore un exemple à la croisée du transept. On y retrouve « les huit pans inégaux, le tambour percé de quatre ouvertures et enrichi d'une arcature reposant sur des colonnes géminées par l'intermédiaire de chapiteaux ornés, enfin les trompes d'une structure tout à fait originale » (M. Durliat, 1976).

La préférence des historiens pour une naissance simultanée des églises de pèlerinage rappelle la tendance analogue manifestée, bien auparavant, à propos de la sculpture. Cependant les données du problème se présentent, cette fois, de manière assez différente. Alors que l'étude de l'architecture concernait seulement quatre ou cinq églises, celle de la sculpture réunit un nombre bien plus élevé de monuments. Les variations stylistiques sont, d'habitude, considérables au long de la partie française des itinéraires ; on est frappé, au contraire, par la parenté, en Espagne même, au long « *camino francés* ». Il faut réunir les cathédrales de Pampelune et de Jaca, Santa Maria d'Iguacel et San Juan de la Peña, la grande chapelle du château de Loarre, San Martín de Frómista, San Isidoro de León et la cathédrale de Compostelle. A ce groupe, il faut ajouter, en France, Saint-Sernin de Toulouse et Saint-Pierre de Moissac et, aussi, la collégiale de Saint-Gaudens et Sainte-Foy de Morlaas.

L'inspiration antique, en dépit de sources diverses, constitue un des caractères d'unité. Elle s'est manifestée d'abord dans le décor des chapiteaux, issu de la feuille d'acanthe à travers l'Antiquité tardive ou l'époque mozarabe. Puis des animaux, surtout lions et oiseaux, traités moins pour eux-mêmes que comme motifs ornementaux, ont été introduits dans le monde végétal. Et l'homme, à son tour, est apparu. A Moissac et à Toulouse, les plaques d'ivoire, à Jaca et à Frómista, les sarcophages romains ont servi de modèles. Serafín Moralejo a découvert qu'un chapiteau de Frómista (musée de Palencia) transpose « l'Orestie » d'un sarcophage du temps d'Hadrien, maintenant conservé au musée archéologique de Madrid, mais provenant de Husillos, non loin, justement, de Frómista. Une pensée religieuse cohérente s'exprime, enfin, dans les archivoltes et le tympan, où se trouve l'explication, par excellence, de l'ensemble iconographique.

La reconstitution de cette évolution est facilitée par les rectifications de dates de certains monuments espagnols. On a renoncé à croire que la cathédrale de Jaca était en cours d'édification en 1063. Grâce à John W. Williams, on sait qu'à San Isidoro de León la chapelle funéraire des rois, en avant de l'église, serait l'œuvre non de Ferdinand Ier de Castille (1037-1065) et de sa femme, Doña Sancha (ils auraient reconstruit seulement l'église elle-même), mais de leur fille Doña Urraca. Le même historien, étudiant la porte des orfèvres de la cathédrale de Compostelle, a repris la réflexion à propos de l'inscription gravée sur la statue de saint Jacques figuré entre deux arbres : ANF(ONS)US REX. On pensait que le souverain était Alphonse VI de Castille ; la date de sa mort, en 1109, fournissait celle de l'achèvement, approximatif, de la façade. Mais cette inscription peut se rapporter à son fils Alphonse VII...

Les débuts de l'évolution, pendant le premier quart du XIe siècle, se placent à Saint-Sernin de Toulouse et à San Isidoro de León ; les sculpteurs de Compostelle, après avoir travaillé latéralement, ont rejoint ensuite le courant majeur. Cette époque est marquée par des « recherches parallèles sur des chapiteaux ornés de feuilles d'acanthe, de fleurons, de palmettes et de quelques figures. « La Porte des comtes, à Saint-Sernin, offre le premier exemple de portail. Tandis que s'achève le XIe siècle, les chapiteaux deviennent plus riches et plus variés et, surtout, l'homme paraît sous le ciseau des sculpteurs. C'est le temps de Bernard Gilduin à Toulouse et des créateurs de Frómista, Jaca et Moissac. Durant les années 1110-1115 est trouvée la formule du grand portail roman, à la Porte de France et à celle des orfèvres, à Compostelle, à la Porte Miégeville, à Saint-Sernin, et aux Portes de l'Agneau et du Pardon, à San Isidoro de León. Ainsi « au lieu d'expliquer les rapports existant entre le Sud-Ouest de la France et le Nord-Est de la péninsule ibérique par un jeu d'influences perçu sur le mode des conquêtes impérialistes, nous les concevons comme le résultat du développement harmonieux de centres artistiques possédant leur originalité propre, mais partageant également un goût commun pour une certaine antiquité retrouvée » (M. Durliat, 1977).

Jacques Bousquet a consacré sa thèse de doctorat, publiée en 1973, à *La Sculpture à Conques aux XIe et XIIe siècles*. Il s'est élevé contre la réputation d'isolement faite à l'abbaye ; il a montré qu'elle se trouvait, au contraire, à un nœud de communications, près des pacages de troupeaux transhumants et qu'elle possédait une sorte d'empire sous les abbés Odolric (avant 1031-1065) et Bégon (vers 1087-1107). Il a expliqué qu'à son avis le fameux tympan doit être considéré non pas comme un ouvrage à part, mais dans la suite de Moissac et avant Beaulieu et Saint-Denis.

1. Les citations de cette « Mise au point » sont toutes tirées des études de Marcel Durliat. On retrouvera, facilement, chacune d'entre elles grâce à l'année de publication que nous avons, chaque fois, précisée; voir les additions à la bibliographie.

# BIBLIOGRAPHIE SOMMAIRE

Cette bibliographie a seulement pour but de guider le lecteur cultivé vers les principales études consacrées aux Chemins de Saint-Jacques. Elle ne prétend nullement être exhaustive. Destinée au public français, elle insiste naturellement sur les ouvrages et articles publiés dans notre langue.

## 1. ÉTUDES GÉNÉRALES

CARRO GARCÍA (Jésús). — *Estudios jacobeos.* Saint-Jacques-de-Compostelle, 1954.

DANIEL-ROPS. — *Sur le chemin de Compostelle.* Paris, 1952.

DEFOURNEAUX (Marcelin). — *Les Français en Espagne aux XI*e *et XII*e *siècles.* Paris, 1949.

FITA (F.-J.) et VINSON (J.). — *Le codex de Saint-Jacques de Compostelle.* Paris. 1888.

FLÓREZ. — *España sagrada.* T. XX, *Historia Compostelana,* Madrid, 1765.

LAMBERT (Élie). — *Etudes médiévales,* 4 vol., Toulouse, 1956-1957. — Se reporter spécialement au t. Ier, 4e partie : *Études sur le pèlerinage de Compostelle,* et au t. III, 3e et 4e parties : *Synthèses hispaniques, Rayonnement de l'art hispano-mauresque.* Le tome IV comprend des cartes des chemins de Saint-Jacques, des coupes et plans des églises de pèlerinage et des illustrations. Au début du tome Ier figure la bibliographie des études d'Élie Lambert ; certaines, non reprises dans cet ouvrage d'ensemble, intéressent notre sujet. — Nous désignerons ces volumes sous le titre de *Études médiévales.*

LE GOFF (Jacques). — *La civilisation de l'Occident médiéval.* Paris, Arthaud, 1964.

LÓPEZ FERREIRO (A.). — *Historia de la Santa Iglesia de Santiago de Compostela,* 11 vol., Saint-Jacques de Compostelle, 1898-1909.

MÂLE (Émile). — *L'art religieux du XII*e *siècle en France.* Paris, 1922.

MÂLE (É.). — *Les saints compagnons du Christ,* Paris, 1958.

OURSEL (Raymond). — *Les pèlerins du Moyen Age.* Paris, 1963.

PÉREZ DE URBEL (Fray Justo). — *Los monjes españoles en la Edad media.* Madrid, 1933-1934.

QUARRÉ (Pierre). — *Sanctuaires romans sur le chemin de Saint-Jacques*, musée de Dijon, 1962.
RENOUARD (Yves). — *Le pèlerinage à Saint-Jacques de Compostelle et son importance dans le monde médiéval*, dans *Revue historique*, 1951, pp. 255-261.
SALET (Francis). — *Sur les chemins de Saint-Jacques* dans *Bulletin de la Société des Amis du musée de Dijon*, 1952-1954, pp. 16-18.
SECRET (Jean). — *Sur les chemins de Compostelle*. Paris, 1956.
TERRASSE (Henri). — *Islam d'Espagne*. Paris, 1958.
VALOUS (Guy de). — *Les monastères et la pénétration française en Espagne du XI^e au XIII^e siècle* dans *Revue Mabillon*, octobre-décembre 1940, pp. 77-97.
VIELLIARD (Jeanne). — *Le Guide du pèlerin de Saint-Jacques de Compostelle*. Mâcon, 1950. — Texte latin et traduction française, à laquelle ont été empruntées toutes les citations qu'on a rencontrées dans le cours de ce volume. — Rééd. en 1963.
VÁZQUEZ DE PARGA (Luis), LACARRA (José-Maria), URÍA RÍU (Juan). — *Las peregrinaciones a Santiago de Compostela*, 3 vol. Madrid, 1948-1949. — Le premier volume est consacré à des études générales, le second aux itinéraires, le troisième à des publications de textes et aux reproductions. Si fréquents ont été nos emprunts à cet ouvrage que nous ne pourrons, dans la suite de cette bibliographie, les indiquer toujours avec précision. — Nous désignerons ces volumes sous le titre abrégé de *Peregrinaciones a Santiago*.
WHITEHILL (Walter Muir). — *Liber Sancti Jacobi. Codex Calixtinus*. Saint-Jacques de Compostelle, 1944.

Catalogue de l'exposition *Francia y los caminos de Santiago*. Madrid, Institut français, 1950 et numéro spécial de la revue *Goya* consacré à l'art roman avec articles de G. GAILLARD, A. BONET CORREA et M. CHAMOSO LAMAS (Juillet-décembre 1961).

Catalogue de l'exposition *El arte románico*. Barcelone et Compostelle, 1961; publication en 1963.

Catalogue de l'exposition *Pèlerins et chemins de Saint-Jacques en France et en Europe*. Paris, Archives nationales, 1964. Exposition organisée et textes réunis par R. DE LA COSTE-MESSELIÈRE.

Comme exemple de l'actuel pèlerinage de Compostelle, on peut lire :

DUCROT (Janine). — *Vers Compostelle*, Paris, 1964.
PALADILHE (Dominique). — *Carnet de route d'un étudiant. A pied vers Compostelle*. Paris, 1956.

Les conditions historiques générales de l'Espagne aux XI^e-XII^e siècles sont étudiées par :

GUINARD (Paul). — *La péninsule ibérique. La reconquête chrétienne de la dislocation du Califat de Cordoue à la mort de saint Ferdinand*, dans l'*Histoire du Moyen Age*, publiée sous la direction de Gustave GLOTZ. Paris, 1944, t. IV, 2^e partie, pp. 287 et suiv.
MENÉNDEZ PIDAL (Ramón). — *La España del Cid*, 2 vol., 1929. — Il est à peine besoin de rappeler l'importance de cet ouvrage admirable.

MENÉNDEZ PIDAL (R.). — *Historia de España dirigida por...* T. VI. — DEL ARCO (Ricardo) et PÉREZ DE URBEL (Fray Justo). — *España cristiana, comienzo de la Reconquista* (711-1039).

La « Société des Amis de Saint-Jacques de Compostelle », 87, rue Vieille-du-Temple, Paris, 3e, publie un Bulletin dans lequel abondent les notes diverses sur le pèlerinage. De remarquables études paraissent aussi dans le Bulletin du « Centre international d'Études romanes ».

## II. ÉTUDES PARTICULIÈRES

Nous donnons à la suite un certain nombre d'études, dont le sujet est relativement plus restreint, ou que nous avons utilisées pour un but précis.

### 1. LA DOUBLE INVENTION DE SAINT JACQUES LE MAJEUR

CHAMOSO LAMAS (Manuel). — *Excavaciones en la Catedral de Santiago de Compostela*, dans *Archivo Español de Arte*, 1954, n° 106, pp. 183-186, et 1958, n° 121, pp. 39-47.
DUCHESNE (Mgr L.). — *Fastes épiscopaux de l'Ancienne Gaule*, 2 vol. Paris, 1900.
DUCHESNE (L.). — *Saint Jacques en Galice*, dans *Annales du Midi*. T. XII, 1900, pp. 145-158.
PÉREZ DE URBEL (Fray Justo). — *Historia de España* dirigida por MENÉNDEZ PIDAL (Ramón). T. VI, pp. 51-57.
*Peregrinaciones a Santiago*. T. Ier, pp. 9-36.

### 2. LA LÉGENDE MÉDIÉVALE DE SAINT JACQUES

DAVID (chanoine Pierre). — *Études sur le Livre de saint Jacques attribué au pape Calixte II. — I. Le manuscrit de Compostelle et le manuscrit d'Alcobaça. — II. Les livres liturgiques et le livre des miracles. — III. Le Pseudo-Turpin et le guide du pèlerin. — IV. Révision et conclusion*. Lisbonne, 1946-1949. Tirage à part du *Bulletin des Études Portugaises*.
SALA BALUST (Luis). — *Los autores de la Historia compostelana*, dans *Hispania*, t. III, 1943, pp. 16-19.
VÁZQUEZ DE PARGA (Luis). — *El Liber Sancti Jacobi y el Codice Calixtino*, dans *Revista de Archivos, Bibliotecas y Museos*, t. LIII, pp. 35-45.
VORAGINE (Jacques de). — *La légende dorée*.

### 3. GRANDEUR ET DÉCADENCE DU PÈLERINAGE

Se reporter principalement à :

*Peregrinaciones a Santiago*. T. Ier, pp. 39-118.
*Études médiévales*. T. Ier, *L'histoire du pèlerinage*, pp. 121-126.

## 4. LES ITINÉRAIRES

Se reporter à la carte des routes de pèlerinage en France dressée par M. Francis SALET (Musée des Monuments français) et à celles de M. Élie LAMBERT (France et Espagne) au tome IV des *Études médiévales*. Voir également celles des *Peregrinaciones a Santiago* et de MM. R. de LA COSTE-MESSELIÈRE et C. PETITET dans l'article de *L'Œil* cité plus bas.

Outre l'édition du *Guide du pèlerin de Saint-Jacques de Compostelle* de Mlle Jeanne VIELLIARD, déjà citée :

*Peregrinaciones a Santiago*. T. II et III, *passim*.
*Études médiévales*. T. Ier : *Le Livre de Saint-Jacques et les routes de pèlerinage en France*, pp. 145-158; *Les routes des Pyrénées atlantiques et le pèlerinage en Espagne*, pp. 189-224.
BONNAUT D'HOUET (baron de). — *Pèlerinage d'un paysan picard à Saint-Jacques de Compostelle au commencement du XVIIIe siècle*. Montdidier, 1890.
DUFOURCET. — *Les voies romaines et les chemins de Saint-Jacques* dans *Congrès archéologique de Dax et Bayonne*, 1888, pp. 241 et suiv.
LA COSTE-MESSELIÈRE (René de). — *Les Chemins de Saint-Jacques* dans *L'Œil*, 1958, pp. 36-41 et 80 et dans le catalogue de l'exposition *Pèlerins et chemins de Saint-Jacques en France et en Europe*, Paris, Archives nationales, 1964, pp. 41-58.
LAVERGNE (Adrien). — *Les Chemins de Saint-Jacques en Gascogne*. Bordeaux, 1887.
MENÉNDEZ PIDAL (Gonzalo). — *Los caminos en la historia de España*.
SECRET (Jean). — *Un itinéraire de Paris à Compostelle en 1659*, dans *Bulletin de la Société Borda*, Dax, janvier-mars 1957, pp. 51-56.

## 5. LES PÈLERINS, LE VOYAGE ET L'HOSPITALITÉ

*Peregrinaciones a Santiago*. T. Ier, pp. 118-167, 281-399, etc.
*Études médiévales*. T. Ier : *Ordres et confréries dans l'histoire du pèlerinage*, pp. 127-144.
*Bulletin du Musée Carnavalet*, novembre 1955, pp. 2-6; étude par LEGRAND (Marcelle) de documents relatifs à la confrérie parisienne des pèlerins de Saint-Jacques conservés au musée Carnavalet.
LABANDE (E.-R.). — *Recherches sur les pèlerins dans l'Europe des XIe et XIIe siècles*, dans *Les Cahiers de civilisation médiévale*, 1958, pp. 159 et suiv. et 339 et suiv.
MAES (L.). — *Mittelalterliche Strafwallfahrten nach Santiago (...)*, dans *Sonderdruck aus der Festschrift Guido Kisch*, Stuttgart, 1955.

## 6. LES FRANÇAIS ET LE REPEUPLEMENT DU « CAMINO »

Outre l'ouvrage de DEFOURNEAUX (Marcelin) déjà cité :

BOISSONNADE (P.). — *Du nouveau sur la Chanson de Roland*. Paris, 1923.
*Peregrinaciones a Santiago*. T 1er, pp. 465-497.

## 7. DE L'ARCHEVÊQUE TURPIN A JOSEPH BÉDIER

Outre les études déjà citées de DAVID (P.) et BOISSONNADE (P.) :

BÉDIER (Joseph). — *Les légendes épiques.* T. Ier à IV, Paris, 1908-1912.
BURGER (André). — *La question rolandienne. Faits et hypothèses,* dans *Cahiers de civilisation médiévale,* 1861, p. 269-291.
FARAL (Edmond). — *La Chanson de Roland.* Paris, 1933.
LAMBERT (Elie). — *L'Historia Rotholandi du Pseudo-Turpin et le Pèlerinage de Compostelle,* dans *Bulletin de l'Université et de l'Académie de Toulouse.* Toulouse, mai-juillet 1943, pp. 369-403.
MENÉNDEZ PIDAL (R.). — *La Chanson de Roland et la tradition épique des Francs.* Paris, 1960.
MEREDITH-JONES (C.). — *Historia Karoli magni et Rotholandi ou Chronique du Pseudo-Turpin.* Paris, 1936.
*Peregrinaciones a Santiago.* T. Ier, pp. 499-534.

Voir aussi les études de R. LOUIS sur *Girard, comte de Vienne* (Auxerre, 1946), sur *L'épopée française et carolingienne* (recueil des « Coloquios de Roncesvalles »), sur *Ramón Menéndez Pidal et le progrès actuel des recherches sur l'épopée romane* (*La Nouvelle Clio,* t. X, pp. 35-89).

## 8. L'APOTRE DANS LA LÉGION DES SAINTS

GRIMME (E.). — *Das Karlsfenster der Kathedrale von Chartres,* dans *Aechener Kunstblätter,* 1960-1961.
*Peregrinaciones a Santiago,* t. Ier, pp. 565-573.
RÉAU (Louis). — *Iconographie de l'Art chrétien,* 6 vol., Paris, 1955-1959; spécialement t. III**, pp. 690-702.
MÂLE (Emile). — *L'art religieux du XIIe siècle en France,* spécialement pp. 187-243 et 292-297.

## 9 et 10. LES CHEMINS DE SAINT-JACQUES ET L'ARCHITECTURE ET LA SCULPTURE ROMANES

AUBERT (Marcel). — *L'église Saint-Sernin de Toulouse.* Paris, 1933.
AUBERT (M.). — *La sculpture française au Moyen Age.* Paris, 1946.
AUBERT (M.). — *L'église de Conques.* Paris, 1954.
AUBERT (M.) et GOUBET (Simone). — *Cathédrales, abbatiales, collégiales et prieurés romans de France.* Paris, Arthaud, 1965.
AZCARATE (José Maria de). — *La Portada de las Platerías y el programa iconográfico de la catedral de Santiago,* dans *Archivo español de Arte,* janvier 1963, pp. 1-20.
BALTRUSAÏTIS (J.). — *La stylistique ornementale dans la sculpture romane.* Paris, 1931.
BERTAUX (E.). — *La sculpture chrétienne en Espagne des origines au XIVe siècle,* dans l'*Histoire de l'Art* publiée sous la direction d'André MICHEL. T. II, 1re partie, Paris, 1906.
BONET CORREA (Antonio). — *Las peregrinaciones a Santiago de Compostela y el arte románico,* dans *Goya,* 1961, nos 43-45, pp. 127-136.

BOUILLET (Abbé). — *Sainte-Foy de Conques, Saint-Sernin de Toulouse, Saint-Jacques de Compostelle* dans le *Bulletin de la Société Nationale des Antiquaires de France*, t. LIII, Paris, 1893, p. 168.
CAMPS CAZORLA (E.). — *El arte románico en España*. Barcelone, 1935.
CHAMOSO LAMAS (Manuel). — *Escultures del desaparecido portico occidental de la catedral de Santiago*, dans *Cuadernos de estudios Gallegos*, 1959, pp. 202-208.
CONANT (Kenneth John). — *The early architectural history of the Cathedral of Santiago de Compostela*. Cambridge, Harvard University Press, 1926.
CONANT (K. J.). — *Carolingian and Romanesque architecture* 800-1200, The Pelican History of Art, 1959.
CROZET (René) dans *Boletín del Seminario de Estudios de Arte*, Université de Valladolid, 1953-1954. Compte rendu par SALET (Francis) dans *Bulletin monumental*. T. CXIII, 1955, n° 3, pp. 212-213.
CROZET (R.). — *Remarque sur les relations artistiques entre la France du sud-ouest et le nord de l'Espagne à l'époque romane*, dans *Actes du XIX<sup>e</sup> congrès international d'Histoire de l'Art*, Paris, 1958.
CROZET (R.). — *Recherches sur la sculpture romane en Navarre et en Aragon*, dans *Cahiers de civilisation médiévale*, depuis 1960.
CROZET (R.). — *L'église d'Aulnay et la route de Saint-Jacques* dans *Bulletin de la Société des Antiquaires de l'Ouest*, 1963, pp. 303-312.
DESCHAMPS (Paul). — *Notes sur la sculpture romane en Languedoc et dans le Nord de l'Espagne*, dans *Bulletin monumental*, 1923, pp. 305-351.
DESCHAMPS (P.). — *L'autel roman de Saint-Sernin de Toulouse et les sculptures du cloître de Moissac*, dans *Bulletin archéologique du Comité des travaux historiques et scientifiques*, 1923, pp. 239-250.
DESCHAMPS (P.). — *Étude sur les sculptures de Sainte-Foy de Conques et de Saint-Sernin de Toulouse, et leurs relations avec celles de Saint-Isidore de León et de Saint-Jacques de Compostelle*, dans *Bulletin monumental*, 1941, pp. 239-264.
DURLIAT (Marcel). — *L'art roman en Espagne*. Paris, 1962.
DURLIAT (M.). — *Les débuts de la sculpture romane à Toulouse*, dans le *Bulletin du Centre international d'Études romanes*, juillet 1962, pp. 9-12.
DURLIAT (M.). — *Les chapiteaux et le portail de Saint-Michel de Lescure*, dans *Cahiers de civilisation médiévale*, octobre-décembre 1962, p. 411-418.
DURLIAT (M.). — *La construction de Saint-Sernin de Toulouse au XI<sup>e</sup> siècle*, dans *Bulletin monumental*, 1963, pp. 151-170.
DURLIAT (M.). — *L'atelier de Bernard Gilduin à Saint-Sernin de Toulouse*, dans *Anuario de estudios medievales*. Barcelone, 1964, pp. 521-529.
DURLIAT (M.). — *Le portail occidental de Saint-Sernin de Toulouse*, dans *Annales du Midi*, avril 1965, pp. 215-224.
FERRANDIS (J.). — *Márfiles y azabaches españoles*. Barcelone, 1928.
FOCILLON (Henri). — *L'art des sculpteurs romans*. Paris, 1931; rééd. 1964.
FOCILLON (H.). — *Les mouvements artistiques* dans *Histoire du Moyen Age* publiée sous la direction de Gustave GLOTZ, t. VIII, Paris, 1933, pp. 418-663.
FOCILLON (H.). — *Art d'Occident*. Paris, 1947.
GAILLARD (Georges). — *Les débuts de la sculpture romane espagnole. León. Jaca. Compostelle*. Paris, 1938.
GAILLARD (G.). — *De la diversité des styles dans la sculpture romane des pèlerinages* dans *La Revue des Arts*. Paris, 1951, n° 2, pp. 77-87.

GAILLARD (G.). — *La sculpture romane espagnole sur la route de Saint-Jacques* dans *Bulletin du Centre international d'Études romanes*, 1957, pp. 27-30.
GAILLARD (G.). — *Le Porche de la Gloire à Saint-Jacques de Compostelle et ses origines espagnoles*, dans *Les Cahiers de civilisation médiévale*. Poitiers, 1958, pp. 465 et suiv.
GAILLARD (G.). — *Cluny et l'Espagne dans l'art roman du XI*e *siècle*, dans *Bulletin hispanique*, juillet-décembre 1961, pp. 153-160.
GAILLARD (G.). — Dans *le Rouergue roman*, Editions du Zodiaque, 1964.
GARCÍA ROMO (Francisco). — *Influencias hispano-musulmanas y mozárabes en general y en el románico francés del siglo XI*, dans *Arte Español*, 1953-1954.
GARCÍA ROMO (Francisco). — *Los porticos de San Isidoro de León y de Saint-Benoît-sur-Loire y la Iglesia de Sainte-Foy de Conques*, dans *Archivo Español de Arte*, 1955, n° 111.
GARCÍA ROMO (Fr.). — *Teoría de la Escultura románica* dans *Revista de Ideas Estéticas*, n° 53, 1956.
GÓMEZ MORENO (Manuel). — *Iglesias mozárabes*. Madrid, 1919.
GÓMEZ MORENO (M.). — *El arte románico español*. Madrid, 1934.
GUDIOL RICART (José). — *Arquitectura y Escultura románicas* dans *Ars Hispaniae*. T. V, Madrid, 1948.
GUDIOL RICART (José) et COOK (Walter W. S.). — *Pintura e imaginería románicas* dans *Ars Hispaniae*. T. VI, Madrid, 1950.
HUBERT (Jean). — *L'art préroman*. Paris, 1938.
KINGSLEY-PORTER (Arthur). — *The romanesque sculpture of the pilgrimage roads*. Boston, 1923.
KINGSLEY-PORTER (A.). — *Spanish romanesque sculpture*, 1928-1929.
LAMBERT (Élie). — *L'art gothique en Espagne aux XII*e *et XIII*e *siècles*. Paris, 1931.
LAMBERT (É.). — *L'art en Espagne et au Portugal*. Paris, 1945.
LAMBERT (É.). — *Études médiévales*. T. Ier, 4e partie : *L'art préroman et roman le long des routes de pèlerinage*, pp. 189-224; *La Cathédrale de Saint-Jacques de Compostelle et l'école des grandes églises romanes des routes de pèlerinage*, pp. 245-259.
LAMBERT (É.). — *L'ancienne église abbatiale de Saint-Martial de Limoges* dans le catalogue de l'exposition *L'art roman à Saint-Martial de Limoges*, pp. 27-42, Limoges, Musée municipal, 1950. Nous avons exposé, pp. 104-105, la chronologie de Saint-Martial d'après M. É. Lambert. Un autre système chronologique a été proposé par M. DUCHEIN dans le *Bulletin de la Société archéologique du Limousin*, 1951, et analysé par M. Fr. SALET dans le *Bulletin monumental*, 1951, pp. 322-326; d'après cet autre système Saint-Martial aurait présenté dès le début du XIe siècle l'élévation des « églises de pèlerinage », mais sous une charpente. Aux études précédentes de M. Elie LAMBERT, ajouter éventuellement certains articles qu'on trouvera en tête de la bibliographie des *Études médiévales*.
LAMPÉREZ Y ROMEA (V.). — *Historia de la arquitectura cristiana española*. Madrid, 1930.
LESUEUR (Dr). — *Saint-Martin de Tours et les origines de l'art roman*, dans *Bulletin monumental*, 1949.
MÂLE (Emile). — *Art et artistes du Moyen Age*. Paris, 1928.
Et du même auteur, *L'art religieux du XII*e *siècle en France*, déjà cité.

MASSON (André). — *Existe-t-il une architecture des hospices de Saint-Jacques ?* dans *Revue historique de Bordeaux et du département de la Gironde*, 1941, pp. 5-17.
MESPLÉ (P.). — *Toulouse, Musée des Augustins, les sculptures romanes*, Paris, 1961 et *Sculptures romanes et gothiques de l'église Saint-Sernin*, dans *La Revue du Louvre et des musées de France*, 1961, pp. 167-174.
NAESGAARD (Ole). — *Saint-Jacques de Compostelle et les débuts de la grande sculpture vers 1100*. Publications de la Société archéologique du Jutland, Universitetsforlaget i Aarhus, 1962.
OURSEL (C.). — *L'art de Bourgogne*. Paris-Grenoble, Arthaud, 1953.
PÉREZ DE URBEL (Fray Justo). — *El claustro de Silos*. Burgos, 1955.
REY (Raymond). — *La sculpture romane languedocienne*, 1936.
SCOTT (David W.). — *A restoration of the West Portal relief decoration of Saint-Sernin of Toulouse*, dans *The Art Bulletin*, 1964, pp. 271-282.
TORRES BALBAS (L.). — *Los modillones de lóbulos : ensayo de análisis de una forma arquitectónica a través de diez y seis siglos*, dans *Archivo Español de Arte y Arqueologia*. T. XI, Madrid, 1936.
VÁZQUEZ DE PARGA (Luis) dans *Peregrinaciones a Santiago*. T. Ier, pp. 541-564.
Consulter en outre les volumes des *Congrès archéologiques* de 1929 (Toulouse) et 1937 (Conques) et l'ouvrage collectif sur *L'art roman* par M. AUBERT, F. BENOIT, R. CROZET, M. DURLIAT, G. GAILLARD, M. THIBOUT, J. VALLERY-RADOT, Paris, 1961. — Les grandes abbayes des routes de pèlerinage peuvent être évoquées par l'exemple de Saint-Martial. Le catalogue de l'exposition *L'art roman à Saint-Martial de Limoges* organisée par M. S. GAUTHIER, en 1950, au musée municipal de Limoges est fort utile.

## 11. A PROPOS DES DÉBUTS DE L'ÉMAILLERIE CHAMPLEVÉE

FALKE (Otto von). — *Deutsche Schmellzarbeiten des Mittelalters* (...). Francfort, 1904.
GAUTHIER (Marie-Madeleine S.). — Catalogue de l'exposition *Emaux limousins XIIe, XIIIe, XIVe siècles*. Limoges, musée municipal, 1948.
GAUTHIER (Marie-Madeleine S.). — *Emaux limousins champlevés des XIIe, XIIIe et XIVe siècles*. Préface de Pierre VERLET. Paris, 1950.
GAUTHIER (Marie-Madeleine S.). — *La légende de sainte Valérie et les émaux champlevés de Limoges*, dans *Bulletin de la Société archéologique et historique du Limousin*, 1955, t. LXXXVI, pp. 36-80.
GAUTHIER (Marie-Madeleine S.). — *Les émaux champlevés « Limousins » et « L'œuvre de Limoges »*, dans *Cahiers de la Céramique et des Arts du feu*, n° 8, automne 1957, pp. 146 et suiv. On trouvera, dans cet important article, outre une histoire des études consacrées à l'émaillerie champlevée et un examen approfondi des pièces, la bibliographie précise de la question. Nous y renvoyons pour plus de détails bibliographiques, pour les travaux de certains savants comme Stohlman, etc.
GAUTHIER (Marie-Madeleine S.). — *Les émaux limousins champlevés* dans *L'Information d'histoire de l'Art*, III, 1958, pp. 67-78.
GAUTHIER (Marie-Madeleine S.). — *Les décors vermiculés dans les émaux champlevés limousins et méridionaux*, dans *Les Cahiers de civilisation médiévale*. Poitiers, 1958, pp. 349 et suiv.

GAUTHIER (Marie-Madeleine S.). — *Le frontal limousin de San Miguel in Excelsis*, dans *Art de France*, III, 1963, pp. 40-61.
HILDBURGH (W. L.). — *Spanish medieval enamels*, 1936.
HILDBURGH (W. L.). — *Medieval copper champlevé enamelled images of the Virgin and Child.* Oxford, for the Society of Antiquaries of London, 1955. Edition posthume par C. C. Oman.
JUARISTI (V.). — *Esmaltes, con especial mención de los españoles.* Barcelone, 1933.
LANDAIS (Hubert). — Notice de la plaque de Geoffroy Plantagenet dans le catalogue de l'exposition des *Chefs-d'œuvre romans des Musées de province*, Musée du Louvre, 1957-1958, n° 107, pp. 65-67.
MARQUET de VASSELOT (Jean-J.). — Voir les articles consacrés à l'émaillerie dans l'*Histoire générale de l'Art* publiée sous la direction d'André MICHEL. T. Ier, 2, pp. 865 et suiv. et t. II, 2, pp. 939 et suiv.
MARQUET DE VASSELOT (Jean-J.). — *Catalogue sommaire de l'orfèvrerie, de l'émaillerie et des gemmes* (Musée du Louvre). Paris, 1914.
MARQUET DE VASSELOT (Jean-J.). — *Bibliographie de l'orfèvrerie et de l'émaillerie françaises.* Paris, 1925.
MARQUET DE VASSELOT (Jean-J.). — *Les crosses limousines du XIIIe siècle.* Paris, 1941.
MARQUET DE VASSELOT (Jean-J.). — *Les gémellions limousins du XIIIe siècle.* Édition posthume par Pierre Verlet. Paris, 1952.
MOLINIER (Émile). — *L'émaillerie.* Paris, 1891.
ROULIN (Dom Eugène). — *L'ancien trésor de l'abbaye de Silos.* Paris, 1901.
RUPIN (E.). — *L'œuvre de Limoges.* Paris, 1890.
SOUGHAL (Geneviève). *Les émaux de Grandmont au XIIe siècle*, dans *Bulletin monumental, à partir de* 1961.
SWARZENKI (Hans). *Monuments of Romanesque Art.* Londres, 1956.
THOBY (Dr P.) — *Les croix limousines. Paris*, 1953.

On trouvera également de précieuses indications dans l'article de Francis SALET cité dans les ouvrages généraux. Un cours de M. Fr. SALET à l'École du Louvre, consacré à l'émaillerie, est demeuré jusqu'à présent inédit

## *Notes de voyage*

La bibliographie précédente est également valable pour cette partie. D'une manière générale se reporter, pour la France, aux *Congrès archéologiques*, à la collection des *Petites monographies des grands édifices de la France* dirigée par Marcel AUBERT, au bulletin du Centre international d'Études romanes, etc., pour l'Espagne, au tome II des *Peregrinaciones a Santiago*, au *Catálogo monumental de la Provincia de León*, par M. GÓMEZ MORENO, à la collection des *Monumentos cardinales de España* (éd. Plus Ultra), à celle des *Guías artísticas de España* (ed. Aries), à la série *El Arte en España* (éd. Thomas). Est très utile la série des *Monumentos españoles*, Madrid, 1953-1954.

Nous avons utilisé particulièrement :

## 12. SAINT-BENOIT SUR LOIRE

BANCHEREAU (Jules). — *Saint-Benoît-sur-Loire.* Paris, 1947.
*Clarté de Saint-Benoît.* — *Cahiers de l'Atelier du Cœur meurtry*, n° 30 *ter* de *Zodiaque.*

## 13. VÉZELAY

SALET (Francis). — *La Madeleine de Vézelay. Étude iconographique* par Jean ADHÉMAR. Melun, 1948.

## 14. LE PUY

Outre les études déjà citées d'Émile MÂLE et Élie LAMBERT, voir Ahmed FIKRY, *L'art roman du Puy et les influences islamiques.* 1934.

## 15. SAINTE-FOY DE CONQUES

AUBERT (Marcel). — *L'église de Conques.* Paris, 1954.
DEYRE (Marcel). — *La construction de l'abbatiale Sainte-Foy de Conques,* dans *Bulletin monumental,* 1965, pp. 7-23.
GAILLARD (Georges), GAUTHIER (Marie-Madeleine S.), BALSAN (Louis), SURCHAMP (Dom Angelico). — *Rouergue roman.* La Pierre-Qui-Vire, 1963.
GAULEJAC (Bernard de). — *Histoire de l'orfèvrerie en Rouergue.* Rodez, 1938.
LAMBERT (Elie). — dans *Bulletin de la Société nationale des Antiquaires de France,* 1947, pp. 238-241.
TARALON (Jean). — *La nouvelle présentation du trésor de Conques,* dans *Les monuments historiques de la France,* 1953, t. I, pp. 121-141.
*Sainte-Foy de Conques,* éd. du Zodiaque, 1965.

## 16. VERS TOULOUSE ET LES PYRÉNÉES

### MOISSAC ET TOULOUSE, VALCABRÈRE ET SAINT-BERTRAND DE COMMINGES

Outre les études de Paul DESCHAMPS, Marcel DURLIAT, Paul MESPLÉ et Raymond REY citées pour les chapitres 9 et 10 :

AUBERT (Marcel). — *L'église Saint-Sernin de Toulouse.* Paris, 1933.
AURIOL (chanoine A.) et REY (Raymond). — *La basilique Saint-Sernin de Toulouse.* Toulouse, 1930.
BRUAND (Yves). — *L'autel de Bernard Gilduin à Saint-Sernin de Toulouse* dans *Bulletin monumental,* 1959, pp. 299-301.

Sur l'Apocalypse de Saint-Sever, voir les catalogues des expositions :

*Manuscrits à peintures du VII^e^ et XII^e^ siècles.* Paris, Bibl. Nat., 1954, n° 304 et *Chefs-d'œuvre romans des musées de Province.* Paris, musée du Louvre, 1957-1958, n° 144.

## 17 et 18. DU SOMPORT ET DE RONCEVAUX A PUENTE LA REINA

LAMBERT (Élie). — *Roncevaux et ses monuments,* dans *Études médiévales.* T. I^er^, pp. 159-188.
MARQUET DE VASSELOT (Jean-J.). — *Le trésor de l'abbaye de Roncevaux,* dans *Gazette des Beaux-Arts,* 1897. T. II, pp. 205-216 et 319-333.

## 19. DE PUENTE LA REINA A BURGOS ET LEON

Pour Silos, voir les études de P. DESCHAMPS, PORTER, ROULIN, et Fray Justo PÉREZ DE URBEL citées aux chapitres 9 et 10.

## 20 VERS LA GALICE ET SAINT-JACQUES DE COMPOSTELLE

ALCOLEA (Santiago). — *La catedral de Santiago*. Collection *Los monumentos cardinales de España*. Madrid s. d.

BONET CORREA (Antonio). — *Arquitectura barroca gallega del siglo XVII* (*inédit*) et *La arquitectura en Galicia durante el siglo XVII*, dans *Goya*, 1960, pp. 189-319.

CHAMOSO LAMAS (Manuel)l — *La Arquitectura barroca en Galicia*. Madrid, 1955, et *El templete del Apóstol en la catedral de Santiago*, dans *Goya*, 1961, pp. 322-326.

Signalons qu'un film intitulé *Chemin de Compostelle* a été réalisé par une équipe dont ont fait partie, sous la direction de l'abbé BRANTHAUME, M$^{me}$ B. LUC et M. René de LA COSTE-MESSELIÈRE.

# III. ADDITIONS A LA BIBLIOGRAPHIE

## 1. ÉTUDES DIVERSES ET RÉCITS DE PÈLERINAGE

AUBRY (Jean-Noël). — *Un pèlerinage à Saint-Jacques...*, Évreux, 1981.

BARRET (Pierre) et GURGAND (Jean-Noël). — *Priez pour nous à Compostelle*, Paris, 1978.

BENNASSAR (Bartolomé). — *Saint-Jacques de Compostelle*, Paris, 1970.

ECHEVERRIA BRAVO (Pedro). — *Cancionero de los peregrinos de Santiago*, Madrid, 1967.

HELL (Vera) et HELL (Hellmut). — *Die Grosse Wallfahrt des Mittelalters : Kunst an den romanischen Pilgerstrassen durch Frankreich und Spanien nach Santiago de Compostella*, Tübingen, 1973.

LA COSTE-MESSELIÈRE (René de). — Cat. de l'exp. *Hôpitaux et confréries de pèlerins de saint Jacques*, château des ducs d'Épernon, Cadillac-sur-Garonne, 1967.

LAYTON (Thomas Arthur). — *The Way of Saint James or the Pilgrim's road to Santiago*, Londres, 1976.

MARTIN (André-Marie). — *Le pèlerinage anachronique*, Paris, 1977.

SECRET (Jean). — *Saint-Jacques et les chemins de Compostelle*, nouvelle édition, Paris, 1982.

SIGAL (Pierre-André). — *Les marcheurs de Dieu. Pèlerinages et pèlerins au Moyen Age*, Paris, 1974.

VALINA SAMPEDRO (Eliés), — *El camino de Santiago, estudio historico-juridico*, Madrid, 1971.

Le n° 20, janvier-février 1977, de la revue *Les Dossiers de l'archéologie* est entièrement consacré à *Saint-Jacques de Compostelle* et aux divers aspects du pèlerinage. Études de Pierre-André SIGAL, Marcel DURLIAT, Edmond-René LABANDE, Jacques LACOSTE, Hubert LE ROUX, Serafín MORALEJO ALVAREZ J.M.-B. et René de LA COSTE-MESSELIÈRE.

# *BIBLIOGRAPHIE*

## 2. PROBLÈMES ARTISTIQUES

Éditions les plus récentes des ouvrages consacrés aux régions traversées par les chemins dans la collection « la nuit des temps » (Zodiaque).

BOUSQUET (Jacques). — *La sculpture à Conques aux XI*e *et XII*e *siècles, essai de chronologie comparée*, 2 vol. de texte et 1 vol. de pl., Lille, 1973.

DURLIAT (Marcel). — *Les coupoles de la cathédrale du Puy et leurs origines* dans les *Comptes rendus* de l'Académie des Inscriptions et Belles-Lettres, juillet-octobre 1976, pp. 494-524. — *La cathédrale du Puy* dans *Congrès archéologique du Velay*, Paris, 1976, pp. 55-163. — *Pèlerinages et architecture romane* dans *Les Dossiers de l'archéologie*, n° 20, janvier-février 1977, pp. 22-35. — *Le « camino francés » et la sculpture romane*, dans la même revue, pp. 58-72.

DURLIAT (Marcel). — *L'art roman*, éd. Mazenod, Paris, 1982.

LELONG (Charles). — *La date du déambulatoire de Saint-Martin de Tours*, dans *Bulletin monumental*, 1973, pp. 297-309. — *Le transept de Saint-Martin de Tours*, dans la même revue, 1975, pp. 113-119 et *La nef de Saint-Martin de Tours*, dans la même revue, 1975, pp. 205-231.

WILLIAMS (John W.). — *San Isidoro in León : Évidence for a New History*, dans *The Art Bulletin*, t. LV (2), pp. 171-184 et « *Spain or Toulouse?* » *A Half Century Later Observations on the Chronology of Santiago de Compostela*, dans *Actas del XXIII Congreso Internacional de Historia del Arte*, Grenade, 1973, publ. t. I, Grenade, 1976, pp. 557-570.

# TABLE DES ILLUSTRATIONS

# TABLE DES MATIÈRES

*TABLE DES MATIÈRES*

## DU MÊME AUTEUR

*L'Espagne*, Éditions Arthaud, collection « Les Beaux Pays », 1955.

*Le Portugal*, Éditions Arthaud, collection « Les Beaux Pays », 1956.

*Musée du Louvre et Musée de Cluny. Catalogue de l'orfèvrerie du XVII*e, *du XVIII*e *et du XIX*e *siècle*, Paris, Éditions des Musées nationaux, 1958.

*L'orfèvrerie française du XVIII*e *siècle*, en collaboration avec Solange Brault, Presses Universitaires de France, 1959.

*Splendeurs de l'Espagne*, en collaboration avec Jacques Lafaye et François Cali, Éditions Arthaud, collection « Les Imaginaires », 1961.

*L'art de cour dans l'Espagne de Philippe V* 1700-1746, « Bibliothèque de l'École des Hautes Études Hispaniques », Bordeaux, 1962 (Librairie Bière).

*L'art d'Ange-Jacques Gabriel à Fontainebleau* 1735-1774, Éditions de Boccard, 1962.

*Notre-Dame de Paris et la Sainte-Chapelle*, Éditions Arthaud, collection « Le Monde en images », 1966.

*Baroque ibérique. Espagne, Portugal, Amérique latine.* Office du livre (Fribourg, Suisse), collection « Architecture universelle ».

*Le Portugal et sa vocation maritime. Histoire et civilisation d'une nation*, Éditions de Boccard, 1977.

Achevé d'imprimer le 17 mars 1983
Sur les presses de l'imprimerie Berger-Levrault à Nancy
Hors textes noirs par l'imprimerie Auclair à Bagneux
Brochage par la SPBR à Chevilly-Larue
Nº d'édition : 1647 - Nº d'impression : 779684
Dépôt légal : Avril 1983
Imprimé en France